Balthazar Jones et le Zoo de la Tour

Balthazar Jones et le Zoo de la Tour

JULIA STUART

Traduit de l'anglais
par Hélène Tordo

City

Pour Joan.

Publié en 2010 par Doubleday, une division de Random House Inc., sous le titre *The tower, the zoo and the tortoise.*
Couverture : HarperCollins UK

ISBN : 978-2-35288-768-3
Code Hachette : 50 8805 9

Rayon : Roman
Collection dirigée par Christian English & Frédéric Thibaud.

Catalogue et manuscrits : www.city-editions.com

Dépôt légal : troisième trimestre 2011
Imprimé en France par France Quercy - Mercuès - N° 11822/

On peut déjà juger du cœur d'un homme
au traitement qu'il réserve aux animaux.

EMMANUEL KANT

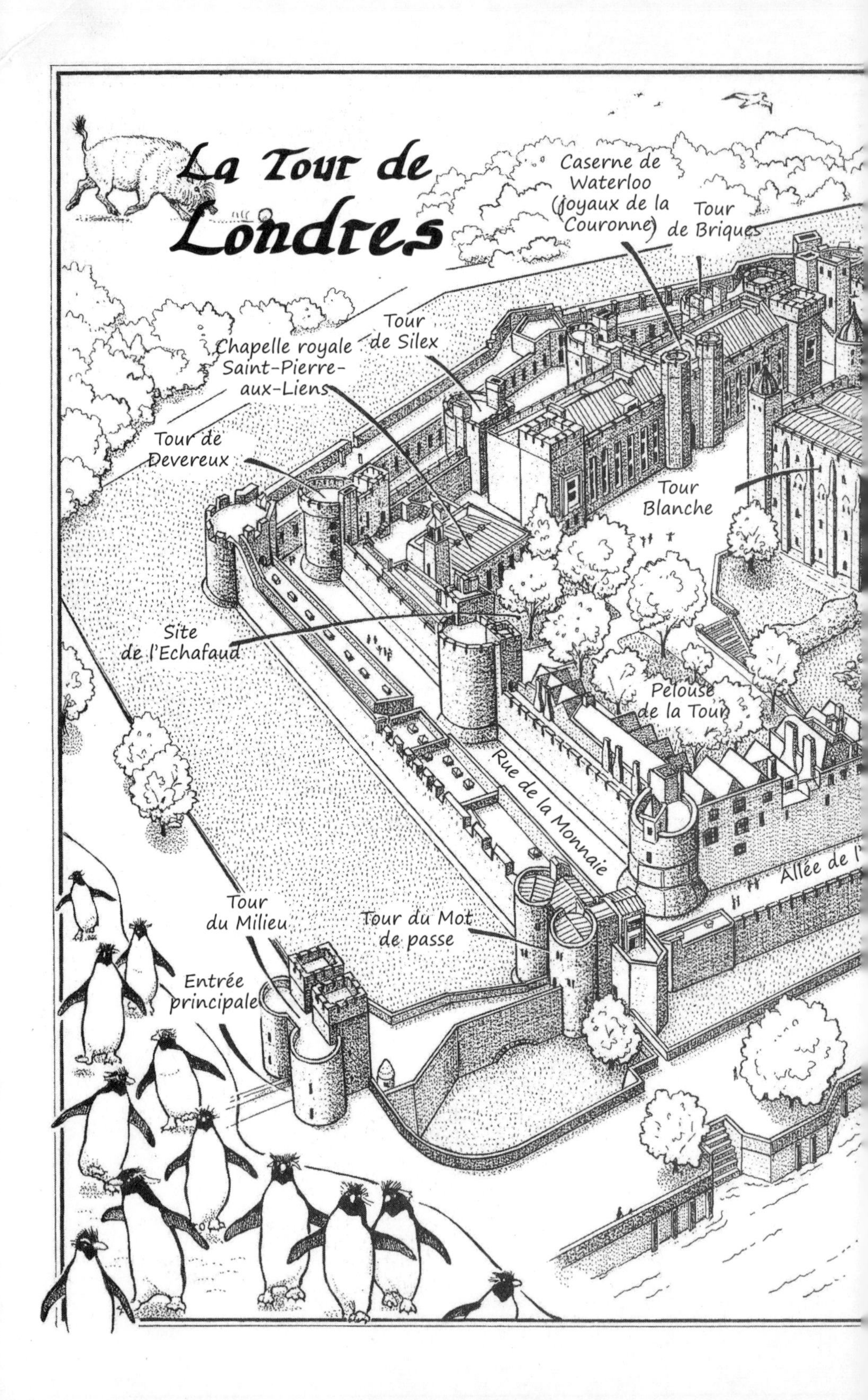
La Tour de Londres
Caserne de Waterloo (joyaux de la Couronne)
Tour de Briques
Tour de Silex
Chapelle royale Saint-Pierre-aux-Liens
Tour de Devereux
Tour Blanche
Site de l'Echafaud
Pelouse de la Tour
Rue de la Monnaie
Tour du Milieu
Tour du Mot de passe
Entrée principale

Tour de la Grosse
Flèche
Tour de Sel
Tour de Develin
Tour
du Puits
Pub Aux
ruines et
au chevalet
Tour
du Berceau
Tour de
Wakefield
Tour
Sanglante
Porte
du Traître
TAMISE
Illustration de Laura Hartman Maestra © 2010

Les personnages

Balthazar Jones : hallebardier, gardien de la Ménagerie royale de la Tour de Londres, père de Milon et collectionneur de pluie.

Hebe Jones : épouse de Balthazar, elle travaille au Bureau des objets trouvés du métro de Londres.

Mme Cook : tortue de Balthazar et de Hebe ; âgée de cent quatre-vingt-un ans, elle est la plus vieille tortue du monde.

Arthur Catnip : poinçonneur de tickets du métro de Londres ; un homme de taille réduite.

Révérend Septimus Drew : chapelain de la Tour, il écrit en secret des romans érotiques et se meurt d'amour pour l'une des résidentes.

Ruby Dore : patronne du Rack & Ruin, le pub « Aux ruines et au chevalet » de la Tour de Londres, elle dissimule un secret.

Valerie Jennings : collègue excentrique de Hebe, elle est attirée par une personne de taille réduite.

Le maître des corbeaux : hallebardier séducteur, responsable des odieux corbeaux de la Tour de Londres.

Sir Walter Raleigh : ancien prisonnier de la Tour de Londres et son fantôme le plus casse-pieds.

Hallebardier en chef : le supérieur de tous les hallebardiers est un homme de nature suspicieuse.

Oswin Fielding : écuyer du palais de Buckingham envoyé par la reine pour assurer la liaison avec la Tour de Londres à propos de la Ménagerie royale.

Samuel Crapper : client le plus régulier du Bureau des objets trouvés du métro de Londres.

Geôlier en chef : bras droit du hallebardier en chef, il est terrorisé par les fantômes qui hantent les murs de son domicile.

HALLEBARDIERS : les gardes officiels de la Tour de Londres qui font aujourd'hui visiter le monument aux touristes descendent des soldats qui, au début de l'histoire de la forteresse, gardaient les portes et les prisonniers royaux. A partir du règne d'Henri VIII (1509-1547), ces tâches furent confiées aux *Yeomen*, petits propriétaires campagnards qui avaient le privilège de porter la livrée royale, une version de celle qu'ils portent toujours. Au cours des XVIe et XVIIe siècles, ces gardiens étaient également, sous le commandement du lieutenant de la Tour, chargés de pratiquer la torture.
Le titre complet des hallebardiers est *Yeoman Warder of Her Majesty's Royal Palace and Fortress the Tower of London, and Member of the Sovereign Body Guard of the Yeoman Guard Extraordinary.* Plus prosaïquement, on les surnomme en anglais *Beefeaters* (« mangeurs de bœuf »), en raison de la ration de viande quotidienne à laquelle ils avaient droit au XVIIe siècle en échange de leurs tâches, mais le mot pourrait aussi être une déformation du français « buffetier » (garde du buffet du roi). Ils préfèrent largement le titre officiel de *Yeoman Warders*.
Au départ, les premiers « touristes » qu'ils guidaient dans la Tour de Londres devaient être invités expressément par le roi ou par le gouvernement, mais certains écrits attestent qu'à partir du milieu du XVIIe siècle, certaines personnes étaient prêtes à payer pour la visite.
En 1838, le prix d'entrée de la Tour de Londres fut réformé, et l'on commença à imprimer des billets et des brochures touristiques. En l'espace de 3 ans, le

nombre de visiteurs passa de 10 500 à 80 000 par an. C'est à cette époque que les *Yeoman Warders* devinrent les guides officiels de la Tour.

Aujourd'hui, tandis qu'ils continuent à garder la forteresse et à guider les visiteurs, les *Yeoman Warders* assistent au couronnement du souverain, à l'exposition de sa dépouille en chapelle ardente, à la procession du lord maire, ainsi qu'à d'autres fonctions officielles de la nation et des manifestations de bienfaisance. Tous sont d'anciens sous-officiers de l'armée de Sa Majesté qui peuvent se targuer d'au moins vingt-deux années de service.

Chapitre un

Debout sur les remparts, en pyjama, Balthazar Jones regardait la Tamise vers l'endroit où, au bout de sa corde, l'ours polaire d'Henri III pêchait autrefois le saumon. Le hallebardier ne remarquait ni le froid qui transperçait sa robe de chambre comme autant d'aiguilles mortelles, ni la méchante humidité qui s'insinuait autour de ses chevilles. Les mains posées sur les antiques créneaux, il renversa la tête en arrière et huma profondément la nuit.

Elle était revenue.

Quelques heures plus tôt, l'effluve reconnaissable entre tous avait flotté devant ses spacieuses narines, alors qu'il dormait dans la tour de Sel, son foyer dans le monument depuis huit ans. Percevant cette bouffée comme une oasis dans ses rêves habituellement horribles, il s'était gratté les poils qui couvraient son torse d'un voile de cendres fraîches et avait replongé dans son sommeil morcelé.

Ce ne fut que lorsqu'il roula sur le côté, loin de sa femme et de son souk d'odeurs puissantes, qu'il la sentit à nouveau. Soudain conscient qu'il s'agissait de l'odeur de la pluie la plus rare du monde, le hallebardier s'était redressé dans l'obscurité, les yeux écarquillés comme ceux d'un oisillon qui vient de naître.

Le brusque mouvement du matelas avait, pendant quelques secondes, fait onduler sa femme à la manière d'un corps ballotté par les vagues, et elle avait murmuré des paroles incompréhensibles.

Tandis qu'elle se détournait pour fuir la gêne, l'oreiller tomba dans l'espace séparant la tête de lit du mur, un défaut majeur de cet appartement dont les murs étaient parfaitement circulaires.

Balthazar Jones se pencha dans le no man's land poussiéreux et tâtonna à la recherche de l'oreiller. Après l'avoir récupéré, il le posa délicatement à côté de sa femme pour ne pas la déranger.

Tout en exécutant le geste, il se demanda, comme il l'avait souvent fait au cours de leur union, comment une femme d'une telle beauté, dont l'éclat brillait encore fièrement dans sa cinquante-cinquième année, pouvait autant ressembler à son père dans son sommeil.

Pour une fois, il résista à la tentation de la secouer pour la réveiller afin de se débarrasser de l'illusion pesante de partager sa couche avec son beau-père, un Grec dont l'allure féroce avait incité les membres de sa famille à le qualifier de « bon fromage dans une peau de chien ».

Au lieu de cela, il sauta de son lit, le cœur battant d'impatience. Oubliant d'adopter le pas léger de la gazelle, il traversa la pièce, heurtant de ses talons le tapis émacié qui rendit des bruits sourds, et jeta un regard au-dehors, le nez et la barbe collés contre le carreau qui portait encore les traces de similaires occasions précédentes.

Le sol était encore sec. Avec un désespoir grandissant, il scruta le ciel de la nuit en quête des nuages de pluie qui confirmeraient l'indéniable effluve.

Il était si soucieux de ne pas manquer le moment qu'il attendait depuis deux longues années qu'il se précipita sans réfléchir à l'autre bout de la chambre, passa devant la grande cheminée en pierre pour gagner la salle de bains.

Mais son estomac, encore retourné par le ragoût d'agneau de la veille au soir, arriva le premier.

S'emparant de sa robe de chambre dont les poches recelaient des miettes de biscuits clandestins, le hallebardier serra la cordelette sur son pyjama et, oubliant ses charentaises en tweed écossais, ouvrit la porte de la chambre.

Une mèche de cheveux écumant sur son visage, il ne remarqua ni le bruit du loquet qui retombait, ni le bafouillage incompréhensible que cela déclencha chez son épouse. Les doigts posés sur la corde sale qui servait de rampe, il descendit l'escalier en colimaçon où régnait un froid de tombeau, la main droite serrée autour d'un flacon de parfum égyptien dans lequel il espérait emprisonner quelques gouttes de pluie.

Au bas des marches, il passa devant la chambre de son fils dans laquelle il n'avait pu se résoudre à pénétrer depuis ce jour terrible entre tous.

Lentement, il ferma la porte de la tour de Sel derrière lui en se félicitant du succès de sa fuite. C'est à ce moment précis que son épouse se réveilla. Hebe Jones passa la main sur les draps de son trousseau de mariée, mais elle ne rencontra que du vide.

Son mari avait disparu.

Balthazar Jones collectionnait la pluie depuis au moins trois ans, une passion qui l'avait saisi peu après la mort de son seul et unique enfant.

Au début, il considérait les ondées comme une simple gêne associée à sa tâche, qui, ajoutée à l'humidité constante de leurs sinistres appartements, produisait chez tous les hallebardiers un spécimen impitoyable de champignon s'épanouissant à l'arrière de leurs genoux.

Mais tandis que les mois s'étiraient après la tragédie, il s'aperçut qu'il scrutait souvent les nuages. Il était figé par une douleur insurmontable, alors qu'il aurait dû être en train de surveiller les pickpockets qui s'attaquaient aux touristes.

Les yeux rivés sur le ciel, à peine capable de respirer tant le poids de la culpabilité pesait sur sa poitrine, il commença à remarquer des différences au fil des averses qui le trempaient pendant la journée.

Avant longtemps, il avait identifié soixante-quatre types de pluie, qu'il avait soigneusement consignés dans un carnet Moleskine acheté spécialement pour cela.

Très vite, il se procura également un lot de flacons de parfum égyptiens, sélectionnés non pas tant pour leur beauté que pour leur efficacité en matière de conservation, et se mit à y recueillir des échantillons, notant soigneusement l'heure, la date et la variété exacte de pluie.

Au grand dam de son épouse, il fit également fabriquer une vitrine pour entreposer ses flacons, et l'accrocha avec les plus grandes difficultés contre le mur courbe de leur salle à manger.

Quand, très vite, la vitrine fut pleine, il en commanda deux autres, que sa femme le força à installer dans la pièce située au sommet de la tour de Sel. Un lieu où elle ne se rendait jamais parce que le graffiti à la craie que les prisonniers du sous-marin allemand avaient laissé lors de leur détention pendant la Seconde Guerre mondiale lui fichait une trouille bleue.

Le hallebardier promit à sa femme, qui avait désormais le mauvais temps en horreur – bien plus qu'il n'était naturel pour une Grecque qui ne savait pas nager –, de s'arrêter lorsque sa collection aurait atteint le chiffre gratifiant de la centaine.

Pendant un temps, on aurait dit d'ailleurs que Balthazar Jones était guéri de sa marotte, mais, à dire vrai, l'Angleterre traversait une période de sécheresse.

Dès que la pluie se remit à tomber, le hallebardier, qui avait déjà subi les réprimandes du hallebardier en chef parce qu'il observait le ciel au lieu de répondre aux questions lassantes des abominables touristes, revint à sa manie.

Hebe Jones se rassura en se disant que son mari finirait par compléter sa collection et qu'il passerait à autre chose, mais ses espoirs s'évanouirent en fumée lorsque, assis au bord du lit, un soir, après avoir retiré sa chaussette gauche (humide), il affirma, avec la conviction démente d'un homme sur le point de prouver l'existence des dragons, qu'il n'avait touché que la pointe de l'iceberg. C'est alors qu'il fit imprimer du papier officiel et des enveloppes coordonnées pour fonder le Club de saint Héribert de Cologne, archevêque et patron de la pluie, dans l'espoir d'échanger ses notes avec d'autres aficionados des ondées. Il plaça des annonces dans plusieurs quotidiens publiés dans le monde entier, mais la seule réponse qu'il reçut jamais fut une lettre tachée d'eau d'un résidant anonyme du Mawsynram, région du nord-est de l'Inde, qui recevait le plus de précipitations au monde.

« Monsieur Balthazar, disait la lettre. *Je vous enjoins de mettre fin à cette folie le plus rapidement possible. S'il y a pire qu'un fou, c'est un fou mouillé. »*

Mais le peu d'intérêt de ses congénères ne fit que renforcer son obsession. Le hallebardier consacrait tout son temps libre à écrire aux météorologues du monde entier au sujet de ses découvertes. Il reçut des réponses de tous ceux auxquels il avait écrit, et dont il ouvrait les lettres les doigts tremblants, avec l'habileté d'un horloger. Toutefois, la politesse des experts ne rivalisait qu'avec leur absence d'intérêt. Changeant de tactique, il se plongea dans les parchemins et les ouvrages poussiéreux de la British Library qui étaient aussi fragiles que sa santé mentale. Et les yeux grossis par ses lunettes de lecture, il parcourut inlassablement tout ce qui avait été écrit au sujet de la pluie.

Enfin, Balthazar découvrit une variété qui, d'après ce qu'il comprit, n'était pas tombée depuis 1892 à Colombo, au Sri Lanka, ce qui en faisait la pluie la plus rare du globe. Il lut et relut la description de la soudaine giboulée, qui, au terme d'un véritable catalogue de malheurs, avait fini par provoquer la mort d'une vache. Il se mit à croire qu'il saurait la reconnaître à son odeur avant même de la voir. Chaque jour, il se levait en espérant voir tomber cette manne. L'obsession finit d'ailleurs par le rendre plus loquace et, un après-midi, il s'entendit expliquer à sa femme son désir désespéré de l'inclure dans sa collection.

Avec un mélange d'incrédulité et de pitié, Hebe Jones leva les yeux vers l'homme qui n'avait jamais versé une seule larme à la mort de leur fils. Et lorsqu'elle détourna les yeux vers les bulbes de jonquilles qu'elle était en train de planter dans une jardinière sur le toit de la tour de Sel, elle se demanda à nouveau ce qui était arrivé à son mari.

Debout, le dos à la porte en chêne de la tour de Sel, le hallebardier jeta un regard autour de lui dans l'obscurité afin de s'assurer qu'aucun des autres habitants de la forteresse ne risquait de le surprendre.

Le seul mouvement qu'il décela provenait d'une paire de collants couleur chair qui se balançait sur une corde à linge tendue sur le toit des Casemates.

Ces vieux cottages attenants, qui avaient été érigés contre les murailles de la forteresse, abritaient nombre des trente-cinq hallebardiers qui vivaient avec leur famille dans la Tour. Les autres, comme Balthazar Jones, avaient eu la malchance de se voir allouer l'une des vingt et une tours du monument ou, pire, un logement sur la Pelouse, l'emplacement même où avaient eu lieu sept exécutions capitales, dont cinq de femmes.

Balthazar Jones tendit l'oreille, mais le seul son qui émergeait de la pénombre était celui des pas de la sentinelle martelant son territoire avec la précision d'une montre suisse.

Il huma à nouveau la nuit et, pendant une minute, en vint à douter. Il hésita, maudissant sa folie qui le poussait à croire que le moment était enfin venu. Il imaginait sa femme et les flopées de bruits qui accompagnaient ses rêves, et décida de retourner à la chaleur familière du lit conjugal. Mais, juste au moment où il allait faire demi-tour, l'odeur envahit à nouveau ses narines.

Il se dirigea vers les remparts, remarquant avec soulagement que les lumières du Rack & Ruin, le pub de la Tour qui servait fidèlement la petite communauté depuis deux cent vingt-sept ans, et ce, en dépit du coup frontal subi pendant la Seconde Guerre mondiale, étaient éteintes. Il n'avait pas tort de s'en assurer, car parfois le pub restait ouvert tard lorsque les disputes animées des hallebardiers se prolongeaient jusqu'aux petites heures du matin avant que la hache de guerre ne soit enterrée, ou quand les spectateurs de ces bagarres n'hésitaient pas à la déterrer lorsqu'ils considéraient que le spectacle n'avait pas assez duré à leur goût.

Il se dirigea vers l'allée de l'Eau, glissant pieds nus sur les pavés jonchés de feuilles mortes. A l'approche de la tour de Wakefield, ses pensées revinrent aux odieux corbeaux qui avaient été rentrés pour la nuit dans leur volière plongée dans l'ombre de la Tour.

Leur luxueux logis – avec eau courante, chauffage au sol et réserves de viande fraîche d'écureuil dus à la générosité des contribuables – était une source constante d'irritation depuis qu'il avait découvert toute l'étendue de la méchanceté des volatiles.

D'ailleurs, sa femme les avait en horreur depuis le jour de leur arrivée à la Tour :

— Ils ont le goût des linceuls, avait annoncé Hebe Jones, qui, à l'exception du perroquet (dont elle se méfiait), affirmait avoir goûté la plupart des espèces animales.

Toutefois, les corbeaux avaient dès le départ attisé la curiosité de Balthazar Jones. Au cours de la première semaine, il s'était approché de l'un d'entre eux, perché sur l'escalier en bois conduisant à l'entrée de la tour Blanche (construite par Guillaume le Conquérant pour bouter les maudits – et furieux – Anglais hors les murs).

Lorsque l'oiseau le repéra, le hallebardier resta à admirer les innombrables couleurs qui brillaient au soleil sur la toile de fond du noir luisant de son plumage. Il fut tout aussi impressionné lorsque le maître des corbeaux, hallebardier chargé des volatiles, appela la créature par son nom et qu'elle s'approcha des pieds de l'homme en un vol maladroit qu'elle devait au fait qu'on lui avait rogné les ailes pour éviter toute évasion.

Quand Balthazar découvrit que les corbeaux avaient une faiblesse pour les biscuits au sang, il se donna du mal pour en dénicher et ainsi pouvoir leur en offrir.

Plusieurs jours plus tard, Milon, qui avait six ans à l'époque, hurla « Papa ! » en montrant un corbeau perché sur Mme Cook, la tortue historique de la famille.

Toute affection disparut instantanément. Ce n'était pas tant la grossièreté de l'oiseau qui se permettait (sans agressivité toutefois) de se jucher sur la mascotte de la famille qui déclencha la fureur de Balthazar Jones.

Pas plus le fait que l'odieux oiseau laisse un copieux dépôt gluant sur le sommet de la carapace chérie. Ce qui mit le hallebardier en fureur fut le regard que le corbeau (au bec diabolique) jeta à la chair tendre – peut-être pas si tendre après tout – de Mme Cook. Etant donné l'âge de la tortue, qui atteignait ses cent quatre-vingt-un ans, il y eut un délai non négligeable avant qu'elle ne soit capable de rentrer la tête et les pattes sous sa carapace usée pour échapper à l'agression.

Ce ne fut en aucun cas un incident isolé. Quelques jours plus tard, Balthazar Jones remarqua que les corbeaux s'étaient rassemblés en ce qui était sans conteste une formation d'attaque devant la tour de Sel, l'ancien entrepôt de salpêtre. L'un des oiseaux était installé sur la cabine téléphonique rouge, trois autres sur un canon, un autre était perché sur les vestiges d'un mur roman, et une paire s'était plantée sur le toit de la Nouvelle Armurerie. La même situation se reproduisit plusieurs jours de suite, jusqu'à ce que Mme Cook ait achevé l'exploration de ses nouveaux locaux (ce qui lui prit un temps assez considérable).

Pour finir, elle fut prête à aller vers d'autres horizons, mais, dès qu'elle tendit sa patte ridée pour franchir le seuil de la tour de Sel, elle fut confrontée à une avance équivalente du commando des corbeaux. Les oiseaux faisaient preuve d'une patience remarquable, et il fallut plusieurs heures à Mme Cook pour se décider à franchir la porte en tentant d'exécuter un deuxième pas.

Quant à ce qui se produisit ensuite, le maître des corbeaux en attribua la faute au fait que l'heure du déjeuner était loin. Toutefois, Balthazar Jones argua avec véhémence que le comportement scandaleux des oiseaux était non seulement le résultat de leur allégeance à Belzébuth, mais à la manière dont ils avaient été dressés – une insulte qui fit mouche au point qu'elle ne fut jamais oubliée.

Quoi qu'il en soit, une chose était certaine : vers la fin de l'après-midi, Mme Cook, la plus vieille tortue du monde, ne possédait plus de queue. Et l'un des corbeaux de la Tour était trop rassasié pour souper.

Lorsque Balthazar Jones dépassa la tour de Wakefield, le clapotis de la Tamise qui léchait la porte des Traîtres lui parut plus fort qu'à l'accoutumée.

Dans la pénombre, il jeta un regard sur sa gauche et aperçut les gigantesques vantaux en bois s'ouvrant jadis pour laisser passer les barques qui amenaient les prisonniers accusés de trahison.

Mais Balthazar Jones n'avait pas la tête aux histoires qu'il relatait en détail des millions de fois par jour à des touristes qui ne se souciaient que de techniques de torture, de déroulement d'exécutions et de la direction des toilettes.

Il préféra hâter le pas, dépassant la tour Sanglante dont le rosier grimpant du plus beau rouge aurait donné des fleurs blanches comme neige juste avant le meurtre de deux petits princes. Il ne remarqua pas davantage la lueur qui vacillait à l'une des fenêtres de la tour où le fantôme de Sir Walter Raleigh mâchonnait la pointe de sa plume devant l'écritoire de la pièce dans laquelle il était resté cloîtré pendant treize années entières.

Grimpant les marches de pierre, le hallebardier atteignit enfin le haut des remparts. Devant lui s'étalait la Tamise à l'endroit précis où, du temps d'Henri III, un ours blanc hantait les eaux en quête de son dîner, mais les yeux bleu pâle de Balthazar Jones étaient résolument tournés vers le ciel, surveillant la direction d'où viendrait la précieuse ondée. Tout en caressant la pointe de sa barbe blanche, il faisait des calculs, scrutait le ciel d'un bout à l'autre tandis que l'aube était sur le point de naître.

Incapable de se rendormir depuis que son mari avait quitté la chambre, Hebe Jones éternua deux fois à cause de la poussière de son oreiller. Elle roula sur le dos et tira sur une mèche de cheveux humide qui était restée coincée dans sa bouche. Au lieu de cascader le long de son dos comme au temps de sa jeunesse, ses cheveux sinuaient à peine jusqu'à ses épaules.

En dépit de son âge, hormis quelques fils gris qui renvoyaient parfois des éclats de lumière comme une truite fuyante, ils avaient conservé la teinte noir brillant qu'ils avaient lorsque Balthazar Jones l'avait rencontrée pour la première fois. Un défi à la nature qu'il mettait sur le compte de l'obstination de sa femme.

Allongée dans l'obscurité, elle imagina son mari en train d'arpenter le territoire de la Tour en pyjama, les mains qui ne la caressaient plus serrées autour d'un flacon de parfum égyptien.

Elle avait fait de son mieux pour le guérir de sa manie. Au début, elle l'avait souvent arrêté avant qu'il n'atteigne la porte de leur chambre, mais il avait rapidement amélioré sa technique et, désormais, il était capable de se retrouver à mi-chemin dans l'escalier avant d'entendre les mots qu'il avait appris à craindre. C'était comme si la voix de sa mère résonnait à nouveau :

— Et où crois-tu pouvoir aller ?

Ses efforts en matière d'art de la disparition commençaient à porter leurs fruits et il comptait à présent un nombre impressionnant de succès.

Hebe Jones se mit alors à feuilleter les manuels d'évasion qu'il empruntait à la bibliothèque publique, et, avant d'éteindre pour la nuit, elle verrouillait la chambre et dissimulait la clef pendant que son mari était aux toilettes sous l'emprise de la constipation.

Mais, un matin, son astuce s'était retournée contre elle quand elle avait constaté qu'elle était incapable de se souvenir de l'endroit où elle avait caché la maudite clef.

Luttant contre l'humiliation qui menaçait de l'étouffer, elle lui avait demandé de l'aider à la chercher. Il avait relevé la pierre branlante qui garnissait un appui de fenêtre pour ne trouver que les lettres d'amour parfumées qu'il lui envoyait quand ils étaient jeunes fiancés.

Il s'était avancé vers la cheminée, avait posé la main sur le grand manteau en bois pour récupérer une vieille boîte à bonbons en fer-blanc dans un rebord secret.

En l'ouvrant, il était tombé sur une paire de manchettes en argent qui portait ses initiales dans une calligraphie élégante. Son épouse lui avoua qu'il s'agissait d'un cadeau qu'elle lui avait acheté quatre ans plus tôt, pour Noël, mais qu'elle n'avait jamais réussi à retrouver. Sa joie – et le plaisir de Balthazar Jones à recevoir ce présent inattendu – leur procura quelques instants de distraction, mais les deux époux reprirent rapidement leur quête jusqu'à ce que Balthazar Jones découvre ce qui était sans conteste un accessoire sexuel dans le tiroir de la table de chevet, du côté de sa femme.

— A quoi sert ce truc ? demanda-t-il en poussant un bouton.

Ils oublièrent alors leur problème pendant trente-quatre minutes, soit le temps qu'il leur fallut pour poser des questions, donner des réponses qui soulevaient d'autres questions, qui débouchèrent à leur tour sur l'accusation des deux parties.

Une heure s'écoula avant la reprise des recherches. Les manchettes avaient réintégré leur place dans la boîte, dans le compartiment secret de la cheminée, et Balthazar devrait patienter jusqu'au prochain Noël avant d'en disposer.

Finalement, le couple dut admettre la défaite, et Balthazar Jones décrocha le téléphone pour appeler le hallebardier en chef et lui demander de les libérer. L'homme dut s'y prendre à quatre reprises avant de réussir à envoyer la clef de secours par la fenêtre ouverte. Au même moment, Hebe Jones constata que la clef d'origine se trouvait dans la serrure. Elle l'en retira discrètement.

A partir de ce moment-là, la porte de la chambre demeura non verrouillée, et aucune protestation, quelle qu'elle soit, n'empêchait le hallebardier d'aller errer à sa guise dans la nuit.

Ce fut donc avec un certain soulagement que Hebe Jones découvrit un matin que son mari avait été pris sur le fait par le hallebardier en chef. Toutefois, son soulagement se transforma en indignation lorsque les rumeurs se répandirent au sujet de la liaison que Balthazar Jones entretenait avec Evangeline Moore, jeune médecin résident de la Tour, qui donnait, certes, des palpitations à nombre de ses patients. La rumeur n'était pas totalement absurde puisque la plupart des habitants de la Tour, qui étaient enfermés à double tour dans l'enceinte à partir de minuit, étaient bien obligés de contracter leurs liaisons sur place. Si Hebe Jones comprit sur-le-champ qu'il n'y avait aucune once de vérité dans ladite rumeur – depuis la mort de Milon, son mari ne s'était jamais autorisé à jouir des plaisirs de la chair –, elle ne l'en bannit pas moins du lit conjugal pendant quinze jours. Les pieds posés de part et d'autre de la robinetterie, Balthazar Jones dormit donc dans la baignoire, endurant avec stoïcisme la position exiguë et l'humidité, rêvant d'araignées et de naufrages en mer, tandis que, chaque matin, Hebe Jones faisait couler un bain en veillant à ne pas réveiller son mari au préalable et à bien ouvrir le robinet d'eau froide en premier.

A présent, le regard fixé sur le réveil de sa table de chevet, elle sentait la fureur déferler dans ses veines à l'idée d'une nouvelle nuit de sommeil agité.

Sa vengeance habituelle, qu'elle exécutait chaque fois que son mari revenait drapé de l'odeur de la nuit, était digne d'un Machiavel. Une fois qu'elle entendait la respiration laborieuse caractéristique d'un homme profondément plongé dans ses rêves, elle bondissait du lit pour se précipiter dans la salle de bains à l'allure d'une sentinelle qui aurait repéré l'ennemi au loin.

Une fois installée sur les toilettes, et sans fermer la porte, elle vidait consciencieusement sa vessie dans une clameur digne des chutes du Niagara, qui réveillait à coup sûr son mari. Il reprenait progressivement ses esprits après un accès de terreur absolue parce qu'il était convaincu de se réveiller au beau milieu d'un nid de serpents. Lorsque le sifflement diabolique finissait par cesser, sa femme déclenchait un nouveau torrent, plus court mais tout aussi assourdissant, qui s'achevait en un crescendo strident apte à réveiller son mari aussi brutalement que la première.

Ramenant la couverture élimée sur son menton, Hebe Jones pensa aux vitrines de flacons de parfum égyptiens emplis de pluie qui trônaient tout en haut de la tour de Sel, puis à la cruauté de la souffrance.

Mais sa rage se trouva soudain figée par une vague de compassion. Dédaignant le verre d'eau posé sur sa table de chevet, qu'elle buvait entièrement de manière à produire le flux nécessaire en de telles occasions, elle se retourna sur le côté.

Et lorsque son époux regagna le foyer, avec un flacon vide parce que les nuages s'étaient enfuis, Hebe Jones fit mine de dormir alors qu'il grimpait dans le lit à ses côtés.

Chapitre deux

Le lendemain matin, c'est la vue de la robe de chambre de son mari qui pendait à la porte de la salle de bains, un flacon de parfum égyptien dépassant dans la poche, qui ralluma la colère de Hebe Jones. Toute compassion repoussée par la migraine qui lui martelait la tête après cette nuit en pointillés, elle baissa le loquet avec irritation. Elle descendit les marches en chemise de nuit, mules roses aux pieds, en songeant à l'occasion précédente où la manie de son époux l'avait ainsi dérangée dans sa nuit. Lorsqu'il la rejoignit à la table du petit-déjeuner, elle posa devant lui une assiette d'œufs, qui avaient été brouillés plus vigoureusement qu'à l'habitude, avant de libérer toute sa furie intérieure.

Quelques minutes plus tard, l'estomac du hallebardier se contracta à nouveau lorsqu'elle détourna soudain son attention de sa manie et se lança dans l'énumération des nombreuses injustices liées au fait de loger dans la forteresse. Elle commença par le toit de la tour de Sel, bien maigre substitut par rapport à son jardin chéri de la maison de Catford, que les misérables locataires actuels avaient laissé revenir à l'état sauvage ; puis elle aborda les commérages qui se répandaient dans le monument à la vitesse d'un feu de paille ; elle conclut sur les sons macabres qui imprégnaient son foyer en souvenir de la prison où, sous le règne d'Elizabeth Ire, on avait enfermé les prêtres catholiques et que, tous deux, Balthazar et elle, avaient prétendu ne pas les entendre quand Milon s'en plaignait.

Pendant un moment, Balthazar Jones se contenta de se boucher les oreilles, d'autant qu'il avait entendu ces récriminations d'innombrables fois, et il s'empara de sa fourchette et de son couteau, mais, soudain, sa femme énonça un défaut dont la nouveauté retint son attention. En dépit de son aversion inéluctable pour la nourriture italienne, que son mari attribuait à la méfiance naturelle des Grecs pour tout ce qui venait de la Botte, elle déclara soudain :

— Tout ce dont je rêve dans la vie, c'est être capable de commander une pizza livrée à domicile !

Balthazar Jones ne fit aucun commentaire. Il savait parfaitement qu'il n'y avait aucun moyen de contourner le fait que leur adresse parût totalement fictive aux chauffeurs de taxi, réparateurs de machines à laver, livreurs de journaux et autre individu qui aurait pu oser s'y rendre sans formulaire en trois exemplaires soigneusement timbrés par les autorités compétentes.

Il posa ses couverts et leva vers sa femme ses yeux d'opale délavée, un trait que les gens qui le rencontraient pour la première fois n'arrivaient pas à oublier.

— Où voudrais-tu vivre ailleurs dans un lieu entouré de neuf cents ans d'histoire ? demanda-t-il.

Elle croisa les bras sur sa poitrine.

— Pratiquement partout en Grèce, répliqua-t-elle, et ce serait bien plus vieux !

— Je ne pense pas que tu réalises à quel point j'ai eu de la chance d'obtenir cet emploi.

— Quelqu'un qui a de la chance, c'est quelqu'un qui plante des pierres et récolte des pommes de terre, poursuivit-elle en évoquant le mysticisme grec de ses grands-parents.

Elle se mit alors à fouiller dans les décombres de leur relation, en quête d'exemples passés qu'elle pourrait brandir pour lui prouver son bon droit. Balthazar Jones répondit sur le même ton, empoignant la torche de son inquisitrice pour en balayer les récriminations perpétuelles.

Aucune zone d'ombre ne fut épargnée et, lorsqu'ils se levèrent de la table du petit-déjeuner, chaque fissure de leur amour vacillant avait été exposée à l'air moite du matin.

D'un pas rapide qui révélait toute l'ampleur de sa colère, Hebe Jones grimpa l'escalier de pierre en colimaçon jusqu'à sa chambre. En s'habillant pour aller travailler, elle pensa avec regret au rôle qu'elle avait joué pour aider son mari à obtenir ce poste à la Tour.

Après avoir été maître-tailleur dans l'armée, où il se chargeait de retoucher les superbes uniformes des gardes à pied, la couture avait paru un choix logique lorsqu'il avait dû raccrocher son chapeau en peau d'ours.

Lorsqu'il avait évoqué la possibilité de louer un local, sa femme, pensant au crédit immobilier qu'ils continuaient de payer, l'avait prévenu :

— Ne lance pas les pieds au-delà de la couverture !

Il s'était alors contenté de s'approprier la pièce de devant de leur maison jumelée de Catford pour y installer un comptoir derrière lequel il trônait, le mètre ruban autour du cou comme s'il s'agissait de l'étole d'un prêtre.

Un an plus tard, Milon naissait après deux décennies stériles de contorsions conjugales. Pendant que la mère était au travail, Balthazar Jones prenait soin du bébé. Entre deux clients, il posait le couffin sur le comptoir, tirait une chaise et se mettait à raconter à son fils tout ce qu'il savait de la vie. Il informait le nourrisson qu'il fallait travailler dur à l'école « pour ne pas finir ignorant comme son père », qu'il appartenait à une famille dont les membres comptaient la tortue la plus âgée du globe. « Il faudra t'occuper de Mme Cook lorsque l'âge nous aura rendus gagas, ta mère et moi, une caractéristique familiale, car tes grands-parents ont de tout temps montré une inclination naturelle au gâtisme », déclarait-il en bordant soigneusement le bébé. Et il lui fit remarquer que, parmi tous les bienfaits que la vie apporterait à Milon, aucun ne rivaliserait avec le fait d'avoir pour mère Hebe Jones. « Depuis, j'ai plaint chaque homme que j'ai croisé parce qu'il n'avait pas épousé ta mère », avoua Balthazar Jones. Milon écoutait religieusement, ses yeux sombres rivés sur son père pendant des minutes entières, tout en mâchonnant ses propres orteils.

Pendant quelque temps, il sembla que Balthazar Jones avait pris la bonne décision en ouvrant son échoppe de tailleur, mais de moins en moins de clients se présentaient à la porte de la maison dont la cabane à oiseaux du jardin de devant s'ornait d'un minuscule drapeau grec.

Certains ne venaient plus parce qu'ils n'aimaient pas attendre pendant qu'on changeait la couche du bébé. Par la suite, d'autres attribuaient la brièveté de leurs jambes de pantalon au fait que le fichu tailleur refusait d'envoyer son fils à la crèche et préférait lui accorder toute son attention. Puis, lorsque Milon commença enfin à aller à l'école, certains des nouveaux clients que Balthazar Jones avait réussi à attirer ne revenaient pas après la première séance de mesures tant la franchise de l'ancien soldat les mettait mal à l'aise.

Lorsqu'il commença à s'inquiéter de la précarité des finances familiales, Balthazar Jones se mit à réfléchir à la manière dont les soldats gagnaient leur vie après avoir quitté l'armée. Il se souvint de la période où il avait temporairement assuré la garde de la Tour de Londres et du splendide uniforme des hallebardiers, sans parler de leur titre imposant de « *Yeoman Warder* de la forteresse et palais de Sa Majesté, la Tour de Londres, membre du corps des gardes du souverain d'Angleterre ». Ils n'étaient pas seulement d'anciens sous-officiers de l'armée de Sa Gracieuse

Majesté ; chacun d'entre eux devait, en outre, afficher un service conséquent de vingt-deux années d'engagement. Comme il remplissait les deux critères, Balthazar Jones envoya sa candidature.

Quatre mois plus tard, il recevait une lettre l'informant de la disponibilité d'un poste dans l'historique forteresse, poste dont le profil était jadis la surveillance (et la torture) des prisonniers, mais qui, depuis le règne de Victoria, n'impliquait que la tâche de guide touristique officiel de la Tour.

Hebe Jones, dont les propres revenus étaient plutôt modestes, savait que leurs économies ne parviendraient pas à couvrir l'éducation supérieure qu'ils souhaitaient tous deux pour leur fils. Ignorant l'angoisse qui pesait tel un bloc de ciment dans leur ventre, elle écarta les précisions de son mari qui lui rappelait que, en cas de succès, il leur faudrait habiter à l'intérieur des limites de la Tour.

— Toutes les femmes rêvent de vivre dans un château, mentit-elle sans même se retourner de la cuisinière devant laquelle elle s'affairait.

Lorsque Balthazar Jones découvrit qu'elle n'avait jamais visité le célèbre monument, il se demanda comment une telle chose était possible puisqu'elle avait passé la majeure partie de son enfance à Londres. Elle expliqua que ses parents avaient seulement emmené leurs quatre filles au British Museum pour admirer les marbres du Parthénon de Lord Elgin. La clameur des sanglots de M. et Mme Grammatikos face aux pierres pillées par les Anglais dans leur pays natal atteignit de tels sommets que la famille fut bannie à tout jamais du vénérable musée. Les Grammatikos décidèrent alors de boycotter tous les grands monuments de la Couronne, une politique que Hebe Jones avait maintenue à l'âge adulte par solidarité familiale.

Au cas où sa femme n'en aurait pas eu conscience, Balthazar Jones souligna que la Tour de Londres n'était pas seulement une forteresse et un palais royal, mais qu'elle avait abrité la prison d'Etat d'Angleterre, que ses murs avaient assisté à de nombreuses exécutions et qu'on croyait généralement qu'elle était hantée. Hebe Jones se contenta de disparaître dans l'abri de jardin pour émerger avec une chaise longue à rayures bleues et blanches.

Elle s'installa et tira de son cabas un guide de la Tour qu'elle avait acheté afin d'aider son mari à se préparer à l'entretien d'embauche.

Avec la précision mortelle d'un sniper, elle se mit à décocher des questions à l'homme qui avait échoué à son brevet de fin d'études secondaires au point que le correcteur ébahi avait conservé une copie de son devoir afin de se remonter le moral lors de ses crises de dépression.

Hebe Jones poursuivit son tir nourri tout le temps que son mari arpenta la pelouse en se grattant la nuque comme si ce geste pouvait l'aider à trouver les réponses dans la cage de son cerveau où ne volait aucun oiseau.

La détermination de Hebe Jones ne connaissait pas d'échec. A l'heure du déjeuner, Balthazar Jones recevait un appel qui exigeait une réponse, non pas sur ce qu'il aimerait pour son dîner, mais sur le nom de la femme qui avait été envoyée à la Tour au XIIIe siècle parce qu'elle avait rejeté les avances du roi Jean, lequel finit par l'empoisonner avec un œuf. Après sa journée de travail, Mme Jones rentrait à la maison pour s'informer non pas de la journée de son époux, mais lui demander dans quelle tour le duc de Clarence avait été noyé dans un tonnelet de son vin de Malvoisie favori. Trempée de sueur après le devoir conjugal, elle relevait la tête de la poitrine de son mari pour demander qu'il lui avoue non pas la profondeur de son amour, mais le nom du voleur du XVIIe siècle qui avait réussi à atteindre l'appontement avec les joyaux de la Couronne.

Lorsque la proposition de travail arriva par la poste, son cerveau ployait sous tant d'anecdotes de l'histoire de la Grande-Bretagne que Balthazar Jones était obsédé par le sujet qui devait l'occuper pendant tout le reste de son existence.

Le révérend Septimus Drew se réveilla dans sa maison de trois étages qui dominait la Pelouse, et jeta un regard à son réveil. Il disposait d'un peu de temps avant que les portes de la tour du Milieu s'ouvrent pour laisser entrer la horde de touristes, dont les pires croyaient que la reine mère vivait encore. Il arrivait au chapelain de se réveiller encore plus tôt afin de profiter de ces heures exquises.

Le soir, au départ des hordes sauvages, lorsqu'on refermait sur elles les portails à double tour, la Tour n'était pas si plaisante, d'autant que l'air de la chapelle conservait une puanteur d'étable jusqu'à ce que la nuit tombe.

Son esprit revint immédiatement au nouveau piège qu'il avait soigneusement posé la veille au soir. Avec l'excitation impatiente d'un enfant sur le point d'inspecter ses chaussettes de Noël, l'homme d'Eglise se demanda ce qu'il allait y trouver. Incapable d'attendre davantage, il lança ses jambes hors de son lit et ouvrit les fenêtres pour aérer la pièce des brumes de l'amour non partagé qui l'avaient enveloppé toute la nuit. Le mouvement fit couler les gouttes de condensation sur les carreaux. Il s'habilla en hâte malgré la raideur de ses doigts sacrés qu'il devait à ses efforts dans son atelier la veille au soir.

Il enfila sa soutane rouge cramoisi par-dessus son pantalon et sa chemise, fourra ses pieds nus dans ses chaussures sans même se soucier de les dénouer et se précipita dans les deux volées d'escalier, le devant de sa soutane serré dans son poing pour ne pas trébucher, la traîne glissant sur les marches comme un torrent de peinture rouge.

Bien qu'il se fût procuré à cet effet un bocal de marmelade d'oranges de Séville coupées à la main au rayon épicerie fine des magasins Fortnum & Mason, il ne s'arrêta pas pour déjeuner dans la minuscule cuisine dont la fenêtre donnait sur la Pelouse et dont un voilage le protégeait des regards curieux des touristes. Ce qui ne les empêchait pas d'essayer ! Le chapelain était habitué à sortir par sa porte bleu clair pour les retrouver les mains en coupe contre les carreaux, penchés, en équilibre, dans une bousculade effrayante.

Ses cheveux, noirs comme le dos d'un scarabée, formant un tourbillon autour de sa tête, il traversa la courte étendue de pavés jusqu'à la chapelle royale de Saint-Pierre-aux-Liens. Il n'avait jamais réussi à s'habituer à ce qu'elle fasse partie de la visite touristique des hallebardiers.

De nombreux visiteurs ignoraient d'ailleurs totalement qu'ils étaient censés retirer leur couvre-chef en entrant, et ils recevaient sans broncher les réprimandes du soldat à la retraite. Certains voulaient même assister à la messe du dimanche, et le chapelain les observait depuis l'autel, sa fureur allant crescendo tandis que, assis entre les hallebardiers et leurs familles, ils fixaient les murs qui les entouraient. Et il savait que leur émerveillement n'avait rien à voir avec le fait d'être dans la maison de Dieu, mais plutôt avec l'excitation d'être assis dans une chapelle abritant les restes de trois reines d'Angleterre qui avaient été décapitées à un jet de pierre de la porte.

Il reprochait naturellement aux touristes les invasions de rats, partant du principe qu'ils émaillaient l'endroit de miettes appétissantes tandis qu'ils mangeaient en écoutant les discours des hallebardiers. Toutefois, il faut préciser ici que les touristes n'avaient aucun reproche à se faire, car le peu de nourriture qu'ils avaient le tort d'acheter dans le Café de la Tour allait directement à la poubelle après la première bouchée. La vérité était que la population actuelle de rats descendait en droite ligne des rongeurs qui avaient emménagé dans les lieux peu de temps après la construction de Saint-Pierre, église ordinaire de la paroisse en dehors des murailles de la Tour, et ce, avant même qu'elle soit intégrée à la forteresse à la suite des agrandissements effectués sous le règne d'Henri III.

A deux occasions, lors de la reconstruction de la chapelle, les rats avaient levé le camp, et une troisième fois au cours des rénovations du XIXe siècle, lorsqu'on découvrit plus de mille cadavres humains dans le sol. Mais la vermine revenait rapidement, attirée sans doute par la saveur des nouveaux prie-Dieu en tapisserie. Ils étaient venus à bout d'une succession de chapelains, à tel point que chacun se voyait contraint de raccourcir sa soutane de plusieurs centimètres pour éviter que l'ourlet n'en soit dévoré pendant les heures de contemplation. Mais cela n'eut aucun résultat sur les grignotages des périodes de prière. Le révérend Septimus Drew considérait que cette radicale mesure poussait l'humiliation trop loin, et il consacrait depuis onze ans le plus clair de son temps à l'éradication de créatures qui n'avaient même pas mérité une mention dans la Bible.

Il avait passé beaucoup de temps à transformer la classique tapette de base en dispositif sophistiqué propre à annihiler un rat. Dans un premier temps, il transforma l'une des chambres libres – où il avait espéré loger la famille dont il rêvait – en atelier.

C'est là qu'il peinait sur ses inventions jusque tard dans la nuit, les rayonnages ployant sous les ouvrages de lois et de théories scientifiques fondamentales. Les nombreux rouleaux de plans accompagnés de dessins soignés à l'échelle étaient déployés sur une table et maintenus en place par des pots de plantes-araignées anémiques.

Une série de maquettes, composées de morceaux de carton, de chutes de bois et de raphia, était disposée sur une table. Son arsenal incluait une petite fronde et ses pierres, une lame de rasoir qui avait, dans le temps, formé un élément de guillotine, un minuscule trébuchet, et une paire de portes miniatures dotées au sommet de meurtrières par lesquelles on pouvait verser des substances mortelles.

En arrivant à la porte de la chapelle, il abaissa la poignée glacée. Ses espoirs avaient à ce moment atteint un sommet record. Il poussa la porte et traversa l'étendue de dalles usées jusqu'à la crypte.

Près du tombeau de Sir Thomas More, où il avait installé son dernier dispositif en date (qui lui avait pris deux mois de conception et de réalisation, sans parler d'un appel à l'expert en armes du Musée impérial de la guerre), il décela un son dans le corps principal de l'église. Irrité à l'idée d'être dérangé en un moment si agréable, il revint sur ses pas pour vérifier la source du bruit.

Le ressentiment suscité par l'intrusion s'évapora dès qu'il reconnut la silhouette assise au premier rang des prie-Dieu, à côté de l'autel. Surpris par la vision en chair et en os de la dame qui hantait tous ses rêves, il se dissimula derrière un pilier et demeura debout, les mains posées sur la pierre lisse et froide. C'était l'instant qu'il imaginait depuis des mois, une chance de lui parler seul à seule, de prendre sa main dans les siennes et de lui demander s'il pouvait entretenir un quelconque espoir de voir ses sentiments récompensés en retour. Malgré son incertitude quant aux mérites d'une approche aussi démodée, il la considérait comme la meilleure de toutes celles qu'il avait élaborées depuis que son cœur s'était enflammé. Mais dans ses rêves les plus fous, concoctés tandis qu'il se tenait debout devant la fenêtre ouvrant sur la Pelouse dans l'espoir de l'apercevoir, ses cheveux étaient toujours parfaitement peignés dans le style qui lui avait été infligé à l'âge de huit ans, et ses dents étaient parfaitement brossées.

En jurant parce qu'il s'était laissé aller à quitter ses appartements avec l'haleine d'un pendu, il baissa les yeux vers ses chevilles osseuses, regrettant profondément de ne pas avoir pris le temps d'enfiler des chaussettes.

Tandis qu'il se fustigeait sur son état peu ragoûtant, un éclat de sanglots résonna sur les murs antiques. Incapable de résister à une âme en peine, le révérend décida d'aller offrir consolation en dépit de son allure misérable. Mais, au même moment, un bruit sourd et un cri strident retentirent dans la crypte. La femme se redressa et s'enfuit d'un bond, sans aucun doute dans la crainte de tomber sur l'une des nombreuses apparitions spectrales dont on disait la Tour hantée. Le révérend Septimus Drew resta à son poste, rejouant la scène dans sa tête en lui donnant une fin spectaculairement différente, tandis que l'encens, qu'il faisait brûler copieusement pour masquer la puanteur des déjections de rats, s'enroulait autour de ses chevilles osseuses (et nues). Lorsqu'il finit par retourner à la crypte, même la vue d'un rat mort n'améliora pas son humeur.

Lorsque Balthazar Jones rassembla assez de volonté pour se rendre à son poste après son petit-déjeuner catastrophique, il enfila son pantalon bleu foncé et revêtit sa tunique assortie avec les initiales ER (pour *Elizabeth Regina*) brodées au point de croix rouge sur le devant et surmontées d'une couronne rouge.

Prenant son chapeau sur le dessus de la penderie, il l'enfila des deux mains. Comme tous les hallebardiers avant lui, il avait d'abord porté l'uniforme victorien avec fierté, mais il n'avait pas fallu longtemps pour que celui-ci se transforme en source de profonde irritation.

Insupportablement chaude en été, la tenue était aussi insupportablement froide en hiver. En outre, l'antimite qu'on vaporisait dessus deux fois par an – directement sur les hallebardiers pour éviter tout rétrécissement – le démangeait comme les feux de l'enfer.

Il descendit les marches de la tour de Sel, verrouilla la porte derrière lui et bifurqua devant le Café de la Tour. Assigné au poste devant la caserne de Waterloo, qui abritait les joyaux de la Couronne, il choisit un endroit à bonne distance de la sentinelle qui avait remporté une bagarre aux poings contre un hallebardier la semaine précédente. Ses yeux délavés se levèrent instinctivement vers le ciel, et ses pensées suivirent le cours des nuages qui allaient arroser la lessive des résidants de Croydon, dans la banlieue sud de la capitale. Lorsque sa concentration revint, brièvement, il se prépara à subir la batterie de questions ridicules des abominables touristes qui avaient commencé à s'insinuer dans les murs.

Une heure plus tard, Balthazar Jones ne réalisa pas qu'il pleuvait, bien que ses connaissances l'aient inconsciemment porté à cataloguer l'averse comme une variété courante du mois de janvier. Il resta exactement dans la même position, les yeux fixes ne voyant rien, alors que les visiteurs en quête d'un abri avaient disparu.

Lorsque l'envoyé du Palais finit par le trouver, il était encore au même endroit, totalement trempé et exhalant une forte odeur d'antimite. En entendant son nom, Balthazar Jones tourna la tête, provoquant la chute de la goutte de pluie qui lui pendait au nez directement sur la couronne rouge brodée sur le devant de sa tunique.

L'homme au manteau sec recouvrit aussitôt le hallebardier de son parapluie à manche d'argent.

Se présentant comme « Oswin Fielding, écuyer de Sa Gracieuse Majesté », il s'enquit de la possibilité de lui dire un mot. Balthazar Jones s'essuya rapidement la barbe pour la débarrasser des gouttes de pluie et se rendit compte qu'il avait la main bien trop mouillée pour serrer celle de l'envoyé du Palais. Oswin Fielding proposa une tasse de thé au Café de la Tour, mais, lorsqu'ils s'en approchèrent, l'homme huma deux fois l'air, pinça les narines devant l'affront qui leur était fait, et se dirigea droit sur le Rack & Ruin.

Dans la taverne, à laquelle le public n'avait jamais eu accès, la patronne était seule et occupée à nettoyer la cage de son canari. Oswin Fielding traversa la salle vide et choisit une table contre le mur du fond. Balthazar Jones, qui avait oublié de retirer son chapeau, s'assit et essaya de calmer son inquiétude à propos de ce que l'individu lui voulait en étudiant la signature de Rudolf Hess qui était accrochée au mur. L'autographe avait été offert à un hallebardier pendant les quatre jours d'emprisonnement du bras droit du Führer à la Tour, lors de la Seconde Guerre mondiale, mais Balthazar Jones avait eu cette signature si souvent sous les yeux qu'elle ne parvint guère à le distraire.

Son espoir de charmer Oswin Fielding à coups d'authentiques ales s'évanouit lorsque l'écuyer revint avec deux tasses de thé et le dernier Kit Kat. Balthazar Jones observa sans dire un mot l'envoyé du Palais retirer l'emballage rouge et blanc et lui en offrir la moitié, qu'il refusa en évoquant ses entrailles turbulentes.

L'écuyer se lécha soigneusement les doigts avant d'avaler les barres – un processus qui doublait la durée de la consommation – tout en posant en même temps des questions sur l'histoire du pub. Balthazar Jones répondit aussi brièvement que possible, oubliant de mentionner que l'homme avait du chocolat sur le menton, de peur de le détourner encore de la question pour laquelle il était venu. Lorsque Fielding aperçut l'autographe encadré de Rudolf Hess, Balthazar Jones écarta le sujet d'un commentaire sur le fait qu'il s'agissait d'un faux, car il n'en pouvait plus d'attendre que tombe la hache du bourreau.

Mais à son grand désarroi, Oswin Fielding se mit à évoquer un rhinopithèque de Roxellane appelé Guoliang, qui appartenait à la reine.

— C'était un cadeau du président de chinois après sa visite en 2005, expliqua-t-il.

Balthazar Jones n'était pas le moins du monde intéressé par les rhinopithèques de Roxellane, dorés ou royaux. Il jeta un regard par la fenêtre et se demanda s'il devait la présence de l'écuyer à son lamentable record en matière de pickpockets, le pire de tous les hallebardiers.

Lorsqu'il se décida à écouter à nouveau, il réalisa qu'Oswin continuait à pérorer à propos de feu Guoliang.

— Le décès de la créature a causé un chagrin personnel immense à Sa Majesté, disait-il en secouant une tête qui semblait posséder à peine assez de cheveux pour permettre une raie si méticuleuse. Au Palais, quelqu'un a pris la peine de chercher son nom et a découvert que cela signifiait « Que le pays soit doux », ce qui rend la chose encore plus triste. L'affaire a déclenché un véritable conflit diplomatique. Les rhinopithèques de Roxellane sont endémiques à la Chine, et ils ne sont plus très nombreux. Nous avons expliqué que nous avions fait appel à un spécialiste de feng shui pour redessiner l'enclos dès que l'animal avait montré des signes de décoloration, mais les Chinois n'ont pas eu l'air très impressionnés. Pour une raison obscure, ils s'étaient mis dans la tête que le singe résiderait au palais de Buckingham, mais, hormis les chevaux, la reine loge tous les animaux que lui offrent les chefs d'Etat dans le zoo de Londres. Ce qui est tout aussi bien dans la mesure où le Palais est une ménagerie à lui tout seul !

Le courtisan fit une pause.

— Ne répétez à personne ce que je viens de dire, ajouta-t-il hâtivement.

Juste à l'instant où Balthazar Jones n'en put plus, Oswin Fielding rajusta ses lunettes sans monture et annonça qu'il avait une communication de la plus haute importance à lui faire. Le hallebardier cessa alors de respirer.

— Comme vous le savez certainement, les relations entre la Chine et la Grande-Bretagne ne sont pas au beau fixe, et comme la Chine est une superpuissance en plein essor, nous avons besoin de la conserver dans notre camp, déclara fermement le courtisan. En outre, personne n'a oublié ces commentaires malheureux du duc d'Edimbourg. En signe de bonne volonté, la Chine a envoyé à Sa Majesté un second rhinopithèque de Roxellane. Ce qui est fort dommage, en vérité, car ces singes ne sont pas très beaux : un nez en trompette, des joues bleues et des cheveux aussi rouges que ceux de Sarah Ferguson. Quoi qu'il en soit, notre souveraine n'a guère le choix. Pour aggraver les choses, les Chinois ont également remarqué les similitudes de couleur de cheveux, et ils ont baptisé le singe « la duchesse d'York ». La reine est plutôt troublée ; on le serait à moins.

Le hallebardier était sur le point de demander à Oswin Fielding ce qu'il avait en tête précisément, mais l'écuyer poursuivit :

— Bien que la reine ait le plus grand respect pour le zoo de Londres, elle a pris la décision de déplacer le nouveau singe, ainsi que tous les autres animaux qui lui ont été offerts, dans un lieu plus intime. Le problème est que les leaders étrangers le prennent toujours comme un affront personnel lorsqu'une de leurs créatures passe à trépas.

Le courtisan se pencha alors dans une posture digne des conspirateurs.

— Je suis persuadé que vous avez à présent deviné quel était le nouveau logis des animaux, insista-t-il.

— Je n'en ai aucune idée, répliqua Balthazar Jones qui était plutôt en train de se demander s'il allait commander une pinte de bière.

Oswin Fielding baissa la voix et annonça :

— Ils vont être transférés à la Tour afin de former une nouvelle Ménagerie royale.

Le hallebardier se demanda alors si la pluie avait réussi à lui rouiller les oreilles.

— Ce n'est pas une idée aussi saugrenue qu'il y paraît, insista l'envoyé du Palais. A partir du XIIIe siècle, on y gardait des bêtes exotiques. Les puissances étrangères ont continué à envoyer des animaux aux monarques au cours des années, et la ménagerie était une attraction touristique extrêmement courue. Elle n'a d'ailleurs fermé que dans les années 1830.

Comme tous les hallebardiers, Balthazar Jones savait parfaitement que la Tour avait abrité une ménagerie, et ils indiquaient souvent les vestiges de la tour du Lion aux touristes. Il aurait même pu expliquer à l'écuyer que les gardiens donnaient du vin rouge aux éléphants pour les aider à supporter le froid, et que les lions étaient censés être capables de déterminer si une jeune fille était ou non vierge. Des histoires qu'il utilisait pour faire taire les visiteurs les plus agaçants. Mais il ne prononça pas un seul mot.

Oswin Fielding poursuivait :

— Sa Majesté compte que la nouvelle ménagerie permettra d'augmenter le nombre de visiteurs de la Tour, nombre qui est en baisse.

Il fit une pause avant d'ajouter :

— Des individus hirsutes en uniformes vieillots n'ont rien de follement attirant par les temps qui courent. Sans vouloir vous manquer de respect, ni à votre tenue ni à votre barbe d'ailleurs.

Il fit une nouvelle pause, mais la seule réaction du hallebardier se traduisit par une goutte de pluie qui coula du bord de son chapeau. Lentement, le courtisan leva les yeux de l'endroit où elle avait atterri.

— C'est un fait très peu connu que Sa Majesté apprécie les tortues, dit-il. Elle sait que vous êtes en possession du spécimen le plus âgé du monde, ce qui, bien entendu, est une source d'immense fierté nationale. Un tel animal nécessite sans nul doute les soins les plus attentionnés.

Avec un sourire triomphant, l'envoyé du Palais ajouta :

— La reine ne voit pas de personnes plus compétentes pour superviser le projet.

Oswin Fielding tapota l'épaule de Balthazar Jones avant de s'essuyer discrètement la main sur son pantalon, sous la table. En se levant, il intima au hallebardier de ne parler à personne du plan, notamment pas au hallebardier en chef, avant que les détails ne soient précisés.

— Nous espérons transférer les animaux de la reine dans trois semaines et leur donner quelques jours pour s'acclimater avant d'ouvrir la ménagerie au public, précisa-t-il.

En ajoutant pour terminer qu'il reprendrait bientôt contact, il remit son manteau et sortit avec son luxueux parapluie. Incapable de bouger, Balthazar Jones resta sur le tabouret du pub. Il ne parvint à accomplir la tâche formidable qui consistait à lever les pieds que lorsque la patronne lui intima furieusement de quitter les lieux en affirmant que la puanteur de l'antimite avait fait s'évanouir son canari, qui était tombé dans le bac à eaux usées.

Lorsque Hebe Jones revint à la Tour, la pluie avait cessé. Elle avait quitté son travail plus tôt à cause de sa migraine. Le ciel conservait obstinément une nuance grisâtre, comme si une baignoire était prête à déverser sa fournée d'eau souillée à tout moment. Hebe salua d'un hochement de tête le geôlier en chef, bras droit du hallebardier en chef, qui était assis dans une hutte sombre à l'entrée de la Tour, à côté d'un radiateur électrique d'appoint dont le seul but était d'empêcher ses orteils de se décomposer sous l'effet de l'humidité et du froid.

Lorsqu'il s'enquit de la visite de l'envoyé du Palais, Hebe Jones répondit qu'il n'y avait pas eu de visite : son mari l'aurait appelée pour l'en informer. Mais le hallebardier insista et évoqua neuf témoins de la rencontre, nommant chacun en déroulant ses doigts un par un.

— Ne germez pas où vous n'avez pas été planté ! rétorqua Hebe Jones avant de franchir les portes.

Elle dut cependant ralentir le pas lorsqu'elle se trouva au beau milieu d'une foule de touristes qui admiraient les cottages des hallebardiers sur la rue de la Monnaie.

Ployant sous le poids du sac de courses qu'elle tenait dans chaque main, elle bifurqua vers l'allée de l'Eau en souhaitant que les visiteurs s'adonnent à leur stupide inclination pour l'histoire de la Grande-Bretagne ailleurs que chez elle. Lorsqu'elle dépassa la tour du Berceau, elle fut heurtée de plein fouet par un sac à dos dont le propriétaire s'était retourné afin de scruter la fenêtre par laquelle, au XVIe siècle, deux prisonniers s'étaient échappés en tendant une corde au-dessus des douves. Elle reprit son souffle et poursuivit son chemin, les yeux perdus dans l'image de la maisonnette grecque de ses rêves.

Devant la tour de Sel, elle fouilla son sac en quête de la clef trop grosse pour tenir dans une poche, et découvrit que l'objet avait déjà déchiré la doublure de son nouveau modèle. Après avoir inséré la clef dans la serrure, une mission qui exigeait la force de ses deux mains de poupée, elle grimpa l'escalier avec la moitié de ses sacs puisque l'étroitesse des marches rendait impossible toute ascension avec les deux. Lorsqu'elle commença à redescendre pour aller chercher le second, agrippée à la corde qui suintait encore de la sueur des condamnés, elle se demanda, comme elle le faisait souvent, combien d'entre eux avaient conservé leur tête.

Elle rangea les courses et se mit à laver la vaisselle du petit-déjeuner, ce qui lui rappela la dispute du matin avec son mari. Après la perte de Milon, au lieu de s'accrocher l'un à l'autre, joue contre joue comme ils l'avaient fait pendant tout leur mariage, le couple s'était mis à nager dans deux directions différentes en luttant pour ne pas se noyer. Lorsque l'un d'entre eux avait besoin de parler de la tragédie, l'autre souhaitait disposer de quelques secondes fugaces de tranquillité. Ils finirent par échouer sur des rivages éloignés, ensablés dans leur chagrin et ivres de colère l'un envers l'autre pour la perte qu'ils subissaient.

Tout en brossant et essuyant, Hebe Jones leva les yeux devant elle, vers le tableau accroché au mur, qui représentait la tour de Sel en traits hésitants de crayon et aplats de pointe feutre. L'artiste s'était donné de la peine, mais les couleurs dépassaient les lignes.

A côté de la Tour se tenaient trois personnages souriants, deux grands et un petit. Seuls les parents de l'artiste étaient capables de reconnaître la petite forme qui les accompagnait, et qui souriait, comme la plus vieille tortue du monde. Hebe fixa dans un crescendo de détresse les couleurs qui commençaient à passer.

Soudain, elle perçut le grondement sourd de la porte de la tour de Sel. Peu après, son mari apparut à la porte de la cuisine et, sans un mot, lui tendit une boîte en carton qui dégageait de la chaleur. Incapable d'avouer qu'elle détestait toujours la pizza, Hebe Jones mit la table et se força à avaler des bouchées de pâte qui, malgré leur petitesse, menaçaient de l'étouffer à tout moment.

Pendant le reste de la soirée, l'ambiance dans la tour de Sel demeura si tendue qu'ils se parlèrent comme si l'endroit était empli de millions de papillons qu'ils n'osaient pas déranger dans leur vol.

Chapitre trois

Hebe Jones déboutonna son manteau turquoise à côté de la commode au tiroir qui renfermait cent cinquante-sept paires de fausses dents. C'était un rituel qu'elle se réservait tous les matins à son arrivée au Bureau des objets trouvés du métro de Londres, même en été, une saison dont elle se méfiait particulièrement en Angleterre. Elle l'accrocha au perroquet qui se dressait à côté de la poupée gonflable grandeur nature, dotée d'un profond trou rouge pour la bouche, que personne n'avait encore osé réclamer. En tournant le coin, elle s'installa devant le comptoir victorien d'origine, dont le rideau était encore fermé, et étudia l'un des registres afin de se remémorer ce qui avait été déposé la veille. Outre les habituelles dizaines de parapluies et romans de poche, certains dont la page marquée approchait malheureusement de la fin, la récolte comportait une tondeuse à gazon, une machine à écrire russe et seize bocaux de gingembre confit.

Le dernier article était un fauteuil roulant abandonné, ce qui portait le butin du Bureau au chiffre spectaculaire de trente-neuf. C'était la preuve, au moins pour le personnel, que le métro de Londres était capable de miracles. Elle mit en route la bouilloire juchée sur le dessus du coffre-fort que personne n'avait réussi à ouvrir depuis qu'on l'avait trouvé sur la Circle Line, cinq ans plus tôt. Du réfrigérateur, qui faisait actuellement l'objet d'une polémique insoluble quant au tour de celle qui devait le nettoyer, elle sortit un carton de lait qu'elle souleva jusqu'à ses narines. Constatant avec satisfaction qu'il ne sentait rien d'autre que le lait, elle en versa un peu dans son mug.

En attendant que la bouilloire siffle, Hebe Jones, qui avait pour la notion de perte une sensibilité plus aiguë que quiconque, considéra avec mélancolie le cimetière de possessions oubliées qui encombraient des rayonnages métalliques à perte de vue dans leur linceul de poussière.

En dépassant le long cercueil de magicien qui servait à emprisonner les assistantes pétillantes pour les scier en deux, elle apporta son thé jusqu'à sa table de travail, laquelle était émaillée de plusieurs articles récents dont elle cherchait les propriétaires : un oiseau-mouche empaillé dans un petit dôme en verre ; un œil de verre ; une paire de petites mules chinoises pointues brodées de feuilles de lotus ; l'agenda d'un gigolo qu'elle espérait ne pas voir réclamé avant d'en avoir achevé la lecture ; et une petite boîte qui avait été dénichée au Albert Hall et prétendait receler un testicule appartenant à un certain A. Hitler. Au-dessus de la table, sur une étagère, trônait une série de cartes de remerciements fanées qu'elle conservait comme preuve de la facette plus prévenante de la nature humaine, ce que l'on oubliait aisément lorsqu'on avait affaire au grand public.

D'un tiroir de la table, Hebe Jones exhuma son calepin en espérant que la tâche extrêmement gratifiante qui consistait à réunir un bien et son propriétaire distrait lui ferait oublier ses propres soucis. Elle parcourut les notes qu'elle avait rédigées au cours de sa recherche pour retrouver le fabricant de l'œil de verre, mais ses pensées revenaient inexorablement à son mari. Elle sentit sa collègue avant qu'elle n'arrive. Le sandwich au bacon tiède qui reposait dans son papier sulfurisé atterrit sur le bureau voisin du sien en renversant une statuette des Oscars qui attendait son gagnant depuis deux ans, huit mois et vingt-sept jours. En dépit du fait que Hebe Jones avait répété à maintes reprises qu'il s'agissait d'un faux, argument étayé par le fait que toutes les lettres envoyées à l'agent de l'acteur étaient demeurées sans réponse, Valerie Jennings entretenait la ferme conviction qu'un jour Dustin Hoffman en personne se présenterait pour réclamer son dû.

Des années de frustrations, qu'un triomphe venait rarement alléger, avaient créé entre les deux femmes des liens aussi puissants que ceux qui rapprochent deux détenus dans une même cellule. Si elles se réjouissaient avec autant d'enthousiasme de leurs succès mutuels, elles étaient tout aussi abattues par les échecs.

C'était un poste de hauts et de bas. En conséquence, aucune des deux femmes ne pouvait supporter les rais d'ennui qui finiraient par s'insinuer dans leur journée de travail, souvent avec la remise des trente-neuf séries de clefs de porte. C'est dans ces moments qu'elles espéraient l'arrivée d'un article exotique, comestible ou, avec de la chance, les deux. Et tandis que, durant des périodes particulièrement intenses de stress, Hebe Jones était capable de se réfugier dans le sanctuaire du cercueil de magicien, où elle restait les yeux fermés, Valerie Jennings, dont la merveilleuse corpulence lui interdisait ce plaisir, se contentait d'essayer les trésors d'une boîte oubliée de favoris et de moustaches de théâtre, admirant les nombreuses et superbes métamorphoses dans le miroir.

Les deux femmes, qui se détestaient autant que des sœurs et s'aimaient tout aussi fort, régnaient sur le Bureau des objets trouvés du métro de Londres avec tout l'éclat d'une maquerelle sur ses pupilles. Leur honnêteté était totale. Tout ce qui était remis par le personnel du métro, ou par de serviables usagers, était dûment consigné d'une calligraphie monacale de copiste dans des registres soigneusement classés. Les seuls articles que les deux femmes revendiquaient étaient des produits périssables, qu'elles n'avaient pas le droit de stocker pendant plus de vingt-quatre heures, même si elles acceptaient un délai supplémentaire pour les gâteaux d'anniversaire nominatifs, car l'attention touchait bien davantage leur cœur que leurs papilles.

Les deux collègues se saluèrent avec une indifférence due à l'habitude de plus de dix années côte à côte. Comme Hebe Jones relevait le rideau de fer du comptoir dans un grincement sinistre, Valerie Jennings inspecta la statuette des Oscars pour détecter les éventuels dégâts avant de la remettre sur pied. Alors qu'elle tendait la main vers son sandwich, son instinct lui signala que quelque chose n'était pas comme il se devait, et elle retira la tranche supérieure du sandwich. Les soupçons se confirmèrent lorsqu'elle s'aperçut que le propriétaire de la cuillère graisseuse n'avait pas ajouté de ketchup.

Mais, avec l'espoir louable qu'elle adoptait toujours dans l'adversité, elle s'enquit auprès de sa collègue de l'éventualité d'un retour de ketchup.

Avant d'obtenir une réponse, la cloche de vache suisse résonna à l'entrée du Bureau. Hebe Jones se leva de son siège pour accorder à Valerie Jennings la dignité d'un petit-déjeuner ininterrompu. En se rendant au comptoir, elle s'arrêta pour essayer une nouvelle combinaison qui ouvrirait le coffre-fort, une habitude bien ancrée dans la vie du Bureau, mais la porte d'acier gris demeura obstinément close.

Vêtu d'un costume en velours côtelé brun et chemise à rayures bleues, le front ridé par les soucis, Samuel Crapper, le client le plus fidèle des Bureaux des objets trouvés, était debout devant le comptoir.

Descendant éloigné du célèbre plombier à l'appétit insatiable pour les certificats royaux, il avait reçu de sa famille la meilleure éducation que l'on pouvait se payer.

Mais la même famille avait payé un prix encore plus élevé que ce qu'elle espérait. Les jurons et les mots doux de la cour de récréation avaient enflammé ses joues, ce qui avait conduit ses bourreaux à affirmer qu'il était « rouge d'orgueil ». En dépit de ses protestations quant à la véracité de la légende qui affirmait que Thomas Crapper, le « Merdeux », était l'inventeur des cabinets à chasse d'eau, alors que c'était l'œuvre de Sir John Harrington, filleul de la reine Elizabeth Ire, ses camarades se montrèrent particulièrement patients, guettant le moment où ils pourraient enfin lui plonger la tête dans la cuvette.

Le traumatisme répété avait affecté la mémoire du petit Samuel, qui tentait de pallier le défaut en achetant en double tout ce dont il avait besoin. Toutefois, il n'avait pas prévu que, lorsqu'un objet lui manquerait, cela n'empêcherait en aucun cas le double de prendre le même chemin.

Grand et fin comme une volute de fumée, Samuel Crapper sentit croître son agitation à l'arrivée de Hebe Jones, car il ne parvenait pas à se rappeler ce qu'il avait perdu.

Il fixa le sol, passa les doigts dans sa chevelure ocre, qu'il n'avait jamais réussi à discipliner.

Mais un sourire éclaira son visage lorsqu'il se souvint brièvement de l'article en question, sourire qui s'effaça dès qu'il se rappela qu'il n'était plus en sa possession.

— Vous a-t-on remis un plant de tomate, par hasard ? demanda-t-il en rajustant ses lunettes cerclées d'or. Il poursuivit en précisant qu'il ne s'agissait pas là d'un spécimen ordinaire, car la bouture descendait directement de l'un des premiers plants cultivés en Angleterre grâce au chirurgien-barbier John Gerard dans les années 1590. Après plusieurs années d'efforts d'infiltration, Samuel Crapper avait réussi à se procurer la graine auprès de son contact dans le monde de la tomate. Les fruits de ce plant étaient d'une telle magnificence qu'il avait pris la décision de s'inscrire à un concours.

— Malheureusement, je l'ai laissé sur la ligne de Piccadilly hier en me rendant ici, avoua-t-il. J'avais oublié que le concours avait lieu cet après-midi même.

— Une minute, répondit Hebe Jones en disparaissant.

Elle revint quelques minutes après avec dans les mains la plante qu'elle glissa sur le comptoir en disant simplement :

— Oublions les frais de récupération.

Sans se lancer dans son bavardage habituel, elle lui dit au revoir et disparut de nouveau avec une détermination inhabituelle. Samuel Crapper sortit d'un pas joyeux, serrant sa plante contre sa veste en velours sans s'apercevoir de l'absence des quatre tomates que Hebe Jones et Valerie Jennings avaient dégustées en canapés grillés au fromage le jour précédent.

Lorsque Hebe Jones revint à sa table de travail, sa collègue était en train de scruter l'intérieur du réfrigérateur en quête d'un en-cas de fin de matinée, et ce, bien que la fin de matinée fût encore éloignée.

Au cours de ces quinze minutes merveilleuses, les deux femmes fermaient le rideau, décrochaient les téléphones et sirotaient du thé Lady Grey dans des tasses en porcelaine fine – qui n'avaient pas encore été réclamées – qu'elles accompagnaient de cakes ou autres pâtisseries que Valerie Jennings apportait au travail.

Son appétit colossal était apparu lorsqu'un jour, à son retour du bureau, elle avait eu l'intention d'expliquer à son mari qu'il était temps qu'ils fondent une famille. Mais au lieu de la nuit de passion torride qu'elle avait espérée, son époux avait levé les yeux de son journal pour lui annoncer avec la froideur d'un homme de loi qu'il la quittait. Il avait expliqué que leur mariage était une erreur et insisté sur le fait qu'il n'y avait personne d'autre. Valerie Jennings avait été si déconcertée devant cette révélation d'absence d'affection qu'elle l'avait laissé s'occuper du divorce.

Plusieurs mois après la sentence du juge, elle entendit dire qu'il s'était marié, pieds nus, sur une île des Caraïbes.

Elle jeta la brochure de voyage qu'elle avait découverte dans le tiroir de sa table de chevet et retira enfin la photographie de mariage qui trônait encore sur la cheminée pour la remiser dans le grenier avec l'album qu'elle trouvait presque douloureux de toucher.

Lorsque, plusieurs minutes plus tard, la cloche suisse retentit à nouveau, Hebe Jones se dressa encore. Devant le comptoir se tenait Arthur Catnip, poinçonneur de tickets du métro de Londres, dont la taille réduite s'accompagnait d'un tour de ceinture imposant dû à une faiblesse pour les petits-déjeuners frits.

Au fil des années, il avait appris à déceler un fraudeur à cent pas. Il rangeait son talent avec la même intuition qui, quinze ans avant l'événement, l'avait prévenu d'une crise cardiaque majeure.

Après avoir pris ses congés annuels, il avait tenté de s'inscrire dans l'hôpital le plus proche dans l'attente de la catastrophe, mais le poinçonneur de tickets tatoué s'était retrouvé dans le service psychiatrique.

Un médecin chauve nota cependant la prédiction, tout excité à l'idée d'avoir déniché un sous-ensemble entièrement nouveau de démence.

Lorsque l'accident médical eut enfin lieu, la seule raison pour laquelle Arthur Catnip survécut fut qu'au pic de la crise (et de la douleur), la lame brûlante d'un sentiment d'injustice déferla depuis ses orteils jusqu'au sommet de son corps, repoussant le caillou qui bloquait son artère avec la force d'un étalon. Tandis que le tsunami se déployait dans le service psychiatrique, deux patients qui étaient moins malades que leurs gardiens comprirent que c'était le moment où jamais et prirent leurs jambes (et leurs valises) à leur cou pour échapper à un séjour qui, à eux deux, se montait à quarante-neuf ans.

Au fil des années, Arthur Catnip s'était vu offrir de nombreuses tasses de thé par les dames du Bureau pour sa bonne volonté à rapporter tout ce qu'il trouvait. Plusieurs de ses collègues, exténués par le nombre d'articles oubliés qui s'amoncelaient dans le réseau du métro, laissaient les objets les moins suspects à l'endroit où ils les trouvaient dans l'espoir que quelqu'un les volerait. En revanche, Arthur Catnip emportait immédiatement tout ce qu'il découvrait jusqu'au Bureau des objets trouvés. Et ce n'était pas seulement parce que les dames étaient les seuls membres de tout le personnel qui le remerciaient de ses efforts pour que le métro de Londres demeure un bastion de l'orgueil britannique, mais parce que le projet même de se rendre visible au vénérable Bureau sis dans Baker Street donnait à l'ancien marin l'impression d'être emporté sur l'un de ces bateaux agités par le roulis. Des mois plus tôt, il avait surpris Valerie Jennings avec une de ces barbes de théâtre, un spectacle qui l'avait ravi plus que de raison. La vision lui avait rappelé sur-le-champ les merveilleuses femmes à barbe qu'il avait admirées au cours de ses voyages dans le Pacifique.

Ces femmes étaient autrefois jalousement gardées par les anciens armés de lances pour résister aux propriétaires de cirque et à leurs filets volumineux, et l'indubitable adoration que manifestait Arthur Catnip lui avait valu le plus grand respect dans les villages où lesdites femmes étaient révérées comme des divinités auxquelles on réservait toujours les œufs de tortue les plus gros. Elles utilisaient le jaune pour faire briller leur barbe, et le blanc, pour oindre la chair grasse qui parait leur corps d'alléchantes poignées.

Depuis que son mariage avait été ruiné par la découverte (un simple coup du hasard) que son épouse entretenait une liaison avec son propre vice-amiral, Catnip avait juré de ne plus jamais se fier à une femme. Il démissionna de la marine avant d'être renvoyé pour avoir brisé la mâchoire de son rival, et, déçu au point de souhaiter ne plus jamais revoir la lumière du jour, il postula pour un emploi dans le métro de Londres. Mais la vision spectaculaire de Valerie Jennings déclencha une telle nostalgie qu'il se mit à arriver au travail inondé d'eau de toilette.

Comme il n'avait jamais revu Valerie Jennings couverte de poils faciaux brillants, il finit par se persuader que le merveilleux spectacle n'avait été qu'une illusion. Il ne lui restait plus que le fantôme de la vision qui le hantait pendant ses journées de travail tandis qu'il arpentait les tunnels victoriens à pourchasser les fraudeurs.

Le poinçonneur de tickets, dont les mains n'avaient jamais retrouvé leur douceur après des années de travail, déposa sur le comptoir un camélia, une paire de menottes, seize parapluies, treize téléphones mobiles et cinq chaussettes dépareillées. Il attendit en silence, un coude appuyé sur le comptoir, que Hebe Jones ait terminé de consigner dans les nombreux registres idoines les articles en leur associant des références au code indéchiffrable. Comme elle fermait et rangeait le dernier volume, Arthur Catnip ramassa un modeste fourre-tout bleu sur le sol à côté de ses pieds et le plaça sur le comptoir en disant :

— J'allais oublier ceci.

Sa curiosité aussi vive que lors de son premier jour de travail, Hebe Jones ouvrit la fermeture à glissière et se dressa sur la pointe des pieds pour regarder à l'intérieur du sac. Sans grande certitude quant à son contenu, elle y plongea la main pour en ressortir une boîte en plastique contenant les miettes d'un sandwich de pâté de poisson. Comme elle avait senti la présence d'autre chose, elle tira une boîte en bois ornée d'une plaque en cuivre qui portait les mots CLEMENTINE PERKINS, 1939-2008, RIP.

Les yeux fixés sur l'urne qui trônait devant eux, Arthur Catnip et Hebe Jones ne prononcèrent pas un seul mot.

Une fois qu'Arthur Catnip eut quitté les lieux en se demandant à voix haute comment il était possible d'égarer des restes humains, Hebe Jones consigna la trouvaille dans ses registres, mais sa main tremblait au point que son écriture n'évoquait plus celle d'un moine copiste.

Sans un mot, elle transporta l'article jusqu'à sa table et le posa sur le journal du gigolo. D'ailleurs, son esprit était bien loin de la boîte en bois à la plaque de cuivre. En un éclair, elle avait visualisé la petite urne qui se cachait dans le fond de la penderie de la tour de Sel.

Lorsqu'elle avait reçu le coup de téléphone des pompes funèbres l'informant que les restes de Milon étaient à sa disposition, Hebe Jones avait laissé tomber le vase de fleurs qui venait d'arriver de la part du révérend Septimus Drew. Une fois que Balthazar Jones eut balayé le verre qui jonchait le tapis de la salle à manger, il avait décroché les clefs de voiture.

Le trajet s'était déroulé dans un silence de plomb. Balthazar Jones n'avait pas mis *In the Air Tonight* de Phil Collins, morceau sur lequel il aimait improviser des coups de batterie tandis qu'ils patientaient dans la circulation ; et personne n'était assis sur le siège arrière pour se joindre à son père lors des plus belles mesures.

Le couple n'avait rompu le silence qu'à l'arrivée, mais ni l'un ni l'autre n'avait été capable d'expliquer le but de leur visite et ils s'étaient contentés de déclamer leurs noms.

La réceptionniste leur avait adressé un regard interrogateur, et ce n'est que lorsque le directeur des pompes funèbres était intervenu que la gêne s'était évanouie, pour revenir dès qu'il leur avait présenté l'urne. Aucun des deux ne supportait de la prendre.

A leur retour chez eux, ils avaient été frappés par les vapeurs entêtantes des lis blancs qui flottaient dans l'escalier en colimaçon de la tour de Sel. Hebe Jones qui, assise sur le siège passager, avait serré l'urne dans un état indicible d'agonie, l'avait posée sur la table basse du salon, à côté du mirliton de Milon, et était allée à la cuisine préparer trois tasses de thé. Le couple s'était installé sur le canapé dans un silence étouffant, la troisième tasse abandonnée sur le plateau, et ni l'un ni l'autre n'avait été capable de regarder la chose qui trônait sur la table basse et leur donnait une secrète envie de mourir.

Quelques jours plus tard, Hebe Jones avait remarqué que son mari avait posé l'urne sur la cheminée. La semaine suivante, incapable d'en supporter la vue plus longtemps, elle l'avait mise dans la penderie jusqu'à ce qu'ils décident de l'ultime lieu de repos de Milon.

Mais chaque fois que l'un amenait le sujet sur le tapis, l'autre, pris par surprise, se sentait trop blessé pour répondre. L'urne était donc restée dans le fond de la penderie, derrière les pulls de Hebe Jones. Et chaque soir, avant d'éteindre sa lampe de chevet, la mère trouvait un prétexte pour ouvrir les portes de l'armoire afin de souhaiter silencieusement bonne nuit à son enfant.

Elle était incapable de mettre fin au rituel auquel elle se conformait depuis onze années.

Chapitre quatre

Pour ce qu'il considérait comme d'excellentes raisons, Balthazar Jones décida de ne pas parler à sa femme de la visite de l'écuyer au superbe parapluie. Lorsque, quelques jours plus tard, à l'heure diabolique de trois heures treize du matin, Hebe Jones se redressa dans son lit en demandant « Que voulait l'envoyé du Palais finalement ? », le hallebardier grommela d'un souffle coloré par ses rêves qu'il s'agissait d'un truc au sujet des canalisations. Réponse qu'il regretta d'emblée. Hebe Jones resta dans la position assise pendant les onze minutes suivantes en soulignant que, si leurs toilettes étaient reliées à des cabinets d'aisances d'une inestimable valeur historique, fort bien, mais elle fit remarquer que le monstrueux relent d'effluves pétrifiés qu'avaient laissés les siècles de détenus et qui embaumait leur demeure chaque fois que les canalisations étaient bouchées n'était protégé par aucun décret royal.

Le hallebardier avait accueilli la proposition d'Oswin Fielding comme une idée démentielle. Une fois qu'il eut verrouillé les portes de la forteresse derrière les touristes de la journée, il avait passé le reste du crépuscule sur les remparts, avachi dans sa chaise longue à rayures bleues et blanches, laissant l'obscurité l'envelopper et en espérant que l'enthousiasme royal pour la ménagerie s'évanouirait. S'il ne souffrait pas de l'horreur naturelle que son épouse éprouvait à l'égard des animaux, il n'était guère intéressé par eux. La seule exception avait été Mme Cook, dont les générations successives de Jones avaient oublié qu'elle était une tortue. Elle était plutôt considérée comme un parent âgé à problèmes intestinaux qui avait une propension à disparaître, une habitude si installée que personne ne réalisait jamais qu'elle avait disparu avant plusieurs semaines, car son trajet paisible à travers la pièce était encore marqué au fer rouge dans leur mémoire.

Ce n'est qu'après avoir été réclamé au bureau dans la tour du Mot de passe que le hallebardier mesura à quel point la charge des animaux de la reine pourrait lui être profitable. Il poussa la porte cloutée du bureau pour découvrir le hallebardier en chef assis derrière sa table de travail dans les murs froids et circulaires, les doigts, aussi mous et pâles que ceux d'un embaumeur, entrelacés sur son estomac. Le chef jeta un regard irrité sur sa montre et lui indiqua un siège. Balthazar Jones s'assit donc, posa son chapeau bleu foncé sur son giron et serra le bord de ses deux mains.

— Je ne tournerai pas autour du pot, *Yeoman Warder* Jones, déclara l'homme.

Sa barbe était taillée avec la précision d'une topiaire.

— La surveillance de la Tour et des éventuels pickpockets professionnels fait largement partie du poste pour lequel des milliers de retraités de l'armée britannique donneraient leurs dents de derrière, s'ils en avaient encore, s'ils croyaient pouvoir être sélectionnés.

Il se pencha vers l'avant et posa les coudes sur la table.

— A votre arrivée, vous étiez l'un de nos meilleurs éléments, continua-t-il. Je me souviens de l'époque où vous avez taclé ce type sur la Pelouse de la Tour. Il avait cinq portefeuilles sur lui si j'ai bonne mémoire. Je sais que les choses n'ont pas toujours été faciles, d'autant qu'il y a eu cette affaire avec votre petit, mais le temps a passé. Nous ne pouvons pas nous permettre d'avoir un maillon faible. N'oublions pas la révolte des Paysans, lorsque tous ces vandales mirent les lieux à sac.

— C'était en 1381, monsieur.

— J'en suis parfaitement conscient, *Yeoman Warder* Jones. Ce que je veux dire, c'est que la Tour n'est pas infaillible. Nous devons être sur nos gardes à tout moment et non pas nous contenter de jeter un œil en profitant de la vue.

Le hallebardier leva les yeux vers la fente ouverte par une flèche derrière la tête du hallebardier en chef tout en se souvenant de la dernière visite qu'il avait faite dans ce bureau.

A cette occasion, l'homme s'était donné la peine de se lever à son arrivée et lui avait offert ses condoléances.

— Je sais exactement ce que vous ressentez, avait-il insisté. Lorsque nous avons perdu Sally, nous étions dévastés. Elle avait un caractère extraordinaire. L'un des chiens les plus intelligents que nous ayons eus. Elle avait été avec nous pendant neuf ans. Quel âge avait le petit déjà ?

— Onze ans, avait répondu Balthazar Jones.

Il avait observé ses mains alors que le regard du hallebardier en chef était tombé sur la table. Il avait fini par rompre le silence en lui proposant davantage de temps de repos, que Balthazar Jones avait refusé en affirmant que les trois jours qu'on lui avait octroyés avaient suffi. Il avait quitté la tour du Mot de passe pour se rendre sur les remparts en quête d'une raison de vivre.

— Avez-vous entendu, *Yeoman Warder* Jones ? demanda le hallebardier en chef depuis son fauteuil derrière la table.

Le nuage de cheveux blancs aplati par son chapeau, le hallebardier tourna les yeux vers lui et lui demanda :

— Comment se porte votre nouvelle chienne ?

— Elle va très bien. Merci de le demander. Première de sa classe en matière d'obéissance.

Le regard de Balthazar Jones revint vers la fente de la flèche.

Le hallebardier en chef l'étudia en fronçant les sourcils.

— Je ne suis pas sûr que vous vous rendiez compte que votre avenir ici est menacé. Je vous propose de réfléchir un moment à ce qui se passe, dit-il en se levant. Cela ne peut pas durer.

Le hallebardier sursauta en entendant claquer la porte. Il baissa les yeux vers son chapeau et essuya lentement les gouttes de pluie qui étincelaient sur le dessus comme autant de diamants. Trop abattu pour se lever, il fixa le vide devant lui, et son esprit revint une fois de plus au soir de la mort de Milon et à son terrible secret. Lorsque son estomac finit par se calmer, il regarda à nouveau son chapeau et l'essuya du bout des doigts, bien qu'il n'y eût rien à essuyer. Se levant enfin, il remit son chapeau sur sa tête, tira la porte vers lui et s'en retourna à son travail.

Lorsqu'arriva la lettre d'Oswin Fielding lui demandant de se rendre au Palais pour parler de la nouvelle ménagerie, Balthazar Jones avait réussi à se convaincre que sa nouvelle tâche lui éviterait de perdre son emploi, un emploi qui lui avait donné une raison de se lever le matin lorsque le poids du remords le collait à ses draps. Il glissa la lettre dans la poche de sa tunique, où elle resta cachée à sa femme avec les miettes de biscuits qu'elle lui interdisait de manger afin de préserver son cœur.

Le matin où il était censé rencontrer la reine, le hallebardier s'assit sur son lit dans sa robe de chambre en attendant que s'efface le dernier écho des pas de sa femme qui descendait l'escalier en colimaçon. Il s'approcha de l'une des fenêtres à croisillons pour vérifier qu'elle se rendait bien à son travail. A travers le verre ancien, il reconnut instantanément la démarche d'une femme déterminée à réunir un objet trouvé avec son propriétaire distrait.

Il sortit de la penderie son uniforme de cérémonie rouge et or, Oswin Fielding ayant insisté pour qu'il le porte à cette occasion. Et, avec l'excitation d'une femme sur le point de revêtir les sous-vêtements les plus affriolants, il récupéra sa fraise en lin blanc.

Il commença à s'habiller devant le miroir qui, depuis huit ans, restait posé sur le sol puisqu'il avait été incapable de le monter sur les murs circulaires.

C'était une pièce pitoyable, aussi minable que la salle à manger de l'étage du dessous, et ce, en dépit des efforts qu'ils avaient faits, Hebe et lui, pour maquiller le répugnant passé de prison de la tour de Sel. Les rideaux joyeux qu'il avait cousus pour orner les fenêtres laissaient passer les courants d'air et accentuaient l'allure miteuse de l'endroit.

Le couple avait repoussé la penderie devant l'un des graffitis les plus misérables, œuvres des prisonniers qui en ornaient les murs dans l'espoir de conserver la raison, mais d'autres demeuraient visibles. La nuit, lorsque l'homme et la femme n'arrivaient pas à trouver le sommeil parce qu'ils craignaient notamment les cauchemars que leur inspirait leur logement, ils étaient convaincus d'entendre le son macabre des ciseaux qui grattaient les parois.

Lorsque la famille avait emménagé dans la forteresse, Hebe Jones avait insisté pour qu'on retire les meubles décrépits de la tour pour les remplacer par les leurs, mais c'était une décision qu'ils regrettaient désormais tous deux.

Alors qu'il avait été facile d'installer un lit, une commode et un bureau dans la chambre de Milon située au rez-de-chaussée, ils n'avaient pu monter grand-chose dans l'étroit escalier en colimaçon conduisant aux étages supérieurs. Ils durent donc démonter leurs meubles à l'extérieur pour les monter pièce par pièce, mais ces pièces refusèrent de s'assembler correctement, sans parler de tenir droit contre les murs circulaires – un problème qu'aucun des deux n'avait prévu.

En dépit des bouts de carton plié que Balthazar Jones avait glissés sous les pieds pour tenter de caler les meubles, ceux-ci continuaient d'arborer des angles insolites, aggravés par l'inclinaison des sols, jusqu'à ce que l'un d'entre eux finisse par s'écrouler bruyamment, de préférence en plein cœur de la nuit.

Savourant l'occasion qui lui était offerte de revêtir le célèbre uniforme réservé aux visites royales à la Tour et aux grandes cérémonies, Balthazar Jones se glissa dans les collants rouge cramoisi, rentra le ventre afin de fermer les braies assorties en se disant qu'elles avaient encore rétréci dans la penderie.

Une fois qu'il eut enfilé la tunique aux initiales ER brodées d'or sur sa poitrine, il glissa la fraise autour de son cou et aperçut alors dans le miroir les vestiges d'un homme qui avait voué sa vie à la défense de sa patrie.

Où étaient passées les boucles que son épouse, artiste amateur motivée plus par l'espoir que par le talent, avait qualifié un jour de « brun momie », un pigment dont l'origine remontait aux vestiges de l'ancienne Egypte ?

Au fil des années, les mèches à la riche nuance de terre avaient cédé la place à des ondulations ternes de gris qui avaient soudain viré au blanc. Et ses joues autrefois lisses étaient désormais dissimulées sous une barbe de même nuance qu'il avait laissée pousser dans l'espoir de se protéger de l'humidité constante.

Assis au bord du lit, il fixa les rosettes rouges, blanches et bleues sur les côtés de ses genoux, puis sur le devant de ses chaussures en cuir noir verni. En passant par-dessus Mme Cook, il se dirigea vers la salle de bains où le froid pénétrait avec une telle force qu'il fallait prendre son bain vêtu d'un bonnet de laine. Il se brossa les dents avec toute la vigueur exigée par un entretien royal et pria que le bouton des braies ne lâche pas au moment où il ferait sa révérence royale.

Il descendit l'allée de l'Eau jusqu'à la tour du Milieu, une vue qui ravissait toujours les touristes, et refusa d'expliquer aux collègues qu'il croisa la raison de sa tenue.

Dès la sortie de la forteresse, il héla un taxi noir, incapable qu'il était de conduire en raison de sa fraise en lin d'Irlande. Il ferma la porte et s'installa avant de se pencher vers la vitre de séparation :

— Le palais de Buckingham, je vous prie, annonça-t-il en tirant sa tunique sur ses genoux décorés.

Le révérend Septimus Drew rentrait de sa marche matinale dans les douves herbeuses qui avaient été vidées de leurs pestilentielles eaux au XIXe siècle.

Il avait passé le temps à réfléchir à sa prochaine leçon de catéchisme pour les enfants de la Tour, au cours de laquelle il prévoyait d'expliquer comment des animaux tels que les licornes apparaissaient dans la Bible alors que les rats, par exemple, n'y figuraient pas.

Sur le point de pénétrer dans la forteresse, il aperçut Balthazar Jones qui, vêtu de ses plus beaux atours, se glissait dans un taxi, et il se sentit à nouveau plein de regrets pour la perte de leur amitié.

Il avait été un temps où le hallebardier était un convive régulier à sa table, et ils savouraient ensemble une volaille dodue et une bouteille de Château Musar. Ils passaient parfois la soirée au Rack & Ruin, inventant des histoires au sujet du mystère du trou de balle tout en dégustant les bières traditionnelles. Lorsque le temps le leur permettait, ils se retrouvaient sur le boulingrin de la Tour où ils jouaient aux boules, et respectaient leur accord tacite de ne pas s'insurger des tricheries mutuelles.

Le chapelain était capable d'ignorer qu'en tant qu'ancien soldat, le hallebardier avait été prêt à tuer pour sa patrie, tout comme Balthazar Jones était capable d'oublier l'attachement insondable de son ami à la religion.

L'estime réciproque des deux hommes avait été telle que Milon était parvenu à surmonter la terreur que lui avait d'abord inspirée le chapelain (dont on disait que les tambourinements à onze doigts provenant de la tombe d'Anne Boleyn, l'une des épouses malheureuses d'Henri VIII, l'avait poussé à la folie).

Le garçon allait le trouver dans la chapelle, et ils s'installaient dehors, sur un banc, pour que l'homme d'Eglise raconte des histoires de la Tour qui ne figuraient pas dans les guides touristiques. Un après-midi, lorsqu'on découvrit Milon caché dans Little Ease, la minuscule cellule dans laquelle aucun homme adulte ne pouvait tenir debout, il n'avoua jamais qui lui avait indiqué la cachette secrète.

Mais, depuis la mort de l'enfant, le hallebardier n'avait accepté qu'une seule invitation à souper avec le chapelain, et ses chaussures de jeu de boules étaient restées dans le fond de l'armoire.

En dépit de tous les efforts du prêtre pour l'amener à partager un verre au Rack & Ruin, Balthazar Jones s'y était rendu sans lui, préférant la compagnie de la solitude.

De retour dans son appartement surplombant la Pelouse, le chapelain se fit couler un bain dans lequel il ne put flâner en raison de la température désespérante de la pièce. Il chercha une paire de caleçons qui lui offrirait la dignité voulue pour ce qu'il se préparait à accomplir et enfila son pantalon préféré en velours côtelé moutarde, qui révélait une hauteur époustouflante de chevilles osseuses en raison de la longueur excessive de ses jambes, et fouilla dans le tiroir de sa commode en quête de chaussettes pour finir par en sélectionner une paire qui n'avait pas été portée depuis qu'elle était arrivée au courrier de Noël.

Engoncé dans sa soutane rouge cramoisi, il se traîna jusqu'à la salle de bains, perdu dans l'extase silencieuse due au port de chaussettes neuves. Il se regarda dans le miroir tavelé par l'âge et peigna soigneusement ses cheveux foncés dans le style qu'on lui avait infligé à l'âge de huit ans. Enfin, il se brossa très soigneusement les dents. Hélas, en dépit de ses efforts, il ne vit dans le reflet qu'un homme qui avait atteint sa trente-neuvième année sans éprouver l'un des plus grands dons de Dieu : l'amour d'une femme.

Il parcourut les quelques mètres jusqu'à la chapelle, content de savoir qu'il avait encore du temps avant l'entrée des touristes dans la Tour.

Il appuya sur la poignée froide et descendit les trois marches pour gagner la crypte où il s'assit, hors de vue, en espérant que la femme qui avait agité les sédiments mêmes de son âme reviendrait. Lorsqu'une première heure se fut écoulée, il fouilla dans son attaché-case pour en sortir un exemplaire de *Private Eye*, l'hebdomadaire satirique qu'il feuilleta pour y dénicher les aventures blasphématoires de son homologue religieux.

Pendant un moment, ces histoires détournèrent son esprit de ses contrariétés tandis qu'il étudiait une révélation particulièrement irrésistible faisant intervenir une *gardienne* de phare, un suroît, une bouteille d'absinthe et un chou-fleur. Mais une fois qu'il eut achevé sa lecture et que le plaisir du scandale se fut évaporé, son esprit revint une fois de plus à la femme qu'il attendait.

Alors que la deuxième heure passait, il se demanda à nouveau pourquoi il était toujours célibataire.

Ses amis mariés avaient fait de leur mieux pour l'éloigner des affres du célibat. A chacun de leurs dîners, ils invitaient une bonne chrétienne dont ils affirmaient qu'elle serait son âme sœur. Invariablement plein d'espoir, le chapelain arrivait rasé de près et armé de l'une de ses plus précieuses bouteilles de Château Musar. Au départ, il lui semblait que ses hôtes avaient eu raison. La dame était instantanément fascinée par le charmant révérend dont l'emploi l'obligeait à vivre dans la Tour de Londres. En dépit de sa coupe de cheveux, il était tout à fait agréable à l'œil. En outre, il avouait non seulement une passion pour la cuisine – chanson agréable pour les oreilles d'une femme moderne –, mais il racontait avec talent les histoires d'évasion de la forteresse. Avant la fin de l'apéritif, tous les invités étaient, selon leur tempérament, bouche bée ou en train de hurler de rire et, à l'instant où l'on se mettait à table, la dame avait les joues enflammées de désir. Hélas, en dépit de ces débuts encourageants, la soirée allait toujours droit dans le mur lorsque quelqu'un posait la question piège :

— Et combien de personnes sont-elles mortes dans la Tour ?

Le chapelain savait par expérience que sa réponse se devait d'être brève. Il croisait donc ses trop longues jambes sous la table et énonçait :

— En dépit des croyances populaires, seulement sept personnes furent décapitées à la Tour.

Cependant, le millésime libanais exceptionnel ou bien l'interjection de l'un de ses voisins de table qui possédait des connaissances historiques insolites se mettaient toujours en travers de son chemin, et le révérend Septimus Drew se voyait alors contraint de vider son sac.

— Certes, il n'y a pas que les exécutions, bien sûr. Henri VI aurait été poignardé dans la tour de Wakefield. De nombreuses personnes affirment que les deux petits princes furent assassinés dans la tour Sanglante par Richard III. Et sous le règne d'Edouard Ier, un fonctionnaire haut placé appelé Henry de Bray tenta de se noyer au cours du trajet en bateau, qui le conduisait pieds et poings liés jusqu'à la Tour, en se jetant dans la Tamise. Sauvé par ses gardiens, il se suicidera cependant dans sa cellule en se jetant la tête la première contre le mur. En 1585, le huitième comte de Northumberland se tira dessus dans la tour Sanglante. D'ailleurs, Sir Walter Raleigh essaya également de se donner la mort alors qu'il était détenu dans la Tour. Qui d'autre ? Ah oui... Neuf royalistes furent exécutés durant la guerre civile. Puis il y eut les trois hommes du Black Watch, le bataillon d'infanterie du régiment royal d'Ecosse, qui furent passés par les armes pour mutinerie devant tout leur régiment à côté de la chapelle. On leur avait ordonné de porter leur linceul sous leur uniforme. Qui j'oublie ? Ah oui. Le pauvre vieux Sir Thomas Overbury, à qui on a donné de la confiture et des tartes empoisonnées alors qu'il était enfermé dans la tour Sanglante. Il a agonisé pendant des mois... Un véritable martyre... Il a été achevé par un lavement au mercure. Très douloureux.

Comme on croyait qu'il en avait terminé, une minute de silence pesait momentanément sur la table, mais dès que les convives reprenaient leurs couverts, le chapelain poursuivait :

— Et puis, il faut signaler le duc de Clarence, qui a été noyé dans une barrique de son vin favori de Malvoisie dans la tour du Facteur d'arc. Simon Sudbury, l'archevêque de Canterbury, qui a été traîné depuis la Tour pendant la révolte des paysans, en 1381, et, après plusieurs tentatives, décapité devant les murailles. On peut voir sa tête momifiée dans l'église de Saint-Grégoire à Sudbury dans le Suffolk... Où en étais-je ? Ah oui. Arbella Stuart, la cousine de Jacques Ier, a été emprisonnée et sans doute assassinée dans la Maison de la reine. Son fantôme a pris l'habitude d'étrangler les gens dans leur sommeil. On compte aussi onze hommes de différentes nationalités qui furent fusillés par le peloton d'exécution sous l'accusation d'espionnage au cours de la Première Guerre mondiale. Un espion allemand a été abattu au cours de la Seconde Guerre mondiale, en 1941. Au fait, ce fut la dernière personne exécutée dans la Tour. Quelque part, nous avons encore la chaise sur laquelle il était assis à l'époque. Et je suppose que je devrais aussi parler des cent vingt-cinq et quelques prisonniers de la Tour qui moururent, la plupart décapités, sur la colline de la Tour, juste devant la forteresse, devant la foule déchaînée des spectateurs. Enfin, pour certains d'entre eux en tout cas.

Lorsque le révérend Septimus Drew achevait sa réponse, le dîner était invariablement froid, et le rouge avait quitté les joues de la dame pour céder la place à la teinte des serviettes en lin blanc.

Au moment du départ, à la fin de la soirée, elle serrait jalousement son numéro de téléphone dans son sac, et les hôtes, toujours confus, lui jetaient la pierre.

— Quel genre de femme aurait envie de vivre dans la Tour de Londres ? demandaient-ils.

Chaque fois, le chapelain acceptait l'explication, mais, invariablement, il rentrait dans son logement vide, s'asseyait dans l'obscurité de son cabinet de travail au sol nu et en venait à la conclusion amère que la faute n'incombait qu'à lui.

Une fois qu'il eut enfin admis que la femme de ses rêves ne viendrait pas, le révérend Septimus Drew se leva et traversa la chapelle jusqu'à la porte. Dès qu'il sortit, le vent réarrangea ses cheveux, et il se dirigea vers sa maison, les bonshommes de neige sur ses chaussettes visibles dans l'intervalle qui séparait le bas de sa soutane et les pavés.

Il fouilla sa poche à la recherche de la clef de sa porte d'entrée bleue, qu'il verrouillait depuis le jour où il était tombé sur deux touristes espagnols installés dans son salon en train de déguster leurs sandwiches sur son canapé. Après avoir verrouillé la porte derrière lui, il alla jusqu'à la cuisine où traînait encore l'arôme du cake à la mélasse qu'il avait confectionné à partir de la vieille recette de sa mère, et attrapa sa solitaire théière pour une personne.

Balthazar Jones arriva devant le portail du palais de Buckingham après avoir passé le plus clair du trajet à essayer de ne pas écraser sa fraise contre le dossier chaque fois que le chauffeur donnait un coup de frein. Un policier l'escorta à l'intérieur du Palais par une porte latérale avant de le remettre entre les mains d'un valet de pied muet, dont les chaussures vernies à boucle ne produisaient aucun son sur l'épaisse carpette bleue d'un long corridor. Les murs étaient garnis de consoles dorées dont le plateau de marbre supportait d'exubérantes compositions de roses épanouies, réalisées le matin même par une fleuriste de la Maison royale, qui ne cessait de pleurer parce que son mari venait de demander le divorce.

Ses larmes ne devaient cependant rien à la tristesse et tout au soulagement, car elle ne s'était jamais résolue à accepter l'idée que son époux partît chaque matin pour son travail en jupe, chaussettes en tartan aux genoux et sans sous-vêtements. Mariée au *Piper* de la reine, son joueur de cornemuse personnel, pendant trois longues et décevantes années, elle avait découvert qu'elle ne supportait pas plus son don pour la cornemuse que la souveraine.

La mission historique, imaginée par la reine Victoria à l'apogée de son engouement pour tout ce qui venait d'Ecosse, consistait à jouer tous les jours de la semaine sous les fenêtres de la reine. Le vacarme débutait absurdement tôt, à neuf heures du matin, et se prolongeait pendant quinze minutes, au grand dam de la reine Elisabeth II.

Un devoir auquel celle-ci ne pouvait échapper puisque l'homme la suivait dans toutes ses royales résidences, à Windsor, Balmoral ou Holyrood, où il se livrait à son détestable rituel avec une dévotion sans faille.

Le valet de pied muet ouvrit la porte du bureau d'Oswin Fielding et indiqua un siège vert sur lequel Balthazar Jones était censé patienter. Une fois la porte refermée sans un bruit, le hallebardier s'assit et retira de son genou gauche rouge cramoisi un duvet que, malgré un examen attentif, il ne reconnut pas. Il leva la tête et observa les lieux. Les murs bleu pâle s'ornaient de plusieurs gravures du palais de Buckingham dans de fins cadres en or, qui faisaient partie de la collection privée du courtisan. Tandis qu'il se penchait afin d'inspecter les photographies posées sur la table de travail, une goutte de sueur entama sa descente dans son épaisse tunique rouge cramoisi et chatouilla sa poitrine.

Il s'empara du cadre en argent le plus proche et se retrouva nez à nez avec un Oswin Fielding pratiquement méconnaissable sous sa profusion de cheveux, en tenue de randonnée, le bras passé autour d'une blonde coiffée d'une casquette de base-ball.

Il examina les jambes de l'individu, et conclut immédiatement qu'elles n'étaient pas aussi belles que les siennes, et ce, en dépit de son âge avancé.

Soudain, la porte s'ouvrit et laissa entrer l'écuyer accompagné d'un nuage de parfum masculin.

— Je dois dire que vous êtes magnifique ! s'écria le courtisan en déboutonnant sa modeste veste de complet. Malheureusement, Sa Majesté a été retardée, et j'ai bien peur que nous dussions nous passer de sa présence. Mais c'est toujours amusant de mettre le costume d'apparat, n'est-ce pas ?

Le hallebardier retira lentement son bonnet noir Tudor et le déposa sur son giron sans prononcer un seul mot.

— Nous avons tous deux besoin d'une tasse de thé, annonça le courtisan en s'asseyant derrière son bureau.

Il passa un appel et se renversa sur son dossier.

— Cela doit être amusant de vivre dans la Tour. Lorsque mes enfants étaient petits, ils me demandaient toujours si nous pouvions nous y installer. Avez-vous des enfants ? Il me semble que je ne sais pas grand-chose de vous…, si ce n'est que vous avez une tortue.

Il y eut un silence.

Le regard du hallebardier tomba sur le bureau.

— Un fils, répondit-il.

— Vit-il encore avec vous ou a-t-il rejoint les rangs de notre armée comme son père ?

— Il n'est plus avec nous. Non, répondit Balthazar Jones en tournant les yeux vers le tapis.

Le silence fut rompu par l'entrée d'un domestique portant un plateau en argent qu'il posa sur le bureau du courtisan. Il versa deux tasses de thé en utilisant une passoire également en argent, puis quitta la pièce sans prononcer un seul mot. Oswin Fielding tendit une assiette de sablés que Balthazar Jones, déstabilisé par leur forme irrégulière, refusa.

— C'est dommage, car il s'agit de l'une des spécialités de Sa Majesté. Presque aussi bons que ses scones. Certes, ils ont une allure assez étrange… Je suppose qu'elle n'a pas trouvé ses lunettes, déclara le courtisan en se servant.

Le hallebardier regarda avec regret les sablés confectionnés par les royales mains, puis l'écuyer qui venait de mordre dans un biscuit et paraissait perdu dans un état momentané de pure extase. Lorsqu'Oswin Fielding recouvra ses esprits, il sortit un dossier d'un tiroir fermé à clef et l'ouvrit. Il énuméra ensuite les travaux de construction prévus pour la ménagerie, soulignant que les enclos seraient installés dans les douves, mais qu'un certain nombre de tours désaffectées du monument seraient converties en cages pour les bêtes sauvages.

— Je n'ai aucune idée de l'endroit où chacune d'elles doit aller. Je ne sais rien des animaux exotiques – je suis plutôt labrador pour ma part –, c'est pourquoi je vous laisse carte blanche à ce propos, précisa le courtisan en souriant.

Balthazar Jones tirait sur le bord de sa fraise pour soulager la tension qui lui enserrait le cou.

— A présent, je suppose que vous êtes impatient de savoir quels sont les animaux que nous allons transférer avec la duchesse d'York, poursuivit l'écuyer en tournant une page. Des toucans. Si je me souviens bien, ils ont été offerts par le président du Pérou. Il y a une zorille, qui n'est pas du tout, contrairement à ce que l'on pourrait croire, un croisement entre un zèbre et un gorille, mais un genre de putois d'Afrique à la robe noir et blanc. Très joli mais très odorant aussi. Au Soudan, on l'appelle le « père des puanteurs ». Nous avions espéré le renvoyer avant que la reine ne la voie, mais elle l'a repérée tout de suite et a affirmé qu'il était extrêmement grossier de refuser un cadeau, aussi puant soit-il. Il y a aussi un certain nombre de ouistitis de Geoffroy à face blanche, envoyés par le président du Brésil, et un phalanger volant du gouverneur de Tasmanie.

Au fait, les phalangers volants sont de petits opossums volants qui deviennent dépressifs lorsqu'on ne leur accorde pas suffisamment d'attention. Il y a aussi un glouton, cadeau des Russes, qui ressemble à un petit ourson et possède un appétit énorme. Il a coûté une fortune à la reine en nourriture ! Quoi d'autre ? Un dragon de Komodo du président d'Indonésie. Les dragons de Komodo sont les plus gros reptiles du monde, et ils sont capables de mettre un cheval à terre. Ce sont des carnivores à la morsure féroce qui tuent leurs proies en leur injectant du venin. Si j'étais vous, je garderais un œil sur celui-là.

Le hallebardier agrippa les accoudoirs tandis que l'écuyer tournait une nouvelle page.

— Quoi encore ? continua-t-il. Ah oui, des basilics à plumes, que l'on appelle aussi les lézards Jésus-Christ. C'est le président du Costa Rica qui les a envoyés, Dieu sait pourquoi. Il y a aussi une musaraigne étrusque de la part du président du Portugal. Les scientifiques l'appellent « pachyure étrusque ». C'est le plus petit mammifère terrestre du globe, et un spécimen adulte tient dans une cuiller à café. Ils sont également très sensibles – certains meurent d'angoisse simplement quand on les prend dans la main. Ils affirment que le fait de les déplacer constitue l'une des causes majeures de stress ; alors, je vous souhaite bonne chance. Permettez-moi de vous rappeler que l'alliance anglo-portugaise, signée en 1373, est la plus vieille alliance du monde et qu'elle est toujours valable. Personne n'a envie que quelqu'un vienne tout gâcher. Bon. Bien. Prenez la liste. Je vous laisse découvrir les autres tranquillement. Bien sûr, un vétérinaire sera à votre disposition si vous en aviez besoin, mais tout devrait bien se passer. Contentez-vous de les nourrir et de leur donner de l'eau et vous ne devriez pas avoir de problèmes. Du moins, je crois…

Le hallebardier tendit sa main gantée de blanc pour attraper le dossier. Au moment où il allait se lever, l'envoyé du Palais se pencha vers lui :

— Un petit conseil cependant, dit-il en baissant la voix. N'oubliez pas de séparer les inséparables. Ils se haïssent…

Chapitre cinq

Comme elle le faisait depuis le jour de sa prise de fonction, Hebe Jones fit mine de ne pas s'apercevoir de la présence de l'urne posée sur sa table et s'empara de l'œil de verre qu'elle approcha du sien. Les deux pupilles se fixèrent pendant quelques secondes, mais Hebe Jones cligna des yeux la première. Elle admira un instant la perfection des minuscules touches de pinceau sur l'iris noisette et, sa curiosité satisfaite, décrocha le téléphone en espérant réunir finalement l'article avec son propriétaire danois.

Il lui avait fallu moins longtemps qu'elle ne le craignait pour dénicher un numéro de téléphone. Le succès était survenu lorsqu'elle avait repéré le nom du fabricant et le numéro de série sur l'arrière de la prothèse. En raison des dimensions minuscules des caractères, elle avait dû emprunter les verres de Valerie Jennings pour les déchiffrer, une habitude qui s'était transformée en source d'irritation croissante pour sa collègue. La requête déclenchait un soupir de lassitude propre à réveiller les morts, mais Hebe Jones ne semblait jamais l'entendre. Sans lunettes, Valerie Jennings se trouvait plongée dans un maelström de taches terrifiantes. Elle conseilla une fois de plus à Hebe Jones de consulter pour un examen ophtalmologique.

— Tout le monde voit de moins en moins bien avec l'âge, affirmait-elle.

— Une vieille poule vaut quarante poussins, répliqua Hebe Jones lorsqu'elle rapporta enfin les lunettes.

Après avoir composé le numéro du propriétaire à Århus, numéro que lui avait donné la réceptionniste du fabricant de l'œil, Hebe Jones patienta en griffonnant sur son bloc.

— *Hej*, répondit-on enfin.

— Allo, répliqua prudemment Hebe Jones. Frederik Kjeldsen ?

— *Ja !*

— Ici madame Jones, du Bureau des objets trouvés du métro de Londres. Je pense que nous avons ici un article qui vous appartient.

Il y eut un instant de silence total, puis Frederik Kjeldsen se mit à pleurer de son bon œil. Lorsque les bruits mouillés s'interrompirent enfin, l'homme s'excusa et se lança dans les explications de ce qui s'était produit.

— Il y a deux ans, j'ai perdu mon œil dans un accident de la route, et j'ai passé sept semaines à l'hôpital, dit-il. J'étais terrifié à l'idée de conduire à nouveau et j'ai dû quitter mon poste de professeur. J'étais si déprimé que je ne me suis pas soucié de me procurer un… Comment dites-vous ?

— Une prothèse ?

— *Ja*, une prothèse. Ce n'est que lorsque ma sœur m'a annoncé qu'elle allait se marier que je me suis décidé afin de lui éviter l'humiliation de mon œil solitaire sur les photos. Mais j'avais décidé de me donner la mort après la cérémonie.

Pendant quelques secondes, les deux étrangers échangèrent un silence qui les liait aussi sûrement que les mots.

— J'ai dû prendre deux bus pour aller chez le fabricant, poursuivit l'inconnu. Mais dès que la technicienne a levé la tête de ses instruments et m'a adressé la parole, j'ai entendu sa voix d'ange et je suis tombé amoureux. Au bout de huit mois et de nombreux rendez-vous inutiles, je dois bien l'avouer, je lui ai fait ma demande sous le sapin même où mon père avait demandé la main de ma mère. Notre mariage a vidé les fleuristes sur des kilomètres. J'étais si heureux, si vous saviez !

Après avoir dégluti bruyamment, Frederik Kjeldsen continua :

— Il y a dix jours, j'étais sur le trajet de retour de l'aéroport après un week-end à Londres où j'avais rendu visite à ma nièce lorsque, soudain, le métro s'est arrêté. Je me suis cogné la tête contre la vitre, et mon œil est tombé. Il y avait tant de pieds et de valises dans le wagon que je n'ai pu le retrouver avant notre arrivée à Heathrow. Si j'avais continué à chercher plus longtemps, le train m'aurait ramené à Londres et j'aurais manqué mon vol. Il fallait que je rentre à temps pour travailler le lendemain, et j'avais un tel mal de tête, si vous saviez. Alors, j'ai mis mes lunettes de soleil et je suis parti. Bien sûr, ma femme m'a fabriqué un autre œil, mais je tenais tellement à celui qui nous avait rapprochés. Et à présent, on dirait que vous l'avez trouvé. C'est un vrai miracle.

Après que Frederik Kjeldsen eut renouvelé ses excuses pour ses pleurnicheries, Hebe Jones lui assura qu'elle posterait l'œil sur-le-champ.

Alors qu'elle raccrochait, Valerie Jennings apparut et jeta un regard par-dessus l'épaule de sa collègue tout en grattant son nid de boucles sombres tassées sur sa nuque. Elle marcha ensuite jusqu'à l'un des rayonnages pour revenir avec une boîte contenant un œil de verre soufflé à la main qui était censé avoir appartenu à l'amiral Nelson, et un autre en porcelaine qui, si l'on en croyait l'étiquette qui l'accompagnait, était celui qu'un empereur de Chine du XIVe siècle portait chaque fois qu'il dormait avec sa favorite. Après les avoir montrés à sa collègue, Valerie Jennings, qui avait senti poindre les relents âcres de l'ennui, demanda :

— Tu veux jouer aux billes ?

Hebe Jones était sûre de gagner, d'autant plus qu'elle était prête à braver le ridicule pour s'allonger sur le sol du local afin d'exécuter un tir parfait. Enfant, elle perfectionnait sa technique sur les carreaux frais de leur maison d'Athènes ; plus tard, à l'âge de cinq ans, lorsque la famille Grammatikos avait émigré à Londres, elle avait encore amélioré sa dextérité en dépit de la moquette. Comme elle était capable de l'emporter les yeux fermés, tout le monde se mit à expliquer qu'elle devait ses compétences à une ouïe exceptionnelle plus qu'à l'explication rationnelle de sa manière de viser en plissant les yeux.

Elle se mit alors à prétendre qu'elle était capable de percevoir les gazouillis des bébés dans le ventre de leur mère, et les mères de la communauté grecque, plus enclines à croire que ce type de compétence ne pouvait exister que chez l'une des leurs, présentaient leur abdomen gonflé à la fillette afin d'intercepter les premiers mots de leur enfant. Après avoir exigé un silence absolu, Hebe Jones s'installait sur une chaise, l'oreille appuyée contre l'ombilic proéminent, et traduisait les babils, les gémissements, les sifflements et autres gazouillis immémoriaux avec le brio d'une polyglotte.

— Non, merci, répondit-elle cependant en retournant la prothèse dans sa main. Regarde, il est concave. De plus, l'œil de ce pauvre homme a déjà suffisamment roulé dans Londres.

Après avoir scellé la boîte avec du ruban adhésif marron, que l'on conservait d'un accord mutuel autour du poignet de la poupée gonflable afin de pallier les trop fréquentes disparitions de l'article, Hebe Jones ajouta l'adresse de M. Kjeldsen et posa le paquet dans le sac destiné au courrier.

Le regard brillant de la réconfortante lueur de la victoire, Hebe Jones observa sa table de travail en quête d'une nouvelle mission. Lorsque ses yeux se posèrent sur l'urne, qu'elle avait négligée depuis son arrivée, elle ressentit la douleur aiguë de la culpabilité. Elle fit tourner la boîte en bois dans ses mains et lissa du doigt la plaque en cuivre qui portait l'inscription CLEMENTINE PERKINS, 1939-2008, RIP en élégante calligraphie. Elle essaya d'imaginer la femme dont les restes avaient arpenté le métro, mais elle éprouvait davantage de peine pour celui ou celle qui avait égaré lesdits restes. Espérant dénicher un indice qui l'aiderait à retrouver les proches de Clementine Perkins, elle décida de commencer par vérifier le nom dans le registre national de l'état civil.

— Je fais un saut jusqu'aux archives, annonça-t-elle en se levant.

Quelques minutes plus tard, Hebe Jones et son manteau couleur turquoise avaient disparu.

Valerie Jennings la regarda tourner au coin et regretta immédiatement de ne pas lui avoir demandé de rapporter un *Chelsea Bun* de la boulangerie du quartier.

En dépit de sa fidélité, elle avait longtemps critiqué leurs offrandes, et elle était même allée jusqu'à boycotter l'établissement après avoir remarqué deux touristes français debout devant la boutique qui débattaient de l'efficacité des produits présentés en vitrine pour boucher les trous. Toutefois, poussée par le patriotisme et la nécessité, elle avait fini par céder à nouveau à la tentation.

Après avoir étiqueté un canoë jaune, elle s'empara de l'extrémité pour le tirer à travers les bureaux, traînant ses pieds chaussés de souliers noirs à talons plats et proférant un cortège d'insanités. Pour finir, elle réussit à glisser l'engin sur l'étagère inférieure de la section NAUTIQUE, se relevant en arquant le dos et regagna le comptoir victorien d'origine pour inscrire le numéro de l'étagère dans le code indéchiffrable des registres.

C'était la seule administration dans tout Londres à ne pas être équipée d'ordinateurs. Les deux femmes avaient obstinément refusé. Cinq ans plus tôt, lorsqu'elles avaient été prévenues de l'arrivée des incontournables machines, elles avaient présenté sur-le-champ leur démission avec une réactivité combinée digne de jumelles. Puis, à l'image de deux monstres de foire, elles avaient exhibé leurs connaissances encyclopédiques du moindre article stocké sur les étagères en indiquant le numéro ainsi que la ligne de métro ou la station dans laquelle lesdits articles avaient été oubliés.

Leur invincible mémoire ne suffit cependant pas à dissuader les autorités d'accepter leur démission jusqu'à ce qu'une tentative soit faite pour suivre la logique des références à entrées multiples des registres.

Le code séculaire, élaboré par des ronds-de-cuir qui tenaient à se rendre indispensables, avait traversé le temps depuis Victoria et l'époque à laquelle remontait la fondation du Bureau afin de faire face à l'amoncellement de gants et de cannes que les usagers laissaient derrière eux dans l'époustouflant nouveau moyen de transport.

Dès que la direction réalisa l'ampleur du problème, l'un des directeurs garnit ses poches de sucres d'orge et rendit visite aux seuls employés du vénérable Bureau qui étaient encore en vie.

Il les découvrit côte à côte, dans le salon d'une résidence pour seniors, appuyés l'un sur l'autre sous leur linceul de poussière. Las, en dépit de la joie qu'ils eurent à recevoir une visite inattendue, dont les poches recelaient en outre tant de merveilles, rien ne put les persuader – une fois que les brumes de la sénilité se furent provisoirement dispersées – de se laisser déposséder de la clef du code qui leur avait assuré un emploi toute leur existence.

Toutes les tentatives de modernisation furent donc abandonnées jusqu'au changement suivant de direction qui, en dépit de tactiques renouvelées, échoua tout aussi spectaculairement.

Lorsqu'elle revint à sa table, Valerie Jennings fouilla dans son sac noir pour en tirer un roman qu'elle replaça sur les étagères de livres. Chaque fois qu'elle empruntait un ouvrage, elle le rapportait le lendemain au bureau de crainte que son propriétaire ne vienne le réclamer, et le livre passait la journée sur son étagère jusqu'au moment où elle le remettait dans son sac avant de quitter les lieux.

Une fois de retour chez elle, Valerie Jennings s'installait confortablement dans son fauteuil inclinable avec repose-pieds réglable, feuilletait les pages et se laissait entraîner dans l'épais brouillard de l'imagination.

En entendant la cloche suisse, Valerie Jennings ramena en arrière une mèche qui s'était échappée de son amarre, repoussa ses lunettes sur son nez et se dirigea à nouveau vers le comptoir.

En chemin, elle fit un nouvel essai de combinaison pour tenter d'ouvrir le coffre-fort, comme la coutume du Bureau l'exigeait, mais il demeura aussi fermé que cinq ans plus tôt, lorsqu'on l'avait découvert sur la Circle Line.

En tournant le coin, elle tomba sur Arthur Catnip partiellement dissimulé par un bouquet de roses jaunes. C'était le deuxième bouquet qu'il lui apportait. A la précédente occasion, devant la porte close, son courage l'avait instantanément quitté et il s'était enfui.

Il avait offert les fleurs à la première femme qu'il avait croisée, mais (ainsi que les onze autres après elle), elle l'avait refusé : comme tout le monde, elle imaginait que tous les Londoniens de sexe masculin étaient des psychopathes en puissance.

Le poinçonneur de tickets de petite taille n'avait pas seulement apporté des fleurs. Comme il connaissait la faiblesse de Valerie Jennings pour la littérature (elle lisait la jaquette de chaque roman qu'il lui remettait), il avait fouillé toutes les librairies d'occasion de la capitale britannique en quête d'un titre qui lui procurerait un certain plaisir.

Dédaignant les best-sellers, il finit par tomber sur une obscure romancière du XIXe siècle du nom de Mlle E. Clutterbuck. En feuilletant les pages, il découvrit que l'héroïne qui apparaissait dans chacun des titres bénéficiait d'une force sans pareille, d'un intellect sans peur et d'une longue liste de prétendants de différentes tailles.

Aucun roman ne s'achevait sans que l'héroïne ait découvert une nouvelle contrée, inventé une théorie scientifique ou résolu le crime le plus crapuleux.

Ce n'est qu'ensuite qu'elle se retirait dans son petit salon avec une coupe de compote de rhubarbe à la crème pour examiner ses nombreuses demandes en mariage, entourée par des témoignages d'amour qui prenaient la forme de bouquets de roses jaunes.

Arthur Catnip achetait tous les volumes qu'il pouvait se procurer, et il arrivait ainsi ce jour-là devant le comptoir victorien d'origine avec son dernier exemplaire moisi, qu'il avait enveloppé d'un morceau d'étoffe et prétendait avoir retrouvé dans un wagon du métro.

A la perspective de nouvelles aventures, le visage de Valerie Jennings s'éclairait toujours. La fidèle lectrice admirait avec une impatience démesurée les gravures en couleur de l'héroïne dodue en train d'étouffer un serpent dans un pays inconnu, de présenter sa dernière invention au Parlement, devant un parterre de gentlemen abasourdis, ou d'accompagner l'un de ses élégants admirateurs moustachus, dont plusieurs étaient de taille inférieure à la sienne.

Réalisant soudain qu'il était en présence de Valerie Jennings, elle-même munie d'un bouquet des fleurs favorites des prétendants de Mlle E. Clutterbuck, Arthur Catnip fut incapable de prononcer un seul mot.

— C'est si gentil ! s'exclama Valerie Jennings en admirant le bouquet. Elles devaient être destinées à une personne très spéciale. Où les avez-vous trouvées ?

La panique s'empara de lui, et Arthur Catnip se retrouva

en train d'articuler les quatre mots maudits qu'il passerait toute la semaine suivante à regretter.

— Sur la Victoria Line.

Le révérend Septimus Drew rebroussa chemin par la cour pavée pour quitter la chapelle où il avait à nouveau espéré en vain la dame de ses pensées. En s'approchant de sa porte d'entrée, il jeta un dernier regard autour de lui dans l'espoir de l'apercevoir, mais il ne vit que les premiers des abominables touristes qui avaient commencé à se glisser dans la Tour. Tandis qu'il fouillait la poche de sa soutane en quête de sa clef, il remarqua que ces visiteurs n'étaient en fait pas les premiers : une forme assise sur le banc qui jouxtait la tour Blanche regardait dans sa direction.

A ses genoux serrés et ses mèches courtes, agitées par la brise, qui arboraient la nuance précise du métal des fusils, il identifia la présidente de la Société des amis de Richard III. Depuis des mois, elle essayait de le convaincre d'en devenir membre, comme si sa passion pour le monarque décrié se nourrissait de l'amour non partagé de l'homme d'Eglise. Redoutant qu'elle ne tente, une fois de plus, de l'entretenir de l'injustice subie par le grand roi à cause de sa réputation d'assassin d'enfants et de bossu, le révérend déverrouilla rapidement sa porte et la referma aussitôt derrière lui.

Il longea le corridor jusqu'à son salon de vieux garçon où il passait trop de temps à son goût. Evitant les ressorts agités, il s'assit sur le sofa, relique dont il avait hérité du précédent chapelain avec le reste des meubles disparates.

Il prit une biographie de Jack Black, l'exterminateur de rats et de taupes par nomination de la reine Victoria, et se mit à lire, mais son esprit vagabonda rapidement vers la dame qui n'avait pas daigné revenir à la chapelle.

Son regard se posa alors sur le portrait de famille qui trônait sur le manteau de la cheminée. La photographie datait des fêtes de Noël où ses six sœurs, accompagnées de leurs maris et de leurs nombreux enfants, étaient venues déjeuner chez lui. Tandis que ses yeux balayaient les visages familiers, le goût amer de l'échec s'insinua dans sa bouche : il restait le seul à ne pas être marié.

Encore submergé par les remugles des déjections de rats de la chapelle, il attrapa le flacon de Fleurs de Bach sur la table basse et lâcha deux gouttes de *Rescue Remedy* sur sa langue. Sa foi dans les pouvoirs mystiques du mélange des cinq fleurs et dans les autres remèdes extraordinaires distillés par les druides de la médecine parallèle était aussi puissante qu'en l'Esprit saint.

A mesure qu'il avançait en âge, le chapelain s'était mis à s'approprier tous les médicaments sur lesquels il mettait la main, garnissant son armoire de toilette des dernières teintures et potions brassées spécialement pour les hypocondriaques. Car il était tout aussi fermement convaincu que, sans amour pour immuniser les organes, le corps se montrait plus vulnérable aux diverses affections.

Même si elle ne reposait sur rien, sa conviction ne manquait pas de fondement. Il avait vu sa mère, le teint aussi blême que du porridge, rester allongée sur son grabat d'hôpital pendant des mois tandis que toute la famille se disait qu'elle pouvait rencontrer son créateur à tout moment. La conclusion semblait si proche que la musique des funérailles était choisie et que le fleuriste était fin prêt à parer à la proche calamité.

Le drap remonté jusqu'à son menton poilu, Florence Drew ne parlait de rien d'autre que de rejoindre son époux au ciel, sa seule crainte étant qu'il risquait de ne pas la reconnaître tant la maladie avait infiltré chaque pore de son corps.

Une nuit, l'homme du box d'en face, qui n'avait jamais reçu aucune visite, sortit de son lit pour venir s'installer dans la chaise en plastique moulé face à elle. George Proudfoot alluma la veilleuse, mit la main dans la poche de sa nouvelle robe de chambre (qui devait aussi être la dernière) pour en sortir un livre et se mit à lire pour la simple raison qu'il souhaitait entendre sa propre voix avant de mourir. Il revint chaque soir, mais la veuve ne fit pas une seule fois mine de s'apercevoir de sa présence.

Un soir, lorsque George Proudfoot ne se présenta pas, Florence Drew l'appela. Elle ne supportait pas de mourir sans connaître la fin de l'histoire. Alors si proche de la mort qu'il était désormais incapable de parler, George Proudfoot finit par réussir à s'approcher de la chaise en plastique gris. Avec le filet de voix d'un ermite, car c'était tout ce qui lui restait, il se lança dans une version personnelle du dénouement, car il était parfaitement incapable de continuer à lire. La chute était si ingénieuse que Florence Drew demanda sur-le-champ une autre histoire, et il revint chaque soir avec son nouvel épisode.

La veuve restait allongée, presque hypnotisée, la tête tournée vers lui, incapable de quitter ses lèvres des yeux pendant une seule minute. Selon la nature de l'histoire, elle se tordait les mains comme des branches de noisetier marquées par le temps, agrippait le bord des draps de frayeur ou portait le linge à ses yeux pour sécher les larmes qui jaillissaient sur son oreiller.

Soudain, Florence Drew n'était plus si impatiente de mourir, d'autant que George Proudfoot réservait toujours le dénouement pour le soir suivant parce qu'il se sentait trop faible pour achever toute l'histoire en une seule séance.

Il cessa également de prier pour être emporté le plus prestement possible, car il voulait disposer de temps pour réfléchir aux fins qu'il avait autant envie de découvrir que Florence Drew.

Un soir, après plusieurs semaines, il rajusta le haut des draps de Florence Drew et lui planta un baiser sur le front avant de s'en retourner vers son lit. Le petit rituel se poursuivit alors à chaque visite, et la veuve reprit des couleurs au point que l'on annula le fleuriste et que l'on refit trois prises de sang afin de vérifier les résultats. En quelques jours, le rythme cardiaque de la veuve se mit de nouveau à battre de manière irrégulière, cette fois dans la direction opposée, faisant hurler les moniteurs. Une foule d'étudiants en médecine enthousiaste fit la queue devant son lit pour observer cette patiente qui était en proie à un cas de maladie d'amour exceptionnel.

Finalement, l'équipe médicale conclut qu'il s'agissait d'un cas désespéré auquel on ne pouvait rien faire, et la mère du chapelain fut renvoyée de l'hôpital avec George Proudfoot qui était tout aussi affecté.

Le couple s'installa dans une maison de repos, dans des chambres situées de part et d'autre du couloir, et leur porte fut laissée ouverte afin que leur cour nocturne pût se poursuivre. L'imagination de l'homme ne lui fit jamais défaut. Ils vivaient dans un tel état de félicité qu'ils finirent par faire envie aux jeunes infirmières dont les histoires romantiques étaient toujours en miettes.

Lorsque Florence Drew rendit enfin l'âme, George Proudfoot fit de même dans les minutes qui suivirent. Tous deux avaient laissé des instructions précises afin d'être ensevelis dans le même cercueil, car ni elle ni lui ne supportait l'idée d'être séparé de l'autre, y compris dans la mort. Les six filles de Florence Drew s'opposèrent à la requête, mais le révérend Septimus Drew insista pour que les dernières volontés du couple soient exaucées. Il était hors de question de prendre la grâce de l'amour à la légère. Et l'on descendit les amoureux dans la terre ensemble et, pour la première fois, dans les bras l'un de l'autre.

Assis dans la petite hutte noire qui se dressait à côté de la tour Sanglante, Balthazar Jones ne sentait plus ses pieds. Il n'avait pas réussi à jouir du radiateur électrique à trois résistances qui le protégeait habituellement contre le froid provenant de l'ouverture du vantail supérieur de la porte. Quelques instants après l'avoir mis en marche, il avait, en effet, été submergé par la putréfaction de la graisse de bacon, résultat du second petit-déjeuner du geôlier en chef de la semaine précédente.

Pour les hallebardiers, la matinée n'avait pas été de tout repos, car un imprévisible temps sec avait incité les abominables touristes à flâner autour du monument au lieu de s'abriter dans les tours, et rares étaient ceux qui résistaient à l'envie de poser des questions d'une idiotie insondable. Ils avaient ainsi déjà demandé à Balthazar Jones dans quelle tour la princesse Diana avait été enfermée après son divorce, s'il était acteur et si les joyaux de la Couronne, qui étaient exposés au public dans la Tour depuis le XVIIe siècle, étaient des vrais.

Ces questions s'étaient ajoutées aux questions habituelles qui jaillissaient toutes les deux minutes sur les exécutions, les méthodes de torture et l'emplacement des toilettes.

Au fil des siècles, les hallebardiers avaient consigné par écrit les pires questions des visiteurs, ainsi que leurs comportements les plus saugrenus. Dans les registres reliés de cuir, ils avaient ainsi noté l'histoire du noble qui, en 1587, lisait le *De Arte Natandi* de Sir Everard Digby, premier ouvrage publié en Angleterre sur la natation.

Ayant soigneusement étudié les illustrations, le noble avait négligé le plaidoyer de l'auteur concernant la brasse et décidé de se lancer dans sa première manœuvre aquatique sur le dos. Il avait choisi pour son initiation non pas la Tamise, alors bondée, mais les eaux plus calmes des douves de la Tour.

A l'instant où le hallebardier qui l'accompagnait lui avait tourné le dos, le gentleman avait retiré ses braies et sa chemise, tendu sa perruque à son épouse et descendu en quelques bonds les marches qui longeaient la tour du Mot de passe pour descendre dans les fossés. On ne sut jamais ce qui fut en cause, la lamentable exécution du dos crawlé de l'homme ou la pestilence des eaux.

Quoi qu'il en soit, son corps ballonné flotta autour de la forteresse jusqu'au printemps suivant et devint la dernière attraction en vogue qui attirait des foules. D'autant que les journaux publiaient à tour de bras les déclarations de médecins affirmant que cette fin peu agréable était la preuve des dangers de l'eau.

A travers l'ouverture de la porte, Balthazar Jones expliqua avec une infinie patience à un couple des Midlands que la rue de la Monnaie, qu'ils avaient remarquée dès leur entrée, devait son nom au fait que la Monnaie royale, établissement qui produisait la majeure partie des pièces de monnaie et des billets du pays, avait été installée dans la Tour du XIIIe au XIXe siècle.

Débordant de générosité, il choisit de leur lancer une autre pépite historique, et ajouta que le grand physicien et mathématicien Sir Isaac Newton avait été maître de la Monnaie royale pendant vingt-huit ans, mais le couple lui jeta un regard impavide et lui demanda où se trouvaient les toilettes.

Tandis qu'il souriait pour l'inévitable cliché, un mauvais vent balaya bruyamment les feuilles mortes qui jonchaient les pavés voisins. Des taches noires marbrèrent la pierre comme autant de bubons suintants de la peste noire, et les relents de poussière vieille de neuf siècles envahirent l'air. Lorsque les touristes coururent se mettre à l'abri de l'averse, Balthazar Jones repoussa le verrou de la moitié inférieure de la porte, sortit et scruta le ciel avec le regard d'un vieux marchand de chevaux.

Ravi de voir qu'il s'agissait de l'arrivée d'une nouvelle variété, il tira de sa poche un mince flacon égyptien de parfum rose qu'il appuya contre les restes d'un mur érigé sous les ordres d'Henri III.

Il rentra dans la hutte noire, ferma les deux parties de la porte et reprit son siège. Tandis que la pluie battait le toit avec la frénésie des tambours d'une tribu cannibale, il mit ses lunettes de lecture et déplia la liste d'animaux que lui avait remise Oswin Fielding.

Il se grattait la tête en essayant de se souvenir ce qu'était une zorille lorsqu'un coup sec résonna à la porte. Le hallebardier leva les yeux, retira ses lunettes et aperçut le hallebardier en chef courbé sous la pluie. Balthazar Jones se précipita pour ouvrir la porte.

— Il y a deux hommes dans un camion devant l'entrée qui affirment qu'ils sont là pour installer un enclos à manchots dans les douves ! hurla le hallebardier en chef pour couvrir le vacarme de l'averse. Apparemment, vous seriez au courant.

Balthazar Jones fronça les sourcils :

— Le Palais ne vous a rien dit ? demanda-t-il.

— Ces gens n'ont jamais l'infime politesse de me tenir au courant de quoi que ce soit.

Il lui fallut plusieurs tentatives pour persuader le hallebardier en chef qu'il était prévu d'installer une seconde ménagerie royale dans la Tour, et il lui fallut encore plus longtemps pour lui faire admettre que lui, Balthazar Jones, avait été désigné pour s'en occuper.

Le hallebardier n'avait jamais vu homme fumer davantage dans la tempête.

— Parce que vous, vous savez comment vous occuper d'animaux exotiques ? Et je ne parle pas de cette vieille tortue ! Dieu tout-puissant, ils n'auraient pas pu choisir pire ! déclara le hallebardier en chef en essuyant ses yeux de ses doigts d'embaumeur pour les débarrasser de la pluie.

Soudain, le monument tout entier vira à l'argent.

— C'est une forteresse, nom de nom, pas un parc d'aventures à thème ! beugla le hallebardier en chef avant de s'enfuir en courant pour échapper aux foudres du ciel.

Balthazar Jones referma la porte. En dépit de son manque de sympathie pour l'individu, il ne pouvait qu'admettre que le hallebardier en chef avait parfaitement raison concernant son absence d'expérience.

Il remit ses lunettes et considéra sa liste désormais trempée en écarquillant les yeux et en essayant de son mieux de se souvenir de chaque créature.

Il avait cru qu'on lui confierait des espèces à l'image de celles qui avaient fréquenté la Tour pendant des siècles ; dans certains cas, les premières de leur genre à fouler le sol anglais, et qui, selon les critères actuels, seraient certainement classés dans la catégorie des pédestres.

Balthazar Jones maîtrisait parfaitement le sujet de la ménagerie originelle. Il en avait étudié l'histoire à son arrivée à la forteresse dans un effort pour écarter la terreur que cette nouvelle maison inspirait à Milon.

L'horreur du garçon reposait sur la visite que les autres enfants de la Tour lui avaient fait faire alors que ses parents en étaient encore à déballer leurs cartons et que les abominables touristes avaient été mis dehors pour la nuit. Lorsqu'ils s'étaient présentés à la tour de Sel pour rencontrer le plus récent et plus jeune résident, le jeune garçon de six ans était en train d'essayer d'inciter Mme Cook à sortir de son panier de voyage avec un fuchsia qu'il avait chapardé dans la jardinière que sa mère avait tenue à emporter avec eux. Mais avec l'obstination des anciens, la créature refusait de bouger d'un poil. Une fois que tous les enfants se furent allongés un par un sur le sol pour être formellement présentés à la détentrice d'un record, dont les traits antiques évoquaient quelque rituel tribal de réducteurs de têtes, ils avaient proposé à Milon de lui faire visiter les lieux. Hebe Jones, qui n'avait pas idée de ce qui attendait son garçon, avait immédiatement donné sa permission en se disant qu'ils allaient certainement lui montrer où il aurait le droit de faire de la bicyclette.

Lorsque les enfants coururent jusqu'à la tour voisine, celle de la Grosse Flèche, l'un d'entre eux demanda à Milon s'il savait ce qu'était la Nuit des feux de joie.

— C'est quand mon papa allume les feux d'artifice dans des bouteilles à lait dans le jardin, tandis que maman regarde de la cuisine avec Mme Cook parce que le bruit leur fait les oreilles bizarres, avait répondu l'enfant.

Le fils du hallebardier en chef avait alors informé Milon qu'il s'agissait, en fait, de l'anniversaire du jour de la Conspiration des poudres, lorsque Guy Fawkes et sa bande avaient essayé de faire exploser le Parlement, en 1605.

Il lui avait ensuite montré le mur où, pendant sa détention, Sir Everard Digby, l'un des conspirateurs, avait gravé son nom juste avant d'être pendu, écartelé et coupé en quatre. Milon, qui n'avait aucune idée de la signification de ces mots, lissa de son petit doigt blanc les creux des lettres en se demandant où son père allait bien pouvoir fixer la chandelle romaine à présent qu'ils n'avaient plus de jardin, et il ne fit aucun commentaire.

Un autre enfant poursuivit alors :

— Tous les conspirateurs ont été pendus, puis dépendus avant qu'ils soient morts. On leur a coupé les trucs et arraché le cœur, puis on leur a coupé la tête avant de les découper en quatre. On a ensuite mis les têtes sur des piques qu'on a plantées sur le pont de Londres pour montrer aux autres !

La tête vide, Milon suivit ses nouveaux copains hors du bâtiment pour continuer la visite. En passant devant la caserne de Waterloo, l'un des enfants s'écria :

— C'est là qu'on garde les joyaux de la Couronne, mais on ne peut pas te les montrer parce que sinon l'alarme va sonner, et tous les hallebardiers vont se mettre à brailler et on va nous mettre en prison !

Un autre enfant hurla à son tour :

— C'est aussi là que les jumeaux Kray, les gangsters de

l'East End, ont été emprisonnés en 1952 parce qu'ils avaient déserté du service militaire !

Lorsqu'ils arrivèrent au pied de la Pelouse de la Tour, ils s'installèrent en tailleur sur l'herbe, et l'un des garçons baissa la voix.

— C'est ici que sept prisonniers ont été décapités, six avec une hache et un avec une épée.

L'estomac en pleine ébullition, Milon n'eut plus qu'une envie : retrouver le sanctuaire de la tour de Sel, mais il avait bien trop peur pour retrouver son chemin.

Il continua donc à suivre la petite bande sans la quitter d'une semelle tandis qu'elle traversait en courant la Pelouse encore émaillée des plants de tabac que Walter Raleigh avait cultivés pendant ses treize années d'emprisonnement.

Lorsqu'ils poussèrent la poignée glacée de la porte de la chapelle royale de Saint-Pierre-aux-Liens, trois rats qui festoyaient sur un prie-Dieu en tapisserie filèrent sous l'orgue. Les enfants se regroupèrent autour de l'autel et c'est à ce moment-là que Charlotte Broughton, la fille du maître des corbeaux, montra le marbre du sol à ses pieds en déclarant :

— Là-dessous, il y a la caisse de flèches qui renferme les restes d'Anne Boleyn. Son mari, Henri VIII, a fait venir le bourreau le plus à la mode de France pour la décapiter avec une épée. Elle avait un doigt en trop, et le bruit de ses doigts qui tambourinent sur le couvercle de la caisse a rendu le chapelain fou.

Lorsqu'ils sortirent, l'écho de leurs pas résonnant dans les murs, Milon se mit à courir aussi vite qu'il le put pour être sûr de ne pas être le dernier à quitter les lieux.

Tandis que le soir tombait sur les créneaux, emportant les relents de la Tamise, les enfants décidèrent d'entraîner le garçon dans une tournée des fantômes de la forteresse. Ils commencèrent par la tour de Wakefield, qu'ils indiquèrent comme étant hantée par Henri IV, qui y fut poignardé.

Puis ils se tinrent devant la tour Sanglante, et l'un d'entre eux murmura que deux petits fantômes en chemise de nuit blanche avaient été souvent signalés debout dans l'entrée. Ensuite, ils coururent le long des remparts où l'esprit de Sir Walter Raleigh flânait dans la plus élégante tenue à la mode élisabéthaine.

Et une fois qu'ils eurent visité une dizaine d'autres sites, ils se glissèrent enfin dans la tour de Martin, où l'apparition d'un ours avait surpris un soldat qui était ensuite tombé raide mort sous le choc.

En dépit de sa nouvelle housse de couette ornée de stégosaures, et du poster de tyrannosaure que Balthazar Jones avait finalement réussi à accrocher au mur froid, Milon refusa cette nuit-là de dormir dans sa chambre ronde – qui l'avait d'abord émerveillée.

Lorsque vint l'heure du coucher, il grimpa l'escalier en colimaçon dans ses petits chaussons et se faufila entre les draps de ses parents. Il resta allongé sur le dos, les bras le long du corps, refusant obstinément de fermer les yeux « au cas où ils viendraient me chercher ».

Lorsqu'il sombra enfin dans les rêves, il frappa son père aux tibias dans l'espoir d'échapper à ses tortionnaires. Balthazar Jones se réveilla en hurlant, juste avant sa femme et son fils qui se joignirent aussitôt au vacarme.

Le hallebardier essaya tout ce qu'il put pour rassurer son fils et lui faire oublier les ombres que le funeste passé de la Tour faisait peser sur son fils, mais, malgré ses rappels de l'abolition de la peine de mort, des démentis scientifiques quant à l'existence des spectres et ses affirmations sur la santé du révérend Septimus Drew (qui était aussi sain d'esprit qu'on pouvait l'attendre d'un membre du clergé), l'enfant ne se calma pas.

La main dans celle de Milon, Balthazar Jones emmena son fils en promenade sur les remparts. Ils se penchèrent sur les créneaux au niveau du pont de la Tour, et le hallebardier expliqua que certains des prisonniers avaient eu dans la forteresse une existence bien plus confortable que les pauvres qui vivaient en dehors des murailles (même s'ils étaient libres).

— Pense à Jean de Balliol, le roi d'Ecosse dont je t'ai parlé, qui a été emprisonné dans la tour de Sel de 1297 à 1299. Il s'est bien amusé, insista le père en s'appuyant sur le parapet. Il est arrivé avec tout son personnel. Il avait deux écuyers, un rabatteur, un barbier, un chapelain, un clerc, deux valets, deux chambellans, un tailleur, une lavandière et trois pages, et il avait le droit de quitter la Tour pour aller à la chasse. Il était bien mieux que nous, non ? Moi, ta mère m'a déjà envoyé deux fois à la laverie parce que la machine à laver ne marche pas. C'est vrai qu'il a été banni en France après la sentence... Une chose particulièrement cruelle, si tu veux mon avis.

Debout sur la pointe des pieds afin de voir au-dessus du parapet, Milon n'eut cependant pas l'air convaincu.

— Et Sir Walter Raleigh alors ? poursuivit Balthazar Jones. Tu te souviens que je t'ai parlé de celui qui a découvert la pomme de terre et qui a été emprisonné dans la Tour trois fois ?

— Est-ce qu'on l'a mis en prison parce qu'il avait trouvé la pomme de terre ? demanda Milon en levant les yeux vers son père.

— Pas exactement. D'abord, ce fut parce qu'il avait épousé l'une des suivantes d'Elisabeth Ire sans demander la permission à la reine, puis pour haute trahison, et enfin pour avoir déclenché la guerre entre l'Espagne et l'Angleterre pendant qu'il cherchait de l'or. Mais tu as tout à fait raison : les pommes de terre posent problème. Pour ma part, j'aurais emprisonné sans hésiter celui qui a découvert les choux de Bruxelles. Où en étais-je ? Ah oui. Au cours de ses treize années d'emprisonnement dans la tour Sanglante, Walter Raleigh eut le droit de conserver trois serviteurs.

Imagine un peu ! Tu n'aimerais pas que quelqu'un ramasse tes chaussettes, toi ?

Mais Milon ne réagit pas.

Le hallebardier lui expliqua alors que la femme et le fils de l'explorateur venaient parfois séjourner avec lui dans la tour Sanglante, et que son second fils était né à cet endroit même et qu'il avait été baptisé dans la chapelle.

— On donna même l'autorisation à Raleigh de cultiver dans le jardin de la Tour les plantes exotiques qu'il avait rapportées de ses explorations, poursuivit-il. On le laissa installer un alambic dans un vieux poulailler, où il se livra à des expériences sur des remèdes qu'il vendait au public. Et il bâtit un petit four pour fondre les métaux. Nous pourrions t'offrir un jeu du Petit Chimiste si tu veux, et tu essaierais de faire tes expériences à toi. Nous ferions des explosions pour voir si ta mère saute plus haut que lorsqu'on fête la nuit de la Conspiration des poudres.

Le soir même, Milon revint se coucher dans les draps de ses parents, où il s'agita dans son sommeil comme s'il était possédé par des démons.

Balthazar Jones réussit enfin à revendiquer le lit conjugal après un éclair d'inspiration au cours du déjeuner dans la misérable cuisine de la tour de Sel.

— Quand rentrons-nous à la maison de Catford ? avait demandé Milon à travers une énorme bouchée de sauce bolognaise.

— Chaque fois que la brebis fait « bêê », elle ne mange pas, déclara Hebe Jones.

Le hallebardier regarda sa femme, puis son fils :

— Je pense que ta mère veut dire que tu ne dois pas parler la bouche pleine, dit-il.

Il continua à enrouler les spaghettis autour de sa fourchette avant d'ajouter, sans lever les yeux :

— Milon, tu sais que tu habites dans un endroit très spécial ? Pendant six cents ans, la Tour a même eu son propre zoo. La tradition voulait que l'on offre au roi ou à la reine des animaux vivants.

Les yeux de Milon s'accrochèrent à ceux de son père :

— Quelle sorte d'animaux ? demanda-t-il.

Le hallebardier ne releva pas davantage la tête.

— Je te le dirai au moment de te coucher, mais seulement si tu dors dans ton lit. Ils sont peut-être ou peut-être pas descendus des dinosaures.

Balthazar Jones passa le reste de la journée plongé dans des documents et des notes qu'il avait arrachées aux doigts cupides du gardien de l'histoire de la Tour.

Lorsque la nuit tomba, il ferma les rideaux qu'il avait confectionnés pour la chambre de son fils, remonta la couette jusqu'au menton de Milon et s'assit sur le bord de son lit.

— La ménagerie a été fondée sous le règne du roi Jean sans Terre, expliqua-t-il, sans doute avec les trois cages de bêtes sauvages qu'il avait fait rapporter de Normandie, en 1204, après avoir perdu le duché. En 1235, son fils le roi Henri III a été réveillé par une secousse pendant qu'il faisait un petit somme après un déjeuner bien décevant dans la Tour. Les doigts crochus qui le secouaient appartenaient à un courtisan inquiet l'informant qu'une surprise laissant échapper d'infâmes grognements venait d'arriver par bateau avec les compliments de Frédéric II du Saint Empire romain germanique. Tout joyeux, car il adorait les surprises, le roi enfila ses bottes et se précipita sur les berges de la Tamise pour ouvrir les cages. Apparurent alors trois léopards malodorants. En voyant leurs taches, le roi pensa qu'ils étaient malades, et personne n'arriva à le faire changer d'avis pour lui faire comprendre que les taches faisaient partie de leur beauté. On abandonna alors à leur sort ces créatures, parmi les plus rares de toute l'Angleterre, qui durent se contenter d'arpenter leur cage dans la Tour.

Milon sortit alors de son état de catatonie pour demander :

— Mais si les taches sont belles, pourquoi maman s'énerve-t-elle quand elle en a sur le visage ?

— Parce que les taches sont belles chez les léopards, pas chez les dames, rétorqua Balthazar Jones.

Le soir suivant, Milon retourna dans son propre lit dans l'attente d'un nouvel épisode. Le hallebardier s'installa comme la veille au bord de son lit, admira dans le visage de son fils les beaux traits sombres de sa femme et reprit le cours de son histoire.

— En 1251, un autre présent parvint à la Tour, cette fois venu de Norvège. L'ours polaire et son gardien se présentèrent sans se faire annoncer devant la forteresse dans un petit bateau battu par les tempêtes. Cela faisait des mois qu'ils étaient en mer, ayant dérivé de leur route, et ils ne se supportaient pas. Le trajet depuis l'embouchure de la Tamise n'avait pas arrangé les choses avec les regards scrutateurs ou l'hystérie des spectateurs massés sur les berges qui se demandaient ce que venait faire cette étrange créature blanche sur les rivages anglais. Tu vois, c'était la première fois qu'on apercevait un ours blanc en Angleterre. Sans parler des commentaires sur le look du gardien. Bref, les deux Norvégiens étaient d'une humeur de chien, qui ne s'arrangea pas lorsqu'ils découvrirent qu'ils allaient être logés dans les ruines de la forteresse. Il suffit cependant qu'Henri pose les yeux sur cette rare antiquité (si l'on en croit la blancheur de sa fourrure, l'ours devait avoir largement dépassé les trois cents ans) pour qu'il en soit fasciné.

— C'est quoi une antiquité, papa ? demanda Milon.

— Quelque chose de très, très vieux.

Il y eut une pause.

— Comme grand-père ?

— Tout à fait. Harald, le gardien de l'ours, qui emmenait l'animal pêcher le saumon dans la Tamise au bout d'une corde, réalisa vite que personne ne le comprenait, poursuivit le hallebardier. Pas plus qu'il ne les comprenait. Abandonnant toute idée de communiquer avec les hommes, il passait tout son temps en compagnie de son protégé, dormait avec lui dans son box, leurs querelles oubliées depuis longtemps. Pour finir, chacun savait exactement ce que pensait l'autre, mais aucun des deux ne parlait jamais. Le soir, le box bruissait de leurs rêves d'étendues scintillantes de neige et d'air plus pur que les larmes de leur pays natal. Lorsque le scorbut vint réclamer son dû, emportant la vie de Harald, l'ours blanc en eut le cœur brisé et rendit l'âme dans l'heure.

Quand Balthazar Jones conclut son histoire ce soir-là, les larmes avaient laissé leurs traces sur les joues de Milon, mais le garçon insista pour que son père continue.

— En 1255, on envoya à Henri un autre animal, avec les compliments de Louis IX cette fois, continua le hallebardier. Plusieurs dames qui s'étaient arrêtées sur les rives de la Tamise pour assister à l'arrivée du cadeau royal s'évanouirent à la vue de la créature qui buvait non pas avec sa bouche, mais par le biais de son nez excessivement long. C'était une fois encore le premier de son espèce à fouler les terres d'Angleterre. Le roi ordonna la construction d'une bâtisse en bois pour abriter la bête dans la Tour, mais en dépit de la docilité et des genoux ridés de l'animal, le monarque était trop terrifié pour y pénétrer. Il se contentait d'admirer le monstre à travers des barreaux, au grand amusement des prisonniers de la Tour. Lorsque, deux ans plus tard, l'animal rendit son dernier souffle de sa mystérieuse trompe et s'agenouilla, enfermant entre ses pattes son gardien qui dut demeurer ainsi pendant plusieurs jours avant que les secours ne parviennent à le délivrer, le roi en fut plutôt soulagé.

— Mais pourquoi fallait-il que l'éléphant meure aussi ? demanda Milon en serrant le haut de sa couette à stégosaures.

— Les animaux meurent aussi, mon fils, répondit Balthazar Jones. Sinon, il n'y aurait pas d'animaux au ciel pour grand-mère, non ?

Milon regarda son père.

— Est-ce que madame Cook va aller au ciel ?

— Dans très longtemps, oui, affirma le hallebardier.

Il y eut un silence.

— Papa ?

— Oui, Milon ?

— Est-ce que j'irai au ciel ?

— Oui, mon fils, dans très longtemps.

— Est-ce que toi et maman, vous serez là-bas ?

— Oui, répondit le hallebardier en caressant la tête du garçon. Nous t'y attendrons.

— Je ne serai pas seul, n'est-ce pas ?

— Non, mon fils, tu ne seras pas seul.

Chapitre six

Après s'être préparé du thé au gingembre dans sa triste petite théière individuelle, le révérend Septimus Drew l'emporta en haut dans son cabinet de travail tout en relevant les pans grignotés de sa soutane afin de ne pas trébucher dans les deux volées de marches en bois battu par les siècles.

La seule trace de confort dans la pièce était un fauteuil solitaire en cuir qui s'ornait d'un coussin en patchwork confectionné par l'une de ses sœurs. A côté se dressait une lampe commandée par correspondance, qui avait mis des mois à lui parvenir, car tout le monde pensait que l'adresse était une farce.

Le mur de la cheminée s'ornait d'un portrait de la Vierge Marie, de facture résolument catholique, mais qui avait séduit le père du chapelain au point qu'il l'avait offert à sa jeune épouse lors de leur voyage de noces.

Alerté par le courant d'air qui provenait des fenêtres à guillotine, le prêtre jeta un regard plein de regret à la cheminée qu'on lui avait interdit d'utiliser depuis qu'une braise échappée de l'âtre avait mis le feu à l'ancien tapis placé devant. La rumeur affirmait que, pour ne pas avoir remarqué la fumée puant comme des milliers de paires de chaussettes crasseuses, l'homme d'Eglise devait être plongé dans une prière. A dire vrai, il était alors dans son atelier, absorbé par la construction d'une réplique miniature de l'Invincible Armada sur roues avec tous ses canons en parfait état de fonctionnement.

Le révérend retira sa soutane et son col ecclésiastique, qu'il estimait mal adaptés à de telles occasions, et les suspendit au crochet fixé derrière la porte. Le cœur léger à l'idée de la tâche qui l'attendait, il s'installa sur la chaise placée devant une table toute simple et sortit son bloc du tiroir. Tout en dévissant le capuchon du stylo à encre qu'il gardait à ses côtés comme une fidèle épée depuis les bancs de l'école élémentaire, il relut la dernière phrase qu'il avait écrite et continua à décrire le téton en bouton de rose.

Si l'imagination constituait l'un de ses nombreux points forts, le révérend n'avait certes jamais imaginé qu'il deviendrait l'un des auteurs de littérature érotique les plus vendus du Royaume-Uni. En se lançant dans l'écriture, porté par l'effet que les histoires de George Proudfoot avaient eu sur sa mère, il s'était dit que son œuvre pourrait avoir un certain succès auprès des amateurs de romans tout court. Lorsqu'il eut achevé son premier opus, il l'envoya aux grands éditeurs du pays (avec une petite prière d'espoir) et ce ne fut qu'au bout de onze mois de patience sans une seule réponse qu'il comprit que ledit opus n'avait pas d'intérêt. A ce stade, il avait déjà commis un nouveau roman. Il se dit que l'adresse à la Tour de Londres avait dû jouer contre lui, loua une boîte postale pour être davantage pris au sérieux et expédia son nouveau manuscrit le cœur vibrant d'impatience. Les lettres de refus (sans équivoque) qui arrivèrent ensuite ne firent que l'encourager davantage, et, lorsqu'il achevait un roman, il l'envoyait à la hâte et avec la même bénédiction, prononcée les yeux fermés.

Alors qu'il était sur le point de confier les copies de son dix-huitième tome au service postal de Sa Majesté, il reçut plusieurs enveloppes cachetées. Sous ses doigts bénis, il crut reconnaître l'épaisseur des lettres d'acceptation, et il sombra dans un tel état d'excitation qu'il fut incapable de les ouvrir sur-le-champ. Pendant une semaine entière, les enveloppes restèrent sur le manteau de la cheminée, brillant d'une lueur encore plus vive que le halo qui couronnait Marie juste au-dessus. Enfin, lorsqu'il se sentit capable de glisser le coupe-papier en ivoire sous les rabats, il découvrit non pas les offres auxquelles il s'attendait, mais des missives qui lui enjoignaient de cesser expressément de transmettre quelque manuscrit que ce soit à l'avenir.

Pendant la semaine suivante, le révérend Septimus Drew délaissa sa plume. Mais la soif d'écrire finit par l'emporter et, lorsqu'il s'empara à nouveau du mince cylindre, ce fut pour s'essayer au seul genre qu'il n'avait pas exploré. Il se laissa ainsi entraîner dans les vapeurs musquées de l'*erotica.* Tout lui paraissait possible, même s'il était chaste, ce qui aurait pu mettre quelques entraves à son imagination. Dans une tentative visant à franchir les sommets hérissés d'aiguilles qui se dressaient devant lui, il adopta le pseudonyme féminin de Vivienne Ventress et expédia le produit de ses efforts, *Le Fruit interdit du Primeur*, aux adresses défendues (mais sans la prière).

A sa nouvelle visite à la boîte postale, il découvrit la *troisième* relance de plusieurs éditeurs qui imploraient Mlle Ventress de signer un contrat à six zéros.

Tous avaient décelé l'originalité de son travail : les brèches intelligentes laissées à l'imagination du lecteur ; le ton fermement moralisateur qui donnait à son œuvre une voix totalement inédite dans le genre ; et sa foi absolue en l'existence de l'amour authentique, un thème qu'aucun de ses contemporains n'avait exploré jusqu'alors.

Le révérend Septimus Drew adopta un comportement d'une infinie timidité, vaporisant ses réponses de refus d'un parfum des plus voluptueux. La tactique fonctionna à merveille : les offres furent immédiatement augmentées. Le chapelain accepta alors la plus élevée en insistant sur la mention au contrat d'une clause qui permettait au Bien de triompher du Mal à chaque intrigue.

Il conserva le colossal chèque de l'avance dissimulé sous le crucifix en bois de la cheminée de son cabinet de travail, et, lorsque les droits d'auteur commencèrent à affluer, il disposait de suffisamment de fonds pour édifier un Refuge pour dames de la nuit à la retraite qui avaient été blessées par l'amour dans ses nombreux atours.

Le chapelain continua à écrire jusqu'au déjeuner, heure à laquelle une soudaine bouffée de solitude le sortit de ses romances censurées. Il pensa à la femme qui l'avait réduit à compter parmi les malheureuses victimes de l'insomnie, et jeta un coup d'œil par la fenêtre en espérant l'apercevoir. Mais il ne vit que les premiers touristes de la journée, dont l'un venait de commettre la très regrettable erreur de tendre la main pour caresser l'un des odieux corbeaux.

Son esprit empli des chastes pensées qui imprégnaient ses propres fantasmes romantiques, il se demanda si elle le verrait un jour en tant que mari. Lorsque le révérend Septimus Drew, perdu dans les méandres ravageurs de l'amour, sortit de sa rêverie, l'ambulance avait déjà emporté le touriste imprudent. Il fit glisser le tiroir du bureau pour ranger son bloc et se leva pour aller se préparer à son ministère de l'après-midi dans le Refuge des dames de la nuit à la retraite dont il abritait les âmes brisées.

Il quitta sa maison, un parapluie dans une main et, conscient depuis longtemps de la portée païenne du pain dans le réconfort de l'âme, un cake à la mélasse dans l'autre.

La pluie battait la porte du Rack & Ruin avec une telle férocité qu'elle commença à s'insinuer dessous, s'étalant comme une flaque de sang sur les dalles de pierre usées. Ce n'est pas tant que Ruby Dore s'en souciait. La patronne, qui était seule depuis que les buveurs de l'heure du déjeuner avaient enfin quitté les lieux, scrutait la cage posée à l'extrémité du bar en essayant d'inciter son canari à chanter. L'oiseau souffrait d'agoraphobie chronique déclenchée par son spectaculaire évanouissement dans le bac à eaux usées.

En dépit des précédents essais qui, s'ils avaient débuté par des cajoleries suivies de tentatives de corruption, avaient fini par prendre la forme de véritables menaces, rien ne parvenait à lui tirer la moindre mélodie. A la grande consternation de Ruby, le volatile était également affecté de ce que les spécialistes des entrailles qualifiaient d'un euphémique « courante ». Lesdites courantes étaient provoquées par les agapes dont l'approvisionnaient tour à tour les hallebardiers afin de l'inciter à chanter uniquement dans l'espoir de se voir offrir une pinte gratuite. Devant le bar, des successions de hallebardiers avaient ainsi déplié des serviettes en papier recelant des miettes de pâté à la viande et à la bière, des restes de pudding de Noël exhumés du fond des frigos ou des vestiges de friand à la chair à saucisse. Mais le seul son qui provînt jamais du canari était celui du bruissement sporadique de ses rectrices jaunes, suivi par un « splash » ma foi bien indigne d'une dame.

Les lèvres pulpeuses collées contre les barreaux de la cage et les cheveux cannelle en queue de cheval dans le dos, Ruby Dore siffla sa dernière salve de notes assemblée d'une manière qu'aucun compositeur au monde, vivant ou mort, n'aurait choisie. L'oiseau demeura parfaitement muet. Dans une tentative pour surmonter son échec, la patronne du pub se lança dans le dépoussiérage des vitrines de souvenirs de hallebardiers qui garnissaient les murs.

C'est son père, précédent propriétaire de la taverne, qui avait commencé la collection. L'homme, qui souffrait d'une overdose de conversation avec des hallebardiers barbus, avait enfin pris sa retraite en Espagne, avec sa deuxième épouse.

Les vitrines abritaient des centaines de figurines qui représentaient les fameux « buffetiers » de la reine, mais aussi des cendriers, des verres, des mugs, des dés à coudre ou des cloches – bref tout article à la surface suffisante pour accueillir l'image d'un type hirsute en tenue de guignol rouge, avec rosettes de rigueur sur les chaussures et sur les côtés des genoux.

Le Rack & Ruin était le foyer de Ruby Dore, et ce, depuis le jour où elle était sortie du ventre de sa mère pour passer brièvement entre les mains tremblantes de son père avant de choir, la tête la première, sur le linoléum de la cuisine de l'appartement familial situé au-dessus du pub. Le soir où Ruby Dore était censée faire son entrée dans le monde, le médecin de la Tour était bien dans la salle de bar à l'étage au-dessous.

Toutefois, sa présence devait tout à l'addiction qui resterait le tourment de son existence et rien à ses compétences médicales. Lorsqu'on l'informa poliment des premières contractions de l'épouse du patron, il agita la main d'un geste désinvolte pour éloigner le messager.

— Elle a tout le temps, insista-t-il.

Il revint ensuite à la partie de Monopoly qu'il était en train de disputer avec un hallebardier et qui durait depuis plus de deux ans. L'homme était le seul résident de la Tour que le docteur n'avait pas encore battu, tout simplement parce que les deux n'avaient jamais joué ensemble.

Le règne du médecin était incontesté. Tandis que hallebardier après hallebardier languissait en prison, le praticien déchaîné arpentait le plateau de jeu, achetant des propriétés à tour de bras. Une fois qu'il était propriétaire des titres de la couleur, il en doublait les loyers et, sans un seul battement de cils, tendait sa paume pour recevoir son dû lorsque son adversaire tombait dans ses terres. Nombreux étaient ceux qui affirmaient que la stratégie était illégale, mais les règles avaient été égarées (certains accusèrent le médecin de les avoir cachées). Dans toute la forteresse, les tempéraments s'enflammèrent au point qu'il fallut recourir jusqu'à l'arbitrage du fabricant du jeu qui répondit par une lettre en tout petits caractères exposant que les méthodes du bon docteur ne contrevenaient nullement aux saintes règles.

Le généraliste, qui appuyait son empire hôtelier sur les rues rouges, affirmait que sa suprématie reposait sur son choix parmi les pions disponibles, lesquels étaient représentés par de petits articles hétéroclites. Il se vit offrir toutes sortes de pots-de-vin pour qu'il accepte d'échanger sa chaussure fétiche contre l'élégant haut-de-forme, la superbe automobile et ses minuscules roues, voire le scotch-terrier Scotty et son adorable robe ébouriffée, mais rien ne le convainquait de céder son pion !

Lorsqu'un murmure plus fort que les autres sur la fréquence alarmante des contractions finit par atteindre ses oreilles, le généraliste se tourna vers le messager en grinçant qu'il montait dans une minute.

Mais, en posant les yeux sur le plateau de jeu, il constata que la chaussure avait disparu. Il s'en prit aussitôt à son adversaire qui nia avec la plus grande véhémence toute accusation de vol. Pendant trente-neuf minutes, le jeu fut interrompu le temps que le corpulent docteur enfouisse ses piles de billets rose fuchsia dans sa poche de poitrine et scrute le dessous de la table, entre les pieds des chaises, en quête du pion sacré. Lorsqu'il revint à son siège, le visage rouge et les mains vides, il insista pour que son opposant retourne ses poches. Le hallebardier s'exécuta, puis, avec un petit sourire, offrit au docteur de disposer du fer à repasser. Alors que le médecin était sur le point d'annoncer une suspension du jeu, le hallebardier se mit à suffoquer et, devinant sur-le-champ ce qu'il avait fait, le docteur le redressa, le retourna et procéda à la manœuvre de Hemlich.

Tandis que Ruby Dore atterrissait sur le linoléum de la cuisine, la chaussure, objet de toute la discorde, jaillissait de la bouche du hallebardier pour dégringoler sur le plateau de Monopoly où elle dispersa toute une rangée de petits hôtels rouges.

Les vitrines époussetées, Ruby Dore revint s'asseoir sur son tabouret derrière les robinets de bière.

Elle posa ses pieds sur une caisse à bouteilles vides et prit son tricot, une distraction qui devait l'aider à lutter contre l'envie de fumer, mais qui s'était depuis transformée en manie plus compulsive encore. Très vite, son esprit dériva au test qu'elle avait fait dans la salle de bains ce matin-là. Le résultat n'avait aucun sens. Incapable de supporter plus longtemps l'incertitude, elle se leva, évita la flaque d'eau qui s'étalait sur les dalles patinées, empoigna son manteau, ouvrit la porte et la referma derrière elle.

Le menton baissé sur la poitrine pour que les gouttes de pluie ne lui coulent pas dans les yeux, elle dépassa en courant le Café de la Tour où certains touristes avaient trouvé refuge – ce qu'ils regrettaient amèrement dès qu'ils en goûtaient les mets. Elle tourna au coin de la tour Blanche et continua jusqu'à la caserne Waterloo avant de gagner la rangée de maisonnettes à porte bleue qui bordaient la Pelouse. Sa queue de cheval, désormais trempée, pendait lourdement dans son dos. Un coup vigoureux sur la porte fit apparaître le Dr Evangeline Moore qui recula pour laisser la patronne du pub entrer et s'abriter de la pluie. S'excusant pour ses pieds mouillés, Ruby Dore avança le long du corridor jusqu'au cabinet, s'assit devant le bureau dans une chaise au siège en cuir craquelé et patienta jusqu'à ce que le nouveau médecin de la Tour ait pris sa place en face d'elle. Ce n'est qu'à ce moment-là qu'elle déclara :

— Désolée de vous tomber dessus comme ça, mais je pense que je suis enceinte.

Quelques heures plus tard, alors que les ombres enveloppaient les créneaux, Balthazar Jones hésitait devant la porte du Rack & Ruin afin de rassembler son courage pour entrer. Il ne s'était pas soucié de changer d'uniforme depuis qu'il avait quitté son poste, car il était trop préoccupé par la réunion qu'il avait convoquée afin d'aborder avec les résidents de la Tour le sujet de la nouvelle ménagerie.

De nombreuses rumeurs couraient dans la forteresse, dont la plus alarmante affirmait que des tigres seraient lâchés dès que le dernier visiteur aurait été mis dehors pour la soirée. Soudain, au-dessus de lui, le panneau qui représentait un hallebardier en train d'actionner le chevalet de torture laissa échapper un grincement dans le vent.

Balthazar Jones entra et constata que ses collègues, toujours en tenue comme lui, étaient déjà installés à leur table, une pinte et une femme à leurs côtés.

Sachant que le projet rencontrerait une opposition considérable, car rien ne troublait davantage un hallebardier qu'un changement de sa routine, il se dirigea droit sur le bar. Ruby Dore, qui ne lui avait toujours pas pardonné d'avoir provoqué la crise d'aphasie de son canari, finit par lui servir une pinte de *Scavenger's Daughter*, la bière de la « Fille du Bourreau », qu'il avait commandée plus en signe de paix que par goût personnel.

Seule bière brassée dans l'établissement, elle était, selon certains résidents de la Tour, encore plus barbare que la méthode de torture dont elle portait le nom.

Malgré sa réticence, Balthazar Jones réussit à en avaler trois goulées lorsque le hallebardier en chef se leva, réclama le silence et l'invita à exposer à l'assemblée la catastrophe qu'il était sur le point d'infliger à la Tour.

Balthazar Jones posa sa pinte sur le comptoir et se tourna vers ses collègues dont les cheveux, encore marqués par l'empreinte de leur chapeau, couvraient une dizaine de nuances de gris. Envolés les mots qu'il avait soigneusement répétés, il porta la main à sa barbe pour se rassurer. Puis il repéra le chapelain, qui était assis au fond, à côté du Dr

Evangeline Moore, et qui lui souriait, les deux pouces levés dans un geste d'encouragement.

— Comme la plupart d'entre vous le savent, il y avait une ménagerie royale à la Tour de Londres du XIIIe au XIXe siècle, commença-t-il. Au départ, les animaux étaient simplement destinés aux plaisirs du monarque, mais, sous le règne d'Elisabeth Ire, ils attiraient déjà la curiosité du public. On avait donné le nom de la souveraine à un lion, et on racontait partout que tous deux étaient étroitement liés, au point que la mort de la reine est survenue à peine quelques jours après celle du lion.

— Venez-en au fait, mon vieux ! l'interrompit le hallebardier en chef.

— La tradition de donner au souverain des animaux vivants n'a jamais cessé depuis, et, de nos jours, ces animaux sont installés au zoo de Londres, continua Balthazar Jones.

Il fit cependant une pause avant d'ajouter :

— La reine a décidé de les transférer à la Tour et de réinstaller la ménagerie. Elle espère beaucoup que sa présence attirera davantage de visiteurs. Les animaux doivent arriver la semaine prochaine, et la ménagerie ouvrira ses portes au public dès qu'ils se seront installés.

Un chœur de protestations s'éleva sur-le-champ.

— Mais nous n'avons pas besoin de nouveaux touristes ! Nous sommes déjà assez envahis par les abrutis ! s'exclama le maître des corbeaux.

— L'un d'eux a frappé à ma porte l'autre jour et a eu le culot de me demander s'il pouvait jeter un œil, dit l'une des épouses de hallebardier. Je lui ai dit d'aller se faire voir, mais il n'a pas eu l'air de comprendre. Alors, il m'a demandé de prendre une photo de mon « humble masure »… J'ai pris la photo des cabinets et je lui ai fermé la porte au nez !

— Où comptez-vous mettre ces animaux ? demanda un des hallebardiers. Chez moi, il n'y a pas de place !

Balthazar Jones s'éclaircit la gorge.

— La construction d'un enclos pour les manchots a déjà démarré dans les douves, et d'autres enclos viendront rapidement s'y ajouter. Il y en aura aussi un sur la pelouse de la tour Blanche. On va également utiliser certaines des tours désaffectées. Par exemple, les oiseaux seront installés dans la tour de Briques.

— C'est quel genre de manchots ? demanda le geôlier en chef dont la barbe envahissante s'étalait sur les reliefs de son menton telle une bruyère grisâtre. Ce n'est pas le genre des sauteurs qui vivent dans les Malouines, non ? Ils sont encore plus vicieux que les Argentins. Ils te pincent le cul dès qu'ils te voient !

Balthazar Jones prit une gorgée de bière.

— Tout ce dont je me souviens, c'est qu'ils sont plutôt myopes quand ils ne sont pas dans l'eau et qu'ils apprécient particulièrement les calmars, répondit-il.

— Des anciens de l'armée qui servent de baby-sitter à des animaux… Je ne me suis jamais senti aussi humilié de toute mon existence, éructa le hallebardier en chef, ses doigts d'embaumeur, encore plus pâles qu'à l'habitude, serrés autour de son verre. J'espère que vous serez meilleur avec les animaux qu'avec les pickpockets, hallebardier Jones. Sinon, c'est la fin de nous tous.

Plusieurs hallebardiers se dirigèrent vers le bar tandis que les autres continuaient à protester contre l'invasion des créatures à quatre pattes. Dans l'espoir de se faire oublier, Balthazar Jones saisit son verre et s'avança pour soumettre le canari à une inspection minutieuse. Il se pencha pour observer de plus près l'oiseau maigrelet, sortit de sa poche un Figolu qu'il avait récupéré dans un paquet déniché dans le bureau étiqueté GEOLIER EN CHEF au marqueur noir. Il émietta la pâte et, en passant à travers les barreaux, en offrit les miettes à la créature muette. Sans lever les yeux vers lui, l'oiseau se décala lentement sur son perchoir avant de s'emparer d'un morceau avec la célérité d'un pickpocket. Tous les hallebardiers se retournèrent comme un seul homme, les yeux écarquillés de stupéfaction : la créature jaune citron régurgitait l'excédent de notes qui s'étaient accumulées dans son poitrail durant sa période prolongée de silence.

Seul le révérend Septimus Drew préféra le spectacle de la divine Ruby Dore.

Tandis que les hallebardiers luttaient pour se faire entendre dans le vacarme, le maître des corbeaux termina son jus de tomate. En dépit de l'attrait du bar bien achalandé, il évitait la tentation apaisante de l'alcool, car il avait besoin de tous ses esprits pour s'occuper de ses protégés s'il ne voulait pas y perdre un œil.

— Je vais juste retourner vérifier les oiseaux, dit-il à sa femme en lui tapotant le genou.

Après avoir envoyé un baiser à son épouse depuis la porte, ce qui troubla le geôlier en chef qui se trouvait dans sa ligne de mire, il mit son chapeau et sortit.

Comme il était l'un des rares hallebardiers qui avaient résisté à la mode de la barbe, il fut immédiatement frappé par le froid aigu de la nuit.

Alors qu'il était sur le point de traverser l'allée de l'Eau, il aperçut Hebe Jones qui rentrait du travail, enveloppée d'un petit nuage de vapeur qui lui faisait un cocon dans l'obscurité tandis qu'elle se hâtait pour échapper à la morsure sadique du froid. Sur le seuil, il prit le temps d'enfiler ses gants en cuir noirs. Tous deux s'étaient à peine adressé la parole depuis que l'un des odieux corbeaux avait soulagé Mme Cook de sa queue.

Conformément aux devoirs d'une mère, Hebe Jones avait accompagné Milon dans sa quête de l'appendice castré. Le garçon affirmait qu'il était possible de le recoudre tout comme on l'avait fait pour le petit doigt de Thanos Grammatikos, le cousin de sa mère, qui l'avait perdu au cours d'une incursion peu avisée dans l'art ténébreux de la menuiserie. L'enfant de six ans avait consacré plusieurs heures à arpenter les territoires de la Tour, Hebe Jones à quatre pattes sur ses talons. De temps à autre, Milon brandissait une brindille qu'il rejetait après mûre inspection. Il avait fini par arriver à la conclusion réticente que le bout de queue avait dû être avalé, conclusion que ses parents avaient atteinte bien plus tôt. La chasse avait alors été enfin close.

Au cours des années qui suivirent, Balthazar et Hebe Jones avaient dû faire preuve de civilité à l'égard du maître des corbeaux sur la base de l'amitié qui avait grandi entre leurs deux enfants. Tout commença lorsque Charlotte Broughton, qui avait huit mois de plus que Milon, apparut à la tour de Sel un beau matin avec ce qu'elle affirmait être la nouvelle queue de Mme Cook. Hebe Jones l'invita aussitôt à entrer et la suivit dans l'escalier en colimaçon. La famille s'installa sur le canapé tandis que la fillette déployait lentement son petit poing serré. Alors que les parents reconnurent ce qui était sans conteste l'extrémité d'un panais, Milon fut totalement charmé par le nouvel appendice. Les deux enfants se mirent à la recherche de Mme Cook, qu'ils finirent par dénicher dans la salle de bains, et s'allongèrent sur le sol à côté d'elle pour réfléchir à un moyen d'attacher la nouvelle queue. Pour finir, la plus vieille tortue du monde traîna pendant toute une matinée un morceau brunâtre de légume qui tenait à sa carapace par un brin de laine à tricoter verte. Jusqu'à ce que Balthazar Jones aperçoive la pauvre créature et mette fin à son humiliation.

Au passage de Hebe Jones, dont le nez était rougi par le froid, le maître des corbeaux mit la main au bord de son chapeau, et elle le salua d'un hochement raide de tête. Dès qu'elle fut hors de vue, il patienta encore quelques minutes pour s'assurer qu'elle avait eu le temps d'arriver à la tour de Sel, puis il se dirigea vers les volières en bois situées à côté de la tour de Wakefield. Sous la lune masquée par les nuages, elles demeuraient à peine visibles, et il se contenta de jeter un simple regard aux portes fermées en continuant sa marche et en lissant sa moustache gris tourterelle dans un réflexe d'impatience.

Arrivé à la tour de Briques, il jeta un regard derrière lui avant de poser la main sur l'énorme clef qu'il avait glissée dans sa poche lorsqu'il était dans le bureau.

Au bruit que fit le verrou lorsqu'il joua enfin, le maître des corbeaux ne put retenir un juron. Il jeta un nouveau coup d'œil dans son dos et poussa la porte pour la refermer au vol derrière lui. Il alluma son briquet pendant quelques secondes pour se repérer et grimpa l'escalier de la tour qui avait autrefois servi de prison à William Wallace, le *Braveheart* d'Ecosse.

Au premier étage, il tâtonna dans la pénombre pour trouver le loquet et pénétra dans la pièce vide. Il regarda la montre offerte par sa femme. Les aiguilles qui brillaient dans l'obscurité lui indiquèrent qu'il avait quelques minutes d'avance. Il s'installa sur le plancher, retira ses gants et se mit à attendre, le cœur serré d'impatience.

Enfin, le maître des corbeaux entendit la porte du rez-de-chaussée s'ouvrir et se fermer doucement. Il frotta ses paumes moites sur son pantalon tandis que le son des talons qui montaient les marches résonnait dans l'escalier.

Il ne lui avait pas fallu longtemps pour redécouvrir les douceurs que proposait le Café de la Tour depuis sa réouverture, mais son menu n'avait rien de commun avec celui qui épouvantait hallebardiers et touristes de concert.

L'appétit du maître des corbeaux concernait la nouvelle et délicieuse cuisinière. Oubliant dès le début l'absence de talent d'Ambrosine Clarke, dont certains affirmaient qu'elle frôlait la cruauté, il ne voyait plus d'elle que le phare de sa formidable gorge lorsqu'elle se penchait pour remuer ce qui était censé être de la soupe de navet. Son esprit troublé par une alimentation trop maigre, Ambrosine Clarke avait accepté de le rencontrer dans le pub du Cochon à la Broche, à quelques pas de la forteresse. Assis sur un tabouret de bar, elle lui pardonna son manque d'imagination quant au lieu de rendez-vous lorsqu'il lui murmura dans l'oreille à quel point il appréciait son pâté à l'anguille.

Elle lui pardonna aussi ses affirmations selon lesquelles ses corbeaux étaient plus intelligents que des chiens lorsqu'il posa sa main sur sa corpulente cuisse et susurra son enthousiasme au sujet de ses tripes et de sa purée.

Et elle pardonna enfin le fait qu'il fût doté d'une femme lorsqu'il passa les doigts dans son cou encore rouge de la chaleur des cuisines et lui assura que son pudding à la graisse était meilleur que celui de sa propre mère.

Le maître des corbeaux scruta l'obscurité quand la lueur d'une allumette éclaira le mur de la pièce. Soudain, l'allumette s'éteignit et la tour fut de nouveau plongée dans l'obscurité. Il tendit l'oreille pour écouter les pas qui approchaient et passaient le seuil, mais l'odeur caractéristique de la friture eut raison de son hésitation et il se leva pour s'avancer vers Ambrosine Clarke.

Lorsqu'il posa les lèvres sur la succulente cuisinière, le maître des corbeaux oublia tout à fait sa catastrophique cuisine.

Une fois rentrée dans la tour de Sel, Hebe Jones monta jusqu'à la terrasse pour décrocher le linge trempé. C'était l'obstination plus que l'optimisme qui l'avait poussée à l'y étendre le matin même avant de partir travailler.

Eclairée par une lune blême qui avait momentanément échappé aux nuages, Hebe Jones longea le fil en laissant tomber dans la corbeille en plastique les lourds vêtements qui portaient l'odeur humide de la Tamise.

Tout en luttant pour décrocher les draps sans les faire traîner dans les flaques, elle jeta un regard vers le pont de la

Tour et se souvint d'avoir eu à convaincre Milon, lorsqu'il avait encore peur de l'endroit, que c'était sur le vieux pont de Londres et non sur celui de la Tour que l'on avait placé les têtes coupées au bout de leurs piques.

Lorsqu'elle entra dans la cuisine avec sa corbeille, ce fut pour trouver son mari assis à la table, la tête dans les mains, la moustache encore humide de la dernière gorgée de la « Fille du Bourreau » qu'il avait engloutie afin de hâter sa guérison.

— Tu vas bien ? demanda-t-elle en se glissant derrière sa chaise pour atteindre le sèche-linge.

— Parfaitement, répondit-il en déplaçant sa chaise. Comment ça s'est passé au travail ?

L'esprit de Hebe Jones revint immédiatement à l'urne qui trônait toujours sur le journal du gigolo.

— Pas très bien en fait, répondit-elle en mettant les draps dans la machine.

Une fois qu'elle eut préparé le dîner, elle tendit la main pour saisir les deux plateaux qui étaient appuyés contre la huche à pain. Ils ne dînaient plus à la table de la cuisine, car ils ne supportaient pas plus l'un que l'autre le silence qui s'invitait entre eux.

Après avoir servi la moussaka, dont la recette se passait de génération en génération de Grammatikos et qu'elle avait espéré révéler à Milon, elle porta les plateaux jusqu'au salon et les posa sur la table basse. Rejoignant son mari vêtu d'une paire de vieux pantalons qui arboraient un trou à chaque poche en raison du poids de ses mains, elle prit place sur le canapé. Ils mangèrent en silence, les yeux rivés sur la télévision, sans échanger un seul regard.

Dès la dernière bouchée, Balthazar Jones se leva pour aller faire la vaisselle, une tâche qu'il ne remettait plus jamais à la fin de la soirée, car elle lui donnait un prétexte pour quitter la pièce. Puis il passa par-dessus Mme Cook et se dirigea vers la porte et l'escalier.

— A quoi ressemblerait Milon aujourd'hui ? demanda soudain Hebe Jones alors qu'il avait déjà la main posée sur la poignée.

Il se figea.

— Je ne sais pas, répondit-il sans se retourner.

Il ferma la porte derrière lui et grimpa l'escalier en colimaçon, le bruissement de ses charentaises en tweed écossais amplifié par les murs épais qui l'entouraient.

Parvenu au dernier étage, il chercha la poignée à tâtons dans l'obscurité et poussa la porte de la pièce où sa femme ne pénétrait jamais tant les graffitis gravés par les prisonniers du sous-marin allemand pendant la Seconde Guerre mondiale lui fichaient la trouille.

Il alluma, révélant la nuit au-delà des fenêtres à croisillons qui l'entouraient de toutes parts, et s'installa sur la chaise à dossier droit devant la table.

Il saisit son stylo et commença à composer la nouvelle série de lettres qu'il espérait lui voir décrocher le titre de membre du Club de saint Héribert de Cologne.

Deux étages plus bas, Hebe Jones était assise sur le canapé, seule, en train de chercher la réponse à sa propre question tandis que l'abîme de son cœur se creusait toujours plus.

Chapitre sept

Le jour du grand retour de la ménagerie à la Tour de Londres, les vieilles entrailles de Mme Cook lui firent défaut. Balthazar Jones découvrit l'affront en se rendant à la salle de bains au petit matin. Comme il n'avait pas encore eu le courage d'annoncer à sa femme l'arrivée imminente des animaux, il n'avait pas trouvé le sommeil. Il avait espéré être épargné de la lourde tâche quand la nouvelle lui parviendrait par d'autres voies, mais Hebe Jones restait dans l'ignorance la plus profonde. Bien sûr, pensait-il, elle avait abandonné toute vie sociale dans la forteresse, notamment les séances de pliages et de positions aussi mystérieuses les unes que les autres qu'elle exécutait avec la femme de l'un des hallebardiers et autres adeptes du yoga.

Sans allumer, il s'assit sur le bord de la baignoire, la jambe de pyjama remontée jusqu'au genou pour nettoyer les indiscrétions de Mme Cook sur son pied. Il regarda à travers la fenêtre à croisillons, vers la Tamise qui scintillait sous les éclats de l'aube d'une nouvelle journée.

Lorsque ses yeux tombèrent sur les quais, ses pensées revinrent à l'histoire qu'il avait racontée à Milon au sujet du bateau qui apportait en Angleterre les premières autruches avec les compliments du dey de Tunis.

Père et fils étaient alors étendus sur des chaises longues sur la pelouse de la tour Blanche. Les abominables touristes avaient été mis dehors depuis longtemps pour la soirée. Après lui avoir tendu un verre de limonade, le hallebardier raconta au garçon comment la foule des curieux avait reculé de terreur lorsque le vaisseau s'était amarré à l'appontement pour libérer deux oiseaux géants qui, à peine les pattes posées sur le ponton de bois, avaient secoué leur derrière poussiéreux et lâché une salve de déjections puantes.

Les Londoniens frissonnèrent à la vue de leurs hideuses pattes à deux doigts et retinrent leur souffle lorsqu'un membre d'équipage rayonnant de fierté leva au-dessus de son turban orange un œuf blanc presque aussi gros que sa tête. L'horreur des spectateurs parvint à son comble lorsque les oiseaux battirent de leurs longs cils luisants, les yeux rivés sur la foule, et tendirent leur ridicule petite tête vers les inconscients les plus proches pour s'emparer d'un bouton de nacre ou d'une pipe en ivoire qu'ils avalaient en une seule bouchée.

Le couple fut sans tarder installé dans un enclos couronné par un toit qui devait les empêcher de s'envoler, mais il ne se passa guère de temps avant que l'un d'eux ne tombe raide mort, terrassé par une indigestion de clous que le public enthousiaste lui jetait parce que la rumeur affirmait que les créatures étaient capables de digérer le fer.

Milon écoutait sans dire un mot, les mains serrées sur les bords du siège. Quand son père eut terminé son histoire, il lui posa un baiser sur la joue et se précipita pour aller faire du vélo dans les douves avec les autres enfants de la Tour. Balthazar Jones n'avait plus repensé à l'histoire des autruches lorsque, deux jours plus tard, ils durent conduire aux urgences un Milon blême de douleur et que le médecin tapota la radio de la pointe de son stylo pour montrer dans l'estomac tordu du garçon ce qui ressemblait fort à une pièce de cinquante pence.

Balthazar Jones déroula sa jambe de pyjama et retourna se coucher. Convaincu que sa femme était plongée dans les bras de Morphée, il tourna la tête vers elle en grommelant que non seulement la Tour était sur le point d'avoir une nouvelle ménagerie, mais qu'il avait été désigné pour en être responsable. Satisfait du devoir accompli, enfin, il se tourna de l'autre côté et ferma les yeux.

Mais Hebe Jones remonta à la surface de sa conscience avec l'ardeur d'un serpent de mer.

— Mais tu sais que j'ai horreur des animaux, protesta-t-elle. C'est déjà assez difficile de devoir supporter cette tortue gériatrique. Je ne l'ai fait que parce que tu prétends qu'elle fait partie de la famille.

La dispute ne cessa que lorsque Balthazar Jones se releva pour retourner à la salle de bains où il resta si longtemps à lutter contre la ténacité de la constipation que Hebe Jones retomba dans le sommeil.

Quelques heures plus tard, lorsque le cri strident de l'alarme les réveilla, ils s'habillèrent chacun de son côté de la chambre dans le plus profond silence.

Ni l'un ni l'autre ne prit de petit-déjeuner comme pour éviter d'avoir à s'asseoir ensemble à la table de la cuisine, et, lorsqu'ils finirent par se croiser accidentellement, ils se contentèrent d'un « Bonjour ».

Après le départ de sa femme, Balthazar Jones passa une brosse à habits sur les épaules de sa tunique et attrapa son chapeau sur le haut de la penderie. Il sortit en voiture de la Tour pour aller jusqu'au zoo de Londres. Pour mieux se concentrer, il gardait les mains serrées sur le volant.

A côté de lui, sur le siège passager, il avait posé sa compagne d'armes, une pertuisane de huit pieds de haut et suffisamment acérée pour ôter la vie d'un homme en quelques secondes. Bien que la pertuisane soit généralement réservée aux grandes occasions, Oswin Fielding avait insisté pour qu'elle soit du voyage, car l'écuyer souhaitait que le hallebardier ait l'air aussi hallebardier que possible devant les journalistes.

Lorsqu'il dénicha enfin une place de parking entre les vans de la télé par câble, il resta assis pendant quelques minutes afin d'essayer de rassembler assez de courage pour la tâche qui l'attendait. Mais le courage ne vint pas, et il sortit en oubliant sa pertuisane. Il franchit les portes en fer forgé et observa une petite file de manchots qui claudiquaient le long d'une rampe en bois derrière une guirlande de poissons luisants qui les attirait droit dans une camionnette. Le dernier manchot de la file se retourna brièvement à la porte pour jeter un regard vers l'enclos.

Le chauffeur, les manches de sa chemise à carreaux roulées jusqu'aux coudes, le poussa du pied vers l'intérieur, retira en un éclair la rampe et ferma la porte. Alerté par un bruit de claque, le hallebardier se retourna pour aviser un manchot solitaire qui se hâtait sur la piste humide en oscillant d'une patte sur l'autre pour accélérer encore.

— Vous en avez oublié un ! cria-t-il.

— Bon sang, dit le chauffeur qui avait déjà tendu la main vers les cigarettes qu'il s'était promis d'arrêter de fumer le matin même. Je savais que ce boulot serait un vrai cauchemar. Il faudra le mettre devant avec moi ; je ne rouvre pas cette fichue porte. Il m'a fallu deux heures et un voyage chez le poissonnier pour faire entrer toute la bande. Ils sont pires que des gosses. Et j'en sais quelque chose. J'en ai quatre, moi, de gosses. C'est quoi votre costume au fait ? Y a un bal masqué dans le coin ?

Les choses semblaient déjà s'éloigner furieusement de ce qu'Oswin Fielding avait appelé « le plan » lorsque l'écuyer s'approcha de Balthazar Jones et l'informa que la presse tenait à prendre une photo de lui avec certains des animaux de la reine. Après avoir sermonné le hallebardier pour avoir oublié la pertuisane dans la voiture, il conduisit les journalistes vers la cage des singes. Séduit par l'innocence de leur visage blanc et de leurs oreilles noires et duveteuses, il s'arrêta devant les ouistitis de Geoffroy sans savoir que leur gardienne avait essayé vainement toute la matinée de les attirer hors de leur cage pour les préparer à leur trajet jusqu'à la Tour. Mais plus elle essayait de les tenter avec des morceaux de fruit, plus ils s'accrochaient désespérément à leurs barreaux, au point qu'elle finit par laisser tomber pour aller pleurer dans les toilettes pour dames.

Lorsque l'envoyé du Palais présenta Balthazar Jones aux journalistes comme le « gardien de la Ménagerie royale » en le poussant devant, les ouistitis se montrèrent d'une agressivité sans bornes, exhibant leurs organes qu'ils continuèrent à secouer longtemps après que le plus dépravé des journalistes eut rougi jusqu'à la racine des cheveux.

Le hallebardier échappa aux objectifs et aux zooms pour se rendre à la volière et vérifier que les deux inséparables étaient bien installés dans des camionnettes séparées. En chemin, il fit une pause pour admirer le troupeau de sangliers à moustaches. Ils étaient dans un tel état de ravissement, certainement provoqué par le frottement de leur train arrière contre leur poteau spécial, qu'il regretta qu'ils appartiennent au zoo et non à la reine.

Beaucoup plus tard, lorsque toutes les conséquences de son impulsion devaient lui tomber dessus, il imputerait son manque total de jugement au fait qu'il avait été séduit par leurs exceptionnelles bacchantes, dont certains de ses collègues pouvaient être jaloux. Pour sa défense, l'animal paraissait parfaitement d'accord : il suffit que Balthazar Jones, succombant à la tentation, tende le doigt vers la porte ouverte d'une camionnette pour que le cochon trottine joyeusement à l'intérieur. Une seconde plus tard, le hallebardier avait refermé la porte derrière lui dans l'idée totalement illusoire que personne ne remarquerait son absence.

Sur le point d'aller chercher la musaraigne étrusque, il aperçut le dragon de Komodo s'éloignant tranquillement de son gardien terrifié qui était en train de tenter de le pousser dans un camion en lui donnant des claques avec son mouchoir. Le reptile géant s'arrêta devant la boutique de souvenirs et demeura parfaitement immobile sauf pour sa langue fourchue qui jaillissait dans une direction précise. Balthazar Jones suivit son regard pour découvrir Oswin Fielding qui tapotait sur un carton de nourriture pour animaux du bout de son parapluie. Le vent soulevait les quelques cheveux qui lui restaient et faisaient comme une feuille de palmier. Lorsque l'animal bondit vers l'écuyer, le hallebardier se rappela que la créature était capable d'engloutir un petit cerf en une seule bouchée et qu'elle s'allongeait généralement ensuite au soleil pendant une semaine pour digérer. C'est à ce moment-là qu'il s'élança.

En l'espace de quelques secondes, le disgracieux reptile dépassait l'écuyer pour toucher sa cible : un hamburger abandonné, mais Balthazar Jones avait atteint une telle vitesse qu'il ne put s'arrêter. Il n'avait pas couru si vite depuis que, sur la Pelouse de la Tour, il avait taclé un pickpocket qui s'enfuyait avec six portefeuilles dans son pantalon. Il frappa donc Oswin Fielding de plein fouet, les projetant tous deux à terre ainsi que le superbe parapluie à manche d'argent qui n'eut plus rien de superbe. Ce n'est que lorsque les deux hommes manifestèrent quelques signes de conscience et qu'ils se démenèrent pour se remettre sur pied que l'envoyé du Palais admit être content que Balthazar Jones ait oublié sa pertuisane.

Le hallebardier était toujours en train d'inspecter le méchant trou qui était apparu au niveau du genou de son uniforme lorsque le cortège de véhicules se mit en marche pour la Tour. Il regarda passer la première camionnette depuis le siège passager de laquelle le regarda le manchot. Il fronça le nez à l'odeur qui émanait de la deuxième camionnette, celle qui emportait la zorille, puis cria lorsqu'il vit le camion à ciel ouvert qui approchait de la sortie au risque de décapiter les quatre girafes. Les membres du personnel du zoo entourèrent le véhicule, encourageant à coups de branches appétissantes les créatures à se baisser suffisamment longtemps pour permettre le passage sous l'arche en fer ouvragé. Dès qu'elles furent passées, les girafes relevèrent le cou, fermant les yeux dans la brise tandis que le camion prenait de la vitesse. Balthazar Jones attendit que le dernier camion disparaisse, puis se dirigea vers sa voiture en portant la cage de la musaraigne étrusque.

Il la posa sur le siège arrière, et, avec une lanière, fixa la pertuisane à l'appui-tête pour éviter les catastrophes. En cherchant dans ses CD, il sélectionna *Love Songs* de Phil Collins dans l'espoir d'apaiser son nerveux passager. Enfin, il entama son retour vers la Tour, attirant au passage, à cause de sa lamentable vitesse, toutes sortes de coups de klaxon et de gestes obscènes.

Ruby Dore frappa à la porte bleue qui donnait sur la Pelouse de la Tour et tapa des pieds pour se réchauffer en attendant qu'on vienne ouvrir. Le médecin avait mis une semaine à l'appeler pour l'informer que les résultats des tests étaient arrivés. Elle avait passé le temps à sombrer de plus en plus dans le désarroi, consciente que chaque jour exsangue l'éloignait toujours plus de l'avenir dont elle avait rêvé : le mari d'abord, les enfants ensuite.

Lorsque le Dr Evangeline Moore apparut enfin, Ruby Dore scruta son visage pour y trouver une réponse, mais elle dut se contenter de l'expression impénétrable d'un champion de poker toutes catégories. Elle longea le couloir qui conduisait au cabinet et prit place en face du bureau.

Le médecin s'assit à son tour et s'empara d'un stylo sur la table pour le tenir devant elle à deux mains.

— Je suis désolée que cela ait pris si longtemps, dit-elle. C'est ce que vous pensiez. Vous êtes enceinte.

Ruby Dore ne fit aucun commentaire.

— C'est une bonne ou une mauvaise nouvelle ? insista le médecin.

— Pas la meilleure dans les circonstances actuelles, répliqua la patronne du pub en tripotant l'extrémité de son foulard.

Après la consultation, elle se précipita au Rack & Ruin et tira le verrou derrière elle. Elle grimpa en haut de l'étroit escalier en bois qui menait à son petit appartement bas de plafond, garni de meubles usés qu'elle n'avait pas les moyens de remplacer, et envahi par l'odeur de bière qu'elle ne remarquait plus.

En déplaçant plusieurs livres, elle s'installa sur le seul fauteuil dont elle disposait et ferma les yeux.

D'emblée, elle visualisa l'homme qu'elle avait rencontré dans le bar du village lors d'une visite à son père en Espagne, le vin blanc de la Rioja qu'ils avaient dégusté, et l'heure torride qu'ils avaient passée ensemble sur la plage avant que Ruby Dore ne se glisse en silence dans la villa aux petites heures du jour.

Elle repensa à la femme et à l'enfant dont l'homme tenait les mains lorsqu'elle l'avait croisé le lendemain, et à son refus de la reconnaître. Et elle se demanda s'il mentait autant à sa famille que ce qu'il lui avait menti dans le bref laps de temps où elle l'avait connu.

Ses pensées se tournèrent alors vers la honte qu'elle allait porter en annonçant à ses parents qu'elle était enceinte. Sa mère accuserait naturellement son père, comme elle le faisait toujours en dépit du fait qu'elle l'avait quitté plus de vingt ans plus tôt. Son père se reprocherait de ne pas avoir assez bien élevé sa fille après le départ de sa mère, incapable de supporter la vie dans la Tour plus longtemps.

Il lui avait fallu des semaines avant d'avouer à sa fille qu'elle était partie pour de bon. Lorsque la petite, alors seulement âgée de neuf ans, lui avait demandé à nouveau où était sa mère, Harry Dore avait fini par répondre :

— Ta mère est en Inde en train de se chercher. Que Dieu l'aide lorsqu'elle se trouvera !

En ouvrant les yeux, la patronne du pub regarda son séjour dont les vitrines renfermaient la collection familiale d'articles liés à la Tour et amassés par des générations de Dore qui dirigeaient la taverne.

Elle se souvint d'en avoir parlé à l'homme dans le bar lorsqu'il lui avait demandé où elle habitait. Il avait même feint d'être intéressé.

Il y avait le rapport rédigé en 1598 qui se plaignait que les hallebardiers « étaient enclins à l'ivresse, aux désordres et aux querelles » ; sur l'étagère du dessous trônait un maillet, utilisé en 1671 par le colonel Thomas Blood pour aplatir la couronne de l'Etat avant de la dissimuler dans son manteau au cours de la seule tentative de tous les temps de vol des joyaux de la Couronne. A côté, une pièce du manteau que portait Lord Nithsdale durant son évasion de la Tour en 1716 sous un déguisement de femme.

Chaque pièce avait été identifiée et étiquetée, un projet que Ruby Dore avait partagé avec son père. Harry Dore racontait l'histoire de l'objet avec le talent magnétique d'un barde, puis sa fille complétait l'étiquette de sa meilleure calligraphie d'écolière.

Mais ils n'avaient pas eu assez de temps ensemble pour soulager les blessures ouvertes par les années que Ruby Dore avait passées à regarder ses parents se jeter réciproquement à la tête leur amour aigre. Sa mère lui avait conseillé de rester célibataire.

— Il n'y a rien de plus solitaire que le mariage, avait-elle averti.

Ruby Dore refusait de la croire, mais, pendant sa quête, elle s'était retrouvée en train de chercher l'amour dans des cœurs toujours plus noirs. Et elle avait eu beau ouvrir la croisée de sa chambre des milliers de fois, jamais elle n'avait connu le « clair de lune de l'amour ».

Hebe Jones n'eut pas de chance avec le registre des décès. Elle avait soigneusement lu chaque article concernant une Clementine Perkins, mais toutes étaient mortes depuis plusieurs dizaines d'années. Ecartant le problème de son esprit, elle s'était penchée sur des articles plus faciles et plus sûrs de lui procurer la chaleur réconfortante du succès – sacs à main renfermant le numéro et l'adresse de leur propriétaire, par exemple. Toutefois, elle était troublée par l'urne qui continuait de trôner sur sa table.

— Valerie, appela-t-elle sans quitter des yeux la plaque de cuivre.

— Oui ?

En entendant la réponse étouffée, Hebe Jones se retourna pour constater que sa collègue s'était glissée dans l'extrémité antérieure d'un cheval de pantomime découvert sur un banc de la station de Piccadilly Circus.

— Il y a comme une odeur, déclara Valerie Jennings en se plaçant de manière à voir à travers la petite ouverture grillagée au niveau du cou du cheval.

— Quelle odeur ?

— Des carottes.

— J'ai besoin de ton avis, poursuivit Hebe Jones sans tenir compte de la réponse.

Valerie Jennings s'installa devant sa table et croisa ses jambes de fourrure tassée.

— Lorsque quelqu'un meurt, mais que sa mort n'est pas officiellement enregistrée, qu'est-ce que cela signifie ? demanda Hebe Jones.

Valerie Jennings se gratta l'arrière de la jambe de son sabot en cuir brun.

— Eh bien, cela peut vouloir dire plusieurs choses. Peut-être que la personne n'est pas morte, en fait, et que quelqu'un prétend qu'elle l'est, précisa-t-elle en tirant sur une cordelette qui fit filer les yeux du cheval vers la gauche. Ou bien la personne est vraiment morte, mais quelqu'un veut que cela reste un secret et il a corrompu le personnel du crématorium pour qu'il n'en informe pas les autorités, continua-t-elle en tirant sur une autre cordelette pour pousser les yeux du cheval vers la droite.

— Je pense que tu lis trop de romans, suggéra Hebe Jones.

— Et puis, il y a aussi l'erreur humaine, ajouta Valerie Jennings en appuyant sur un bouton qui fit papillonner les paires de cils.

Elle se leva et se dirigea vers le réfrigérateur, mais au moment où elle parvenait à saisir la poignée dans les longues dents jaunes du cheval, la cloche suisse retentit. Après une lutte émaillée de nombreux jurons, Valerie Jennings s'aperçut qu'elle était bel et bien coincée dans le costume.

Hebe Jones se leva et essaya de tirer sur les énormes oreilles en feutre de la créature, mais elle finit par abandonner, car les oreilles menaçaient de se détacher.

La cloche retentit à nouveau et continua avec une telle frénésie que Hebe Jones se décida à aller répondre sans même essayer une nouvelle combinaison en passant devant le coffre-fort qui avait été abandonné sur la Circle Line cinq ans plus tôt.

De l'autre côté du mur, elle découvrit devant le comptoir victorien d'origine un homme en uniforme de la marine dont l'âge avait laissé quelques traces dans ses cheveux noirs à la coupe nette.

— Suis-je bien au Bureau des objets trouvés du métro de Londres ?

Hebe Jones leva les yeux vers le panneau qui dominait le comptoir.

Il suivit son regard.

— Quelqu'un aurait-il déposé un petit sac vert au cours des quinze dernières minutes ? Il s'agit d'une urgence, souffla-t-il.

— A quoi ressemble-t-il ? demanda Hebe Jones.
— Un peu plus gros qu'une boîte à sandwiches.
— Y avait-il quelque chose d'identifiable dedans ?
— Un rein, répondit-il.
— Comme un rognon ?
— Non, comme dans don d'organe.
Hebe Jones tourna le coin et appela :
— Valerie ! Quelqu'un aurait déposé un sac vert au cours des quinze dernières minutes ?
— Non !
Hebe Jones revint directement au comptoir.
— Où l'avez-vous laissé ?
— Nulle part, répondit l'homme. Je l'avais posé à mes pieds et, lorsque j'ai voulu le prendre pour sortir du wagon, il avait disparu.
Soudain, le téléphone se mit à sonner de manière insistante, et Hebe Jones appela :
— Valerie ? Tu peux répondre ?
Comme elle n'obtenait aucune réponse, elle jeta un regard de l'autre côté de la séparation et vit que Valerie Jennings était penchée sur sa table et essayait de décrocher le téléphone avec ses narines élimées. Hebe Jones s'empara du combiné et, après un moment, déclara :
— Le propriétaire est justement ici. Nous allons venir le chercher tout de suite.
En empoignant son manteau turquoise sur le perroquet, elle appela :
— Valerie, il faut que je sorte. Il y a un monsieur au comptoir qui a perdu un rein, et ce rein vient juste d'être déposé à Edgware Road. J'y vais avec lui pour m'assurer qu'il s'agit bien du sien.
La seule réponse fut un hochement de tête équin.
Après le départ de Hebe Jones, Valerie Jennings s'assit et observa les lieux à travers l'ouverture grillagée. Elle leva les yeux vers l'horloge à coucou et se demanda combien

de temps il faudrait qu'elle attende le retour de sa collègue qui la délivrerait. Au moment où elle était sur le point d'essayer à nouveau d'ouvrir la porte du réfrigérateur, la cloche sonna.

Elle commença par l'ignorer, mais le tintement ne s'arrêta pas. Incapable de supporter plus longtemps le vacarme, elle se leva sur ses sabots et se dirigea vers le comptoir avec la réticence d'un animal en chemin vers l'abattoir.

Lorsqu'elle tourna le coin, Arthur Catnip était en train de reposer la cloche sur le comptoir. Il regarda le cheval dans les yeux :

— Vous ne seriez pas Valerie Jennings ?

— En effet, bafouilla le cheval.

— Je me demandais si vous accepteriez de déjeuner avec moi un de ces jours, dit-il.

— Ce serait parfait.

Arthur Catnip hésita.

— Aujourd'hui ? tenta-t-il.

— Je suis un peu occupée.

— Jeudi alors ?

— Ce serait parfait.

— A treize heures ?

— D'accord, à treize heures.

Arthur Catnip regarda le cheval perdre momentanément tout sens d'orientation, loucher, puis disparaître de sa vue.

Dans le wagon, Hebe Jones déplaça un journal oublié pour s'asseoir. Elle était soulagée que le porteur d'organes ait retrouvé son rein. Lorsque le train s'ébranla, elle leva les yeux pour inspecter les passagers. C'est le garçon qui attira d'abord son attention. « Il doit avoir onze ou douze ans », calcula-t-elle. Bien qu'il ne ressemblât en rien à Milon, le fait de le voir la blessait tout autant. Elle étudia la mère qui était assise à côté de lui, plongée dans un magazine, et se demanda si cette femme serait aussi distraite si elle savait à quel point il était facile de perdre un enfant. Elle ferma les yeux, envahie une fois de plus par les regrets pour toutes les occasions qu'elle aurait pu passer avec Milon. Chaque fois qu'elle lui avait dit d'aller jouer avec les autres enfants lorsqu'elle était en train de chercher son talent en peignant sur le toit de la tour de Sel. Chaque fois qu'elle le laissait auprès du révérend Septimus Drew pour aller dîner dehors avec son mari. Et chaque fois qu'elle lui avait demandé de sortir de la cuisine après être tombée sur des soldats en plastique nageant dans la cocotte.

Le garçon se leva pour offrir son siège à une vieille dame qui lui jetait des regards pleins d'espoir depuis le début du trajet. « Milon aurait fait pareil », pensa Hebe Jones.

Elle regarda les mains du garçon qui tenaient le poteau à côté d'elle. Soudain, elle songea à la dernière fois où elle avait vu les mains de son fils, froides, blanches et parfaites dans le lit d'hôpital.

Et elle se dit qu'elle avait été une mère bien négligente pour ne pas se rendre compte qu'il était si malade.

Il lui avait fallu beaucoup trop de temps pour devenir mère. Un an après le mariage, alors qu'elle n'avait toujours pas de petit-fils, sa mère à elle lui avait offert une petite statue de Déméter avec la solennité généralement réservée à une relique sainte. Hebe Jones l'avait mise dans son sac à main et l'emportait partout où elle allait, mais il semblait que la déesse grecque de la fertilité n'avait aucun pouvoir sur l'utérus de Hebe Jones. Les analyses médicales ne trouvaient pas de raison pour l'incapacité du couple à concevoir. A cette époque, ses trois sœurs avaient produit une telle quantité de rejetons que l'aînée était obligée de fermer sa porte de chambre le soir au nez de son mari de crainte de devoir encore passer neuf mois avec des envies de fraises.

Après vingt ans de déception mensuelle, un jour, le sang avait manqué à l'appel. Au cours de leurs années de mariage, Hebe et Balthazar Jones avaient refusé de laisser les épines de la stérilité déchirer leur union, et les racines de leur amour s'étaient entrelacées toujours plus dru. Convaincue qu'elle était entrée dans le sombre cratère de la ménopause, Hebe Jones avait versé des larmes de joie lorsqu'elle avait découvert qu'elle était enceinte. Cette nuit-là, dans le lit conjugal, Balthazar Jones avait posé sa tête sur le ventre doux de sa femme et entamé avec Milon une conversation qui allait se poursuivre pendant près de douze ans.

Si elle avait échappé aux nausées, Hebe Jones s'était retrouvée affligée d'une envie plus pernicieuse que celle de sa sœur. Balthazar Jones rentrait pour la retrouver assise sur le sol près de l'âtre, son ventre gonflé reposant sur ses cuisses, et elle dévorait des morceaux de charbon.

— Je n'ai rien fait, disait-elle, les dents noircies de suie.

Convaincu qu'elle manquait de sels minéraux, son mari avait fouillé les étagères poussiéreuses de l'épicier du quartier pour satisfaire son envie. Il avait rapporté ainsi cent quatorze boîtes de conserve de seiche à l'encre et les avait offertes à sa femme avec la fierté du chasseur préhistorique. Pendant un temps, les mets espagnols avaient semblé faire l'affaire, mais, un soir, il l'avait prise en train de sortir du salon avec une tache révélatrice sur la joue. C'est alors qu'il s'était décidé à prendre des mesures draconiennes, et Hebe Jones avait accueilli l'homme qui vint remplacer le charbon par du gaz avec des larmes silencieuses dans les yeux.

Elle avait passé le reste de sa grossesse dans un état de félicité entrecoupé d'accès de terreur de ne pas être capable d'aimer une autre personne autant qu'elle aimait son mari. Mais ses craintes n'étaient pas fondées : lorsque l'enfant parut, elle le submergea d'une affection inépuisable qui n'épargnait pas le père.

Plongé autant que sa femme dans la démence de l'amour nouvellement né, Balthazar Jones trouvait son fils si beau qu'il voulait l'appeler Adonis. Hebe Jones, encore rouge des efforts de la poussée, avait toujours espéré un prénom grec et c'est avec une certaine joie qu'elle avait accueilli la capitulation de son mari. Toutefois, si l'allure du bébé n'était pas en cause, elle redoutait déjà les sarcasmes des écoliers et rappela à Balthazar Jones les souffrances que lui avait procurées son lien avec les Rois mages – d'autant que le cadeau de celui dont il portait le nom paraissait bien maigre au regard des deux autres.

Lorsque la mère de Hebe Jones s'était présentée à la maternité pour faire la connaissance de son onzième petit-fils, elle avait regardé le bébé et annoncé :

— C'est dans les vieux pots qu'on fait les meilleures soupes.

Incapable d'éloigner les yeux de son petit-fils, Idola Grammatikos avait déclaré qu'il était si délicieux qu'elle pourrait le manger : *milon*, le mot grec pour « pomme », avait été proposé, et le garçon avait quitté l'hôpital avec un nom de fruit. Or, lorsque Balthazar Jones était enfin sorti de son délire post-partum, il avait rejeté toute influence botanique et insisté pour affirmer que son fils avait été baptisé en l'honneur de Milon de Corton, six fois champion de lutte aux Jeux olympiques de la Grèce antique.

Chapitre huit

Balthazar Jones ouvrit la porte de la tour de Sel et contempla pendant plusieurs minutes la forteresse silencieuse qui brillait sous un chaume de givre. Il tendit l'oreille longtemps, car le maître des corbeaux se levait toujours très tôt pour nourrir ses odieux volatiles, mais pas un bruit ne filtrait. Un pamplemousse dans la main, il ferma enfin vivement la porte derrière lui et se dirigea vers la tour de Develin.

Le hallebardier glissa la main dans sa poche de pantalon et en retira la clef. Après un coup d'œil derrière lui afin de s'assurer que personne ne le voyait, il enfonça la clef dans la serrure et la tourna. Une fois qu'il eut refermé la porte d'entrée derrière lui, il appuya sur le verrou situé à sa droite. Le sanglier à moustaches tourna automatiquement les yeux vers le bruit et, dès l'instant où Balthazar Jones aperçut ses merveilleuses joues hirsutes, toute sa culpabilité quant au vol de l'animal s'évanouit. Il se pencha, le pamplemousse tendu – dans sa hâte de retrouver le sanglier après sa première nuit à la Tour, c'était tout ce qu'il avait déniché dans la cuisine. Surpris dans une véritable orgie de grattage, le cochon cessa cependant de se frotter contre les montants de la cheminée et trottina sur le sol couvert de paille pour venir inspecter la boule jaune de son museau poilu. Au lieu de planter ses dents dans le pamplemousse, il le poussa sur le sol, le fit rouler, d'abord d'un coup de museau hésitant, avant de charger. Un nouveau coup de museau et il reprit sa poursuite avec autant d'enthousiasme, le blaireau de sa queue fendant l'air comme un drapeau au-dessus de son considérable arrière-train. Fasciné, le hallebardier ne le quittait pas des yeux et, au bout de plus de dix minutes, ni l'homme ni la bête, ni le spectateur ni l'acteur ne donnaient de signes de lassitude devant le pamplemousse roulant.

En se promettant de revenir avec un autre petit-déjeuner, Balthazar Jones verrouilla à nouveau la porte derrière lui et descendit l'allée de l'Eau pour aller vérifier que la livraison de poisson destinée aux manchots sauteurs était bien arrivée. Brusquement, il se rendit compte qu'il ne les avait pas vus depuis que la camionnette l'avait dépassé à la sortie du zoo, avec son manchot installé sur le siège passager.

Balthazar Jones ne s'arrêta de courir que lorsqu'il atteignit le pont qui dominait les douves. Les deux mains sur le parapet, dans l'air glacial du petit matin, il découvrit que l'enclos des manchots était vide et se sentit plongé dans un désespoir encore plus glacial. Ouvrant la grille, il trottina le long du ponton qui avait été bâti afin que les innombrables pas des abominables touristes ne transforment le gazon en boue. Debout, devant la baie de l'enclos suivant, il chercha la petite troupe d'oiseaux myopes aux beaux sourcils jaunes, mais ses yeux ne rencontrèrent que le glouton qui, affalé avec la décontraction d'un empereur romain sur sa couche, engloutissait un nouvel œuf frais. Il alla jusqu'à l'enclos suivant et fouilla les recoins à travers les genoux cagneux des girafes. Pas le moindre bec en vue.

Il retourna en trombe dans la forteresse, grimpa les marches de la tour de Devereux et ouvrit la porte de la cage aux singes. Mais sa soudaine apparition ne fit que déclencher les cris des singes hurleurs et, après un seul coup d'œil à travers les barreaux de la cage, il se vit contraint de reculer. A la cage suivante, il essaya d'inciter la zorille à se relever, mais l'animal se contenta de répondre à ses moulinets frénétiques par des bouffées particulièrement âcres. Dès qu'il comprit que la créature était seule, Balthazar Jones s'éloigna pour passer au dragon de Komodo. Comme la bête refusait de faire le moindre mouvement, le hallebardier réalisa que les manchots n'auraient pas eu la moindre chance en sa compagnie de toute manière, et il fila vers l'enclos situé près de la tour Blanche dans l'espoir qu'ils avaient été enfermés dedans. Il chassa ensuite entre les opossums à queue en anneau penché qui dormaient sur la branche d'un arbre, la queue précisément enroulée en boucle sous eux, mais il ne détecta aucun de leurs yeux en billes noires.

Après avoir fouillé le reste de la forteresse, le hallebardier parvint enfin à la tour de Briques. En se disant que le livreur avait dû y fourrer les manchots avec les oiseaux, il franchit les marches deux à deux. Au premier étage, il ouvrit la porte en chêne à la volée et se précipita dans la volière. Tout en scrutant à travers la clôture en grillage, ses yeux n'admirèrent pas le superbe paradisier du Prince Albert, dont les plumes les plus spectaculaires partaient de l'arrière des yeux pour se déployer sur deux fois la longueur de son corps, une vision si extraordinaire que les ornithologues de jadis avaient écarté le premier spécimen naturalisé comme une supercherie de taxidermiste.

Balthazar ne regarda pas davantage la femelle vert vif et rose du couple d'inséparables, qui avait été séparée de son compagnon pour éviter qu'ils ne s'entretuent. Il n'eut pas plus de regard pour les toucans offerts à la reine par le président du Pérou, avec leur splendide bec dont les Aztèques pensaient qu'il était fait d'arc-en-ciel. Au lieu de cela, il riva ses yeux sur la paire de vilaines pattes qui dépassaient d'un buisson bas. Soudain, le hallebardier retint son souffle, car il avait perçu un bruissement de feuilles, mais ce n'était que l'albatros hurlant, une espèce aux pattes si volumineuses que les marins d'autrefois les utilisaient comme blague à tabac. Le hallebardier tomba à genoux en se demandant comment il allait expliquer la disparition des manchots à l'envoyé du Palais.

Il se laissa aller contre le mur circulaire et échappa un soupir chargé de tant de désespoir qu'il réveilla le loricule qui faisait un petit somme tête en bas.

Le révérend Septimus Drew releva sa soutane pour s'agenouiller devant l'orgue. Il lui fallut un moment pour rassembler le courage de ramasser la créature par la queue. Une fois qu'il eut surmonté son aversion, il la tint sur le côté et l'inspecta de l'œil qui avait contemplé les sombres profondeurs de plus d'une âme. En dépit d'une semaine décevante sur le plan mécanique et d'une quantité de fientes pestilentielles plus importante qu'à l'accoutumée, la vue des minuscules griffes emplit le chapelain d'une soudaine nostalgie. Il baissa les yeux vers les lugubres dents jaunes que le rat avait plongées avec délice dans la tapisserie du prie-Dieu, et toute pitié s'évanouit. Il remarqua que la créature était morte d'un seul coup sur la nuque, abattue par sa dernière innovation. Le chef-d'œuvre d'ingénierie que l'homme d'Eglise avait dissimulé à l'intérieur d'un cheval de Troie miniature avait attiré le rongeur vers une mort minutieusement calculée grâce à la plus hérétique des tentations : du beurre de cacahuète.

Alors qu'une part de lui s'indignait à l'idée d'allouer à la vermine des funérailles chrétiennes, il devait admettre que, malgré leur absence dans la Bible, les rats n'en étaient pas moins des créatures divines. Il laissa tomber le petit corps raide dans l'un des vieux sacs en papier turquoise des grands magasins Fortnum & Mason de Londres, qu'il stockait pour ce type d'occasion, et ramassa sa truelle. Il tira sur la vieille porte de la chapelle, se dirigea vers la tour du Mot de passe, puis descendit jusqu'à la partie des douves qui avait été utilisée pour cultiver des légumes pendant la Seconde Guerre mondiale. Après une rapide prière pour le salut de l'âme damnée de la créature, il l'enterra dans le parterre de fleurs qui bordait le boulingrin.

Si les rongeurs n'avaient guère d'utilité dans la vie, ils joueraient dans la mort le rôle exaltant d'engrais pour les rosiers favoris du chapelain.

Le révérend Septimus Drew tourna ensuite le dos au carré de gazon soigneusement entretenu, témoin de tant d'accusations de tricherie, lors de la saison précédente, que tous les matches de boules avaient été suspendus.

Alors qu'il s'apprêtait à regagner son domicile, le geôlier en chef, qui avait l'air encore plus épuisé qu'à son accoutumée, le rattrapa et posa sa main dodue sur son bras.

— Sans vouloir vous vexer, ce n'est pas vous qui m'avez piqué mes Figolu, par hasard ? demanda-t-il.

Le révérend Septimus Drew étudia la question.

— Si je ne crains pas de temps à autre de commettre le péché de gourmandise, ce n'est pas moi, répondit-il.

Le geôlier en chef hocha la tête en direction de la chapelle :

— Personne n'est venu confesser ce méfait, non ?

— Malheureusement, nous autres, prêtres anglicans, ne pratiquons pas la confession. Essayez plutôt les catholiques en bas de la rue. Le curé entend toutes sortes d'horreurs, bien qu'à ma connaissance, il ne soit pas très chaud pour les confier à d'autres.

En traversant la Pelouse, le révérend aperçut Balthazar Jones au loin, ployant sous ce qui lui paraissait être un sac de fruits et de légumes. Il observa sa progression, troublé comme toujours par l'air de désespoir absolu de son ami. Le chapelain avait fait de son mieux pour encourager le hallebardier à retrouver un peu de joie de vivre, allant jusqu'à lui proposer de se charger du gazon du boulingrin. La tâche incombait cette année à l'homme d'Eglise, mais il savait que peu de choses offraient autant de joie à un Anglais que l'entretien du gazon.

Las, Balthazar Jones avait décliné l'offre d'une secousse de sa tête blanche.

Le révérend Septimus Drew avait alors essayé de le distraire de sa peine en misant sur sa passion pour l'histoire d'Angleterre. Après la première eucharistie du dimanche, il avait coincé le gardien de l'histoire de la Tour et lui avait demandé s'il détenait un scoop qui n'aurait pas encore été dévoilé dans la plus récente édition de la brochure touristique de la Tour. Pris par surprise dans la maison de Dieu, l'homme avait avoué une anecdote si alléchante que le chapelain n'avait pu que se précipiter à la recherche de Balthazar Jones pour la lui confier.

Il l'avait trouvé sur les remparts, affalé dans sa chaise longue à rayures bleues et blanches, les yeux rivés sur le ciel. Convaincu qu'il possédait enfin la clef qui libérerait son ami de la prison de douleur dans laquelle il était enfermé, le chapelain s'était approché d'un pas vif en laissant une brise peu orthodoxe soulever les pans de sa jupe rouge cramoisi à l'ourlet grignoté par les rats.

Il s'était assis sans attendre à côté de son ami et s'était mis à lui conter l'époustouflante histoire du pedigree historique douteux des corbeaux.

Tout le monde croyait que les odieux oiseaux étaient installés à la Tour depuis des siècles. Selon la légende dont on gavait les touristes, l'astronome de Charles II s'était plaint de ce qu'ils gênaient ses études au télescope, et le roi aurait demandé à ce qu'ils soient détruits.

Or, apprenant que le départ des oiseaux entraînerait à coup sûr l'écroulement de la tour Blanche, sans parler des catastrophes qui s'abattraient sur le royaume, le roi décréta qu'il était vital que six d'entre eux demeurent à la Tour à tout moment.

— Et ce ne sont là que fables ! s'était exclamé l'homme d'Eglise, triomphant. Un chercheur, qui a fouillé les registres en remontant jusqu'à un millier d'années, a découvert que la première référence de la présence des corbeaux à la Tour datait en fait de 1895. La légende doit être une invention de l'époque victorienne.

Au lieu de manifester le ravissement que l'homme d'Eglise espérait, Balthazar Jones s'était tourné vers lui en demandant :

— Crois-tu qu'il va pleuvoir ?

Le chapelain refusa néanmoins de s'avouer vaincu. Il se rendit à la British Library et réclama les titres les plus obscurs auxquels il put penser dans le sacro-saint catalogue, au grand dam du personnel qui fut contraint de repousser des rideaux de toiles d'araignée dans d'obscurs sous-sols pour mettre la main dessus.

Au bout de plusieurs mois, il finit par tomber sur une anecdote historique fascinante qui faisait intervenir un certain nombre de médecins et prouvait, comme le disait souvent le hallebardier, que la profession médicale se composait d'une bande de babouins. D'ailleurs, l'histoire était si drôle que le chapelain explosa de rire à la première lecture et que les conservateurs durent mettre sur-le-champ un terme à son abonnement à la bibliothèque.

Sans fournir la moindre indication sur les gâteries qu'il réservait au hallebardier, le révérend Septimus Drew l'invita à dîner, ayant sélectionné sa meilleure bouteille de Château Musar. Après avoir servi la soupe de cresson, l'homme d'Eglise entama l'histoire de Mary Toft, servante du XVIIIe siècle qui se mit, un beau jour, à engendrer des lapins. On fit appeler le chirurgien local qui assista à la mise bas de neuf d'entre eux, tous mort-nés et en morceaux. L'homme de science écrivit alors à de nombreux savants pour les informer du phénomène. Le roi George Ier manda même son propre anatomiste chirurgien et le secrétaire du prince de Galles pour enquêter sur l'affaire, et tous deux assistèrent sans broncher à la naissance d'autres créatures mort-nées. Ils firent conduire la femme à Londres, et la Faculté se dit si convaincue de la véracité de son affliction que les civets de lapin et le lièvre en gelée disparurent des tables de tout le royaume.

Un soir, un valet de pied la surprit en train de faire pénétrer un lapin dans ses appartements. La femme avoua qu'elle insérait elle-même dans son ventre les pauvres bêtes qu'elle découpait en morceaux.

L'anecdote, dont la relation dura trois plats, comportait un certain nombre d'envolées théâtrales ambitieuses. Après qu'ils eurent terminé le chapon rôti, le chapelain recula sa chaise et se frotta le dos des deux mains pour montrer à quel point la gestation des lapins pouvait être douloureuse. Lorsqu'il remplit les verres une quatrième fois, il leva un doigt de chaque côté de sa tête, découvrit ses dents de devant et remua le nez. Et juste avant la charlotte aux fruits rouges, l'homme d'Eglise, qui mesurait près de deux mètres, exécuta une succession de ce qui ressemblait fort à des sauts de lapin à travers toute la salle à manger.

Tout au long de la soirée, les yeux du hallebardier ne quittèrent pas son ami une seule minute, mais, lorsque le révérend Septimus Drew finit d'essuyer les larmes de ses yeux à l'aide de son mouchoir de coton blanc et demanda à son invité ce qu'il pensait de l'histoire de Mary Toft, Balthazar Jones cligna des yeux et demanda :

– Qui ça ?

A son arrivée chez lui, le chapelain rangea la truelle dans le placard sous l'évier de la cuisine, se lava soigneusement les mains et attrapa sa triste théière individuelle. Alors qu'il sirotait sa tisane de canneberges, assis face à lui-même à sa table, son esprit revint à la divine Ruby Dore. Incapable de supporter plus longtemps la douleur de la solitude, il se leva, s'empara de ses fiches-recettes dans le tiroir près de l'évier et se mit à réfléchir à sa prochaine arme de destruction.

Une fois son choix fait, l'homme d'Eglise ramassa le courrier qu'il était allé chercher dans sa boîte postale plus tôt ce matin-là et il monta à son cabinet de travail afin de composer son prochain sermon. A sa table de travail, il passa son coupe-papier à manche d'ivoire sous le premier rabat et glissa ses doigts à l'intérieur. Lorsqu'il eut achevé sa lecture, il relut la lettre afin de s'assurer qu'il avait bien compris le message. Puis il la replia, la remit dans son enveloppe et la glissa dans le tiroir de la table. Abasourdi, il recula contre le dossier de sa chaise et se demanda s'il avait un quelconque espoir de remporter le prix de la Fiction érotique pour lequel il venait d'être nominé.

Balthazar Jones se tenait devant le numéro sept de la Pelouse. Il frappa à la porte, puis, lorsque plusieurs minutes se furent écoulées sans réponse, posa la cage, plaça ses mains en coupe contre la vitre et tenta d'apercevoir l'intérieur par la fente qui séparait les rideaux. Enfin, le geôlier en chef apparut à la porte, sa robe de chambre nouée autour de la bosse de son estomac, une main levée pour s'abriter de l'éclat éblouissant des nuages marmoréens.

— Vous allez bien ? demanda Balthazar Jones.

Le geôlier en chef se gratta la poitrine.

— Je n'ai pas beaucoup dormi la nuit dernière.

— Puis-je entrer une minute ?

Le geôlier en chef recula pour laisser passer le hallebardier.

— Il fera peut-être plus chaud dans la cuisine, annonça-t-il.

Balthazar Jones longea le couloir et posa la cage sur la table. Le geôlier en chef s'assit et se passa une main dans les cheveux.

— Qu'est-ce que c'est ? demanda-t-il en montrant la cage.

— La musaraigne étrusque de la reine. J'espérais que vous accepteriez de la surveiller. Elle a un tempérament particulièrement nerveux.

Le geôlier en chef le regarda.

— Comment feront les gens pour la voir si elle reste chez moi ? demanda-t-il.

— Ils peuvent prendre rendez-vous, mais, pour être honnête, je ne me soucie guère qu'ils la voient ou non. Je tiens juste à m'assurer qu'elle reste en vie.

— Montrez-la-moi donc.

Balthazar Jones tendit le bras à travers les barreaux et retira le couvercle de la minuscule maison en plastique.

Le geôlier en chef se leva et regarda à l'intérieur.

— Je ne vois rien, dit-il.

— Elle est là, dans le coin.

L'homme chaussa ses lunettes et jeta un nouveau coup d'œil.

— Ce truc, là ? Vous êtes sûr que c'est vivant ? demanda-t-il.

— Bien sûr, je l'ai vue bouger ce matin.

Le geôlier en chef continua à scruter la créature, puis se gratta l'arrière de la tête.

— Pour être tout à fait honnête, je ne suis pas sûr que les musaraignes soient ma tasse de thé.

Le hallebardier le fixa pendant un moment.

— L'autre mission que je pensais vous confier était d'aider à surveiller les manchots sauteurs, dit-il. Ils ont été offerts par le président d'Argentine. Apparemment, il s'agit bien de l'espèce des îles Malouines que l'on appelle aussi « gorfous sauteurs ».

Après avoir reconduit Balthazar Jones à la porte, le geôlier en chef revint dans la cuisine, s'assit et considéra la cage d'un regard voilé par l'épuisement. La veille, il s'était mis au lit à une heure tout à fait respectable et avait revêtu un nouveau pyjama – une manière de fêter la fin de l'horreur. Car juste avant son bain du soir, il avait ouvert grand toutes les fenêtres de son domicile et, conformément à l'ancestral remède censé faire fuir les fantômes, s'était tenu debout dans le coin de chacune des pièces en brandissant un bouquet fumant de sauge séchée.

Les vapeurs avaient dessiné des volutes sur les murs jusqu'au plafond, avant de se dissiper par les fenêtres, dans la nuit. Or, juste avant l'aube, le geôlier en chef avait été réveillé par le bruit des bottes qui piétinaient le plancher de la salle à manger à l'étage en dessous et par les imprécations (proférées dans un pseudo-espagnol mâtiné d'accent du Devonshire des plus agricoles) les plus venimeuses qui soient. Une fois qu'il avait réussi à rassembler son courage, il avait descendu les escaliers qui puaient le tabac et découvert que les pommes de terre qu'il avait eu l'intention de faire sauter pour son petit-déjeuner avaient disparu. A pas discrets, il était retourné dans sa chambre, avait verrouillé la porte et, dans son lit, tiré les couvertures à lui en tendant l'oreille. Dans un état d'effroi absolu, il avait ainsi tenté de décrypter tous les sons de l'au-delà qui perdurèrent bien après le lever du soleil.

Hebe Jones arriva au Bureau des objets trouvés du métro de Londres plus tôt qu'à son habitude, car elle avait été réveillée par les rugissements des singes hurleurs rouges. Pour ajouter à son irritation, elle avait découvert en ouvrant les yeux que son époux était absent, mais que le pamplemousse qu'elle prévoyait de déguster au petit-déjeuner manquait également à l'appel.

Tandis qu'elle patientait en attendant que la bouilloire siffle pour son thé de fin de matinée, elle fouilla dans le réfrigérateur en quête d'un en-cas. Derrière un carton de soupe de carottes, elle découvrit une tartelette amandine qui appartenait à Valerie Jennings. Séduite par la cerise confite, rouge et charnue, qui en ornait le dessus, elle se dit que sa collègue ne s'apercevrait pas de son absence et la rapporta à sa table de travail. Mais elle ne devait pas en savourer plus d'une bouchée, car elle ouvrit en même temps le journal du gigolo. L'entrée du jour évoquait la dégradation d'une table, dans une salle de conférences, et d'un talon de femme dans une scène si fascinante que Hebe Jones dévora le reste de la tartelette sans s'en apercevoir.

Au moment où elle essuyait les preuves de sa bouche, le téléphone sonna.

— Absolument, répondit-elle en tournant les yeux vers la poupée gonflable au trou rouge pour la bouche. Elle est blonde… Je comprends… Elles sont blanches… Oui, ses chaussures sont blanches, je les vois d'ici… Elle ne doit pas être à vous, alors… Nous vous contacterons si nous la trouvons… Nous prenons toujours grand soin des articles qui nous sont confiés… Je comprends… Pas du tout… Chaque chose à sa place… Bien sûr… Au revoir.

Elle recula dans sa chaise, et ses yeux tombèrent sur l'urne. Elle épousseta le couvercle en bois de ses minuscules doigts et tendit la main pour s'emparer de l'un des annuaires du téléphone de Londres posés sur les rayonnages qui surmontaient sa table. Elle feuilleta le volume jusqu'à ce qu'elle trouve une liste de Perkins. Hebe Jones ne craignait pas de chercher les aiguilles dans les bottes de foin, une méthode qu'elle avait été forcée, de même que Valerie Jennings, d'adopter à de nombreuses occasions. Bien que rares, les succès de la méthode les engageaient toutes deux à y avoir recours en cas de « cause perdue » qu'elles abordaient avec l'obstination du joueur.

Elle regarda la première entrée et composa le numéro.

— Bonjour, je voudrais parler à monsieur Perkins, demanda-t-elle.

— Lui-même, répondit une voix.

— Ici madame Jones, du Bureau des objets trouvés du métro de Londres. Je vous appelle au sujet d'un article que vous auriez pu égarer récemment dans le réseau du métro.

— J'aimerais bien, ma cocotte, mais je n'ai pas quitté la maison depuis plus de vingt ans.

— Je suis désolée de vous avoir dérangé.

— Cela ne fait rien. Au revoir.

Elle consulta l'annuaire et fit un nouveau numéro.

— Allô ! Je voudrais parler au docteur Perkins.

— Qui la demande ?

— Madame Jones, du Bureau des objets trouvés du métro de Londres.

— Elle est au travail. Je suis la femme de ménage. Je peux prendre un message ?

— Sauriez-vous si elle a laissé une boîte en bois dans le métro récemment ? La plaque en cuivre qui y est fixée porte le nom de Clementine Perkins.

— J'en doute, répondit la femme. Il n'y a personne du nom de Clementine dans la famille du docteur Perkins.

Au moment où Hebe Jones reposait le téléphone, Valerie Jennings arriva dans ses chaussures noires à talons plats habituelles, mais lorsqu'elle suspendit son manteau bleu marine sur le perroquet à côté de la poupée gonflable, elle ne fit pas entendre ses lamentations habituelles au sujet des retards de la Northern Line (assorties de cris d'indignation parce qu'elle était écrasée contre les autres passagers). Pas plus qu'elle ne prononça un seul mot sur la fraîcheur matinale ni ne prédit la neige parce que ses oignons la chatouillaient. Et, lorsqu'elle ouvrit le réfrigérateur pour récupérer, en vain, l'amandine qu'elle avait soigneusement dissimulée derrière un carton de soupe de carottes, elle n'eut pas une seule expression de reproche.

— Tu ne t'inquiètes plus à propos de ces oreilles, n'est-ce pas ? s'enquit Hebe Jones en pensant à la manière dont Valerie Jennings s'était enfin dégagée du costume de cheval, ce qui avait résulté dans l'arrachement des deux appendices auditifs. J'ai rapporté le cheval à la maison hier soir, et mon mari a assuré qu'il allait si bien les recoudre que l'on ne se douterait de rien.

— C'est bien plus grave que cela, déclara sa collègue.

— Quoi ?

— Pendant ton absence, hier après-midi, Arthur Catnip m'a demandé d'aller déjeuner avec lui.

— Qu'as-tu répondu ?

— J'ai accepté... J'ai été prise par surprise.

Il y eut une pause.

— Cela va de mal en pis... continua Valerie Jennings.

— Pour quelle raison ?

— Je n'ai pas envie d'y aller.

Après sa journée de déceptions professionnelles, Hebe Jones remonta l'allée de l'Eau, les épaules voûtées dans l'obscurité. Si elle était ravie que les abominables touristes aient été mis dehors à l'heure où elle rentrait le soir, elle redoutait plus que tout le trajet solitaire lorsque, en hiver, la seule lumière provenait des fragiles rayons de la lune. Quand elle franchit la porte des Traîtres, elle se souvint de l'époque où Milon plongeait pour récupérer les pièces que les touristes lançaient dans la Tamise, juste entre les barreaux en bois. Sans se soucier des visiteurs qui continuaient à arpenter le monument, Charlotte Broughton et lui retiraient leurs vêtements et descendaient les marches interdites jusqu'au bord de l'eau en culotte et maillot de corps. Ils avaient ainsi récupéré plusieurs poignées de pièces lorsque l'alerte fut donnée. Ils avaient remonté les marches en trombe, bousculé le hallebardier qui les avait repérés et s'étaient précipités sur les pavés pour se diriger vers la rue de la Monnaie. Depuis la fenêtre de leur séjour, quelques hallebardiers qui n'étaient pas de garde avaient vu passer les deux amis et s'étaient joints à la poursuite.

Pour finir, Milon et Charlotte s'étaient retrouvés encerclés contre la tour de Silex. Tête basse, dégoulinants d'eau, ils avaient dû affronter la colère de leurs parents et de tous les hallebardiers de la Tour, mais aussi présenter un exposé de leur comportement au hallebardier en chef. Les pièces avaient dûment été rejetées dans l'eau boueuse, sauf pour un seul souverain d'or que Milon avait glissé dans la jambe de son caleçon et qu'il avait conservé avec ses autres trésors dans une boîte en fer qui avait contenu des caramels de Harrogate, jusqu'à ce qu'il l'échange, deux ans plus tard, avec Charlotte Broughton contre un baiser.

A l'approche de la tour de Sel, Hebe Jones vit qu'elle était plongée dans l'obscurité hormis la lumière qui brillait au dernier étage. Elle passa devant la porte de Milon, au pied de l'escalier en colimaçon, et se demanda si son mari allait se souvenir que leur fils aurait dû fêter ses quatorze ans le lendemain. Dans la chambre, où elle enfila des vêtements plus chauds, elle repensa à l'époque où son retour à la maison était accueilli en famille. Elle redescendit dans la cuisine et, pendant qu'elle fouillait les placards pour trouver une casserole, elle se rappela les soirées si bruyantes qu'il lui fallait fermer la porte.

Si ce n'était pas son mari qui jouait les tubes de Phil Collins sur le mirliton de Milon, une habitude originale qui l'avait incitée à cacher l'instrument, c'était le moment où le père cherchait à aider le garçon dans ses devoirs. Sauf lorsqu'il s'agissait de l'histoire d'Angleterre, Balthazar Jones arpentait la salle à manger en proposant des réponses arbitraires (un mot bien faible dans ce cas).

Lorsque Milon lui posait une question dont il ne pouvait même pas tenter de deviner la réponse, il se donnait un mal incommensurable pour dissimuler le fait qu'il était aussi perplexe que son jeune fils. Sous prétexte de se rendre aux toilettes, il quittait alors la pièce pour aller fouiller dans les livres qu'il conservait en cachette à côté de son lit afin de retrouver la clef de la plus hermétique énigme du monde : la division. Il revenait, la tête pleine de la formule qu'il essayait de mémoriser, et criait victoire dès le seuil de la salle à manger.

Puis père et fils continuaient leur combat contre les mathématiques jusqu'à ce que le dragon soit enfin à terre.

Lorsque le dîner fut prêt, Hebe Jones traversa la salle à manger vide et appela du bas des marches pour que sa voix porte jusqu'à la pièce, au sommet de la tour, dans laquelle elle ne mettait jamais les pieds.

Une fois qu'ils eurent terminé leurs côtelettes devant la télévision, Balthazar Jones se leva d'un bond pour aller faire sa vaisselle avant de disparaître une fois de plus dans son refuge céleste. Et quand ils se croisèrent, quelques heures plus tard, dans leur lit, Hebe Jones observa la silhouette de son mari dans l'obscurité en pensant : « Je t'en prie, n'oublie pas quel jour nous sommes demain. »

Chapitre neuf

Balthazar Jones se réveilla tôt et se retourna sur le dos, loin de sa femme qui murmurait dans ses rêves. Tout en attendant que le sommeil le reprenne, la question que Hebe Jones avait posée la semaine précédente au sujet de l'allure que Milon aurait aujourd'hui s'insinua à nouveau en lui. Il essaya d'imaginer la taille de son fils ou la forme de son visage, qui lui avait toujours paru être celui d'un ange.

Il n'avait jamais eu le bonheur de lui montrer comment se raser, et le rasoir qui avait appartenu au grand-père du garçon et avait voyagé jusqu'en Inde dans sa boîte en argent cabossée était resté dans le tiroir à chaussettes du hallebardier, désormais sans héritier.

Incapable de supporter plus longtemps ses propres pensées, il se leva et s'habilla dans la salle de bains afin de ne pas déranger sa femme. Il quitta la tour de Sel sans prendre le temps de déjeuner, remarquant à peine les flocons qui voletaient dans le ciel, aussi légers que des plumes. Il erra d'enclos en enclos, se demandant quelle voix aurait eue son fils aujourd'hui, le jour de ses quatorze ans.

Lorsqu'il guida la visite de onze heures dans la Tour, il n'eut pas le courage de montrer aux touristes le site de l'échafaud et se contenta de l'évoquer depuis la porte de la chapelle, au moment où ses ouailles pénétraient en file indienne dans la nef. L'agacement des touristes fut tel que les Américains, auxquels les hallebardiers pardonnaient toujours leur ignorance en matière de l'histoire d'Angleterre en raison de leur générosité, ne laissèrent tomber aucune pièce dans sa main tendue.

Il traversa la Pelouse et se mit à aller et venir dans l'allée de l'Eau, mais il voyait son fils partout entre les visiteurs. Il s'éloigna pour aller vérifier que l'enclos du dragon de Komodo était parfaitement sûr en vue de l'ouverture de la ménagerie au public, prévue deux jours plus tard, mais, alors qu'il vérifiait la solidité des cadenas, il ne pensait à rien d'autre qu'au plaisir que Milon aurait éprouvé à admirer le puissant reptile capable de mettre un cheval à terre.

Il se souvint de son rendez-vous uniquement lorsqu'il vit l'envoyé du Palais apparaître, emmitouflé jusqu'au cou pour se protéger du froid. Il se précipita alors vers le Rack & Ruin en jurant contre lui-même parce qu'il n'avait pas encore imaginé d'explication crédible à l'absence des sauteurs aux sourcils jaunes et poussa la porte.

— Que voulez-vous dire, disparu ? demanda Oswin Fielding en se pencha au-dessus de la table à côté de l'autographe encadré de Rudolf Hess.

— Ils ne sont jamais arrivés, répliqua Balthazar Jones en baissant la voix de crainte d'être entendu.

— Et où sont-ils ?

Le hallebardier gratta sa barbe blanche.

— Je n'en suis pas très sûr pour le moment, répondit-il. L'homme qui s'est chargé de la livraison a dit qu'il s'était arrêté pour prendre de l'essence et que, lorsqu'il est revenu de la caisse, les portes du passager et de l'arrière étaient ouvertes, et ils avaient disparu.

— Qui se trouvait sur le siège passager ?

Le hallebardier écarta les yeux.

— L'un des manchots, grommela-t-il.

— Bon sang ! éructa l'écuyer en passant la main dans ce qui lui restait de cheveux.

— Les Argentins vont s'imaginer que nous l'avons fait exprès. Nous n'avons pas du tout envie de nous opposer à ces types. Une fois suffit. Ecoutez, si on demande où ils sont, racontez que les manchots ont eu le mal des transports ou quelque chose comme ça et qu'on les a envoyés chez le véto. Je vais me renseigner discrètement.

Oswin Fielding prit une gorgée de jus d'orange tout en étudiant soigneusement le hallebardier.

— Y a-t-il autre chose que je devrais savoir ? demanda-t-il. Je ne veux pas de problème à l'ouverture de la ménagerie.

— Tout le reste se déroule comme prévu, insista le hallebardier. Sauf pour l'albatros hurlant, tous les animaux se sont acclimatés. Et les girafes adorent les douves.

Le courtisan fronça les sourcils :

— Quelles girafes ? demanda-t-il.

— Celles qui ont un long cou.

— Sa Majesté ne possède pas de girafes.

Balthazar Jones eut l'air troublé.

— Mais il y en a quatre dans les douves, insista-t-il.

— Je vous ai donné une liste, siffla Oswin Fielding, et cette liste ne comportait pas de girafes.

— Eh bien, quelqu'un a dû penser qu'elles étaient à la reine, et elles avaient été chargées dans un camion à mon arrivée. Je me suis dit que vous aviez simplement oublié de les mentionner.

Les deux hommes se regardèrent sans prononcer un mot.

— Donc, pour résumer, *Yeoman Warder* Jones, déclara l'écuyer, les manchots sauteurs de la reine ont disparu, et la Tour de Londres a kidnappé quatre girafes qui sont la propriété du zoo de Londres.

Le hallebardier se déplaça sur son siège.

— Nous pouvons renvoyer les girafes en leur disant qu'il y a eu un quiproquo, proposa-t-il.

Oswin Fielding se pencha en avant.

— Je ne suis pas vraiment sûr que nous parvenions à faire traverser tout Londres à quatre girafes sans nous faire remarquer. Cela sera dans tous les journaux et nous aurons l'air de parfaits idiots. Je vais appeler le zoo pour leur expliquer que nous les avons empruntées. J'espère qu'ils ne feront pas trop d'histoires. Et nous les renverrons dans un ou deux mois, lorsque les choses se seront tassées. S'ils font des difficultés, je leur rappellerai ce qu'ils ont fait à Jumbo l'éléphant.

— Qu'ont-ils donc fait à Jumbo l'éléphant ? demanda le hallebardier.

— Ils l'ont vendu à Barnum, le type du cirque américain, pour deux mille livres. Cette affaire a fait un bruit du tonnerre. Des lettres au *Times*, les enfants de la nation en pleurs, et la reine Victoria était folle de rage.

Oswin Fielding s'adossa à sa chaise en laissant échapper un soupir qui aurait réveillé les morts.

— La musaraigne est toujours en vie ? demanda-t-il.

— Je l'ai vue bouger ce matin, affirma le hallebardier.

— Au moins une bonne nouvelle.

Après le départ de l'écuyer et du hallebardier, Ruby Dore ramassa leurs verres et s'approcha de la fenêtre dont le carreau s'ornait d'un juron du XVIIIe siècle concernant l'hygiène intime du patron du pub de l'époque.

Mais, en plissant les yeux pour voir s'il neigeait encore, elle fut déçue de constater que la trace avait disparu. Elle songea aux hivers de son enfance, lorsque son père poussait sa luge dans les douves, que les hallebardiers se lançaient des boules de neige, se livrant des batailles avec plus de férocité que leurs ancêtres qui défendaient la Tour lors de la révolte paysanne en 1381.

Tandis que, dans sa cage, le canari sautait d'un perchoir à l'autre, elle revint à son tabouret derrière le bar pour continuer à rédiger l'annonce indiquant que l'interdiction de Monopoly de vingt-cinq années était désormais levée. La restriction avait été introduite par son père, choqué que le docteur ait continué à jouer alors que sa femme accouchait sur le sol de la cuisine, à l'étage au-dessus.

La prohibition avait poussé le jeu dans la clandestinité, et un certain nombre de hallebardiers allaient jusqu'à brasser de la bière dans leur sous-sol afin de noyer les tourments de la défaite après avoir joué contre le médecin de la Tour dans leur salon.

La pratique, qui avait perduré au fil des années, avait engendré une baisse des profits du pub, et, alors que sa vie était sur le point de prendre un nouveau départ, Ruby Dore était bien décidée à récupérer quelques billes.

Après avoir punaisé l'inscription sur le panneau situé à côté de la porte d'entrée, elle relut les règles qu'elle avait énumérées sous l'annonce. Afin d'éviter de voir resurgir des conflits historiques, les paris étaient interdits. Tout joueur pris en train de tricher serait taxé d'une amende prélevée sur le prix de la bière pendant les six mois suivants ; et le médecin de la Tour n'avait le droit de jouer qu'en l'absence de toute urgence médicale.

Peu de temps après, lorsque le révérend Septimus Drew poussa la lourde porte équipé de son arme de séduction, il fut soulagé de voir qu'il était le seul client. D'ailleurs, Ruby Dore n'était pas là non plus. Il resta ainsi pendant quelques minutes sur les dalles patinées en se demandant où elle était, puis posa le cake à la mélasse sur le comptoir, prit place sur l'un des tabourets et retira son écharpe. Il s'empara du sous-bock le plus proche, lut la blague inscrite au dos, puis balaya du regard le pub en se demandant s'il n'était pas indigne d'un homme de robe comme lui de rechercher l'amour avec pour arme les fruits de sa cuisine.

Craignant que l'un des hallebardiers ne surgisse pour le surprendre en flagrant délit avec sa boîte Tupperware, il se redressa d'un bond et sortit en hâte. Tandis qu'il prenait le temps de renouer son écharpe pour affronter le froid, il entendit un bruit qui provenait de la tour du Puits, à présent désaffectée. Incapable de résister à la tentation, il y pénétra pour tomber sur Ruby Dore.

Elle tournait le dos à la porte, mais la lueur éclairant les mèches de sa queue de cheval rendait toute confusion impossible. Alors que le révérend Septimus Drew était sur le point de lui avouer qu'il lui avait laissé sur le comptoir du pub une surprise confectionnée par ses soins à partir d'une recette de sa propre mère, la patronne du pub se retourna et déclara :

— Venez donc avec moi voir les rats domestiques de la reine.

Au-delà de Ruby Dore, le chapelain distingua l'éclair jaune des lugubres dents.

— Le gardien de la Ménagerie royale a dit que je pouvais m'en occuper, continua-t-elle en se retournant vers les rats. Ils sont si mignons ! J'en avais un quand j'étais petite, mais il s'est échappé. L'un des hallebardiers a dit qu'il l'avait vu dans la chapelle, près de l'orgue, une fois, mais nous ne l'avons jamais retrouvé. C'est dommage. Nous lui avions appris toutes sortes de tours. Mon père lui avait fabriqué un tonnelet miniature qu'il poussait sur le comptoir du pub. Les hallebardiers lui donnaient un penny chaque fois qu'il parvenait au bout. Lorsqu'il s'est échappé, il devait être plein aux as. Saviez-vous que la reine Victoria en avait un ?

Lorsque Ruby Dore se retourna à nouveau, il ne restait du révérend Septimus Drew qu'une bouffée d'encens.

A l'arrivée de Valerie Jennings, Hebe Jones était déjà plongée dans le cercueil magique qui permettait de scier les assistantes pétillantes en deux. Reconnaissant instantanément la position horizontale de l'échec, Valerie Jennings déboutonna son manteau bleu marine et le suspendit au perroquet à côté de la poupée gonflable avant de s'asseoir devant sa table de travail dans l'attente de la résurgence des facultés de sa collègue.

Au bout de quelques minutes, elle lui jeta un nouveau regard, mais les yeux de Hebe Jones demeuraient obstinément fermés, ses deux chaussures tombées à terre. Enfin, elle entendit le craquement révélateur du couvercle, et Hebe Jones émergea en murmurant un mot de bienvenue, retourna à sa table, étudia l'annuaire du téléphone et décrocha le combiné avec une nouvelle détermination.

Valerie Jennings baissa les yeux vers son bloc pour s'apercevoir qu'elle était incapable de se concentrer sur la réunion du canoë jaune et de son propriétaire.

Elle jeta un œil au coucou pour vérifier que l'heure du déjeuner n'approchait pas. Bien qu'Arthur Catnip fût son poinçonneur de tickets préféré, elle n'en regrettait pas moins amèrement d'avoir accepté de sortir avec lui, car elle ne tenait pas à replonger dans le labyrinthe de l'amour, avec ses impasses désespérantes.

La dernière fois qu'elle s'y était aventurée, elle avait été encouragée par une voisine qui ne supportait pas de voir Valerie Jennings tondre sa pelouse, une tâche qu'elle pensait être confiée par décret dès la naissance aux maris. Elle avait patienté jusqu'à ce que Valerie Jennings soit en train de tailler la haie à côté de la sienne et avait saisi l'occasion pour lever la tête.

D'abord, elle l'avait félicitée pour sa technique de coupe croisée, celle que son propre mari défendait d'un cœur vaillant. Elle avait ensuite ajouté d'un seul souffle qu'elle avait un collègue célibataire qui aimait également les livres. Toutefois, en dépit de l'insistance de Valerie Jennings que les hommes célibataires étaient pratiquement aussi dangereux que les hommes mariés, la femme avait persisté au point que Valerie Jennings avait fini par accepter, avec réticence certes, de le rencontrer.

Pendant toute la semaine, elle réussit à se convaincre que l'homme ne lui conviendrait certainement pas. Or, tandis qu'elle se préparait pour leur soirée, une étincelle d'espoir s'était soudain mise à briller en elle, et, lorsqu'elle avait fermé la porte d'entrée, la bouffée de solitude avait pris les proportions d'un infernal désir.

Elle s'était installée dans un coin du pub avec une double vodka orange pour étudier les motifs de sa robe, levant les yeux chaque fois que quelqu'un poussait la porte. Pour finir, un homme était entré et avait balayé la pièce du regard, s'arrêtant suffisamment longtemps sur Valerie Jennings pour qu'elle comprenne qu'il s'agissait bien de lui. Elle avait esquissé un sourire timoré, mais il avait tourné les talons et était sorti avec la même énergie qu'il avait montrée en entrant. Il s'était passé des heures avant que Valerie Jennings soit capable de se lever. Elle avait alors tiré sa robe sur ses superbes cuisses et quitté le pub en laissant les braises de son rêve crépiter derrière elle.

Lorsque la porte de l'horloge s'ouvrit pour laisser passer le coucou qui fit retentir son cri démentiel, Hebe Jones lui souhaita bonne chance.

— Je peux te prêter du rouge à lèvres, si tu veux, ajouta-t-elle.

— Pas la peine, merci. Je ne tiens pas à l'encourager, répondit Valerie Jennings.

Elle enfila son manteau bleu marine sur la jupe qu'elle portait déjà la veille et tourna le coin à contrecœur. Arthur Catnip était déjà en train de l'attendre devant le comptoir victorien d'origine. D'une main, il lissait sa nouvelle coupe de cheveux sauvage. L'agression avait eu lieu le matin même, pendant la pause café : dès que le barbier avait appris que son client avait rendez-vous avec une dame pour le déjeuner, il avait insisté sur la nécessité d'une coupe plus spectaculaire. Mais, après le dernier coup de ciseaux, lorsqu'il avait tourné les yeux vers le miroir, Arthur Catnip avait, au lieu de la métamorphose espérée, découvert le massacre.

Rien n'avait pu le calmer, pas même le billet que le coiffeur avait refusé pour montrer sa bonne foi. Abattu, le poinçonneur avait rebroussé chemin en pilote automatique jusqu'à la salle de contrôle du métro en priant pour que Valerie Jennings soit capable de voir au-delà du carnage.

Ils sortirent dans le froid en abordant le sujet de la neige matinale qui n'avait pas tenu. Lorsqu'ils passèrent devant l'hôtel Splendid, Valerie Jennings jeta un regard de regret aux superbes colonnes et à l'élégant portier en uniforme qui se tenait sur le haut du perron propre et net.

Elle se demandait où le poinçonneur de tickets avait l'intention de l'emmener.

Quand le couple parvint à l'entrée de Regent's Park, Valerie Jennings en était à souhaiter retrouver la chaleur et l'intimité de son bureau.

Près de la fontaine, Arthur Catnip tendit la main vers l'horizon en annonçant qu'ils étaient pratiquement arrivés. A travers ses lunettes brouillées, Valerie Jennings reconnut ce qui était indéniablement une cabane à thé.

— Je pense qu'il va pleuvoir, dit-elle.

Ils dépassèrent plusieurs hommes qui fouillaient le sous-bois avec des baguettes, et Arthur Catnip se demanda ce qu'ils cherchaient. Mais Valerie Jennings ne leva même pas les yeux, toute concentrée qu'elle était sur ce qu'elle allait trouver dans les pages réconfortantes tavelées de Mlle E. Clutterbuck le soir même, dans le sanctuaire de son fauteuil inclinable avec repose-pieds réglable.

Devant la cabane à thé, c'est avec soulagement que Valerie Jennings montra le panneau FERME, mais Arthur Catnip poussa la porte et l'invita à entrer. Au lieu des rangées de tables défraîchies et de chaises garnies de promeneurs de chiens et d'ornithologues amateurs, une table était dressée pour deux personnes au centre de la salle de restaurant. La nappe en lin blanc s'ornait d'un vase en argent contenant une seule rose jaune. Derrière le comptoir se tenait un homme coiffé d'une toque et une jeune serveuse toute vêtue de noir.

— Ne vous inquiétez pas. J'ai réclamé un chef français, déclara Arthur Catnip pendant que la serveuse s'approchait pour prendre leurs manteaux.

Au moment de la soupe à l'oignon, Valerie Jennings songea à la vendeuse française d'oignons de son enfance qui se tenait au coin de la rue avec sa bicyclette chargée. En baissant la voix, Arthur Catnip lui confia que son oncle s'était enfui avec l'une d'entre elles, à la suite de quoi le légume abhorré avait été banni de la famille.

Au-dessus du *poulet à la moutarde*[1], le poinçonneur de tickets remplit à nouveau les verres et évoqua le spectacle des mystérieux poulets vaudou auquel il avait assisté à l'époque où il était cantonné à Haïti avec la marine.

Valerie Jennings prit une autre gorgée de vin et se retrouva en train de lui raconter l'histoire du jeune coq de sa marraine qui était tombé amoureux du balai-brosse qu'il essayait de monter chaque fois que la femme nettoyait le sol de la cuisine.

Au moment de la tarte Tatin, Valerie Jennings bafouilla qu'elle avait envisagé de fabriquer du cidre avec les pommes de son jardin pendant l'été, car elles n'avaient jamais été assez bonnes pour la cuisine.

Le poinçonneur de tickets tatoué déclara que c'était une excellente idée et avoua avoir bu un jour tant de cidre qu'il était tombé par-dessus bord et avait passé presque une semaine entière sur une île déserte avant d'être repéré et secouru par son navire.

1. En français dans le texte. (NDT)

Alors qu'ils sirotaient leur café, l'un des hommes qu'ils avaient aperçus plus tôt dans les fourrés avec des baguettes passa la tête par la porte en demandant :

— Vous n'auriez pas vu un sanglier à moustaches, par hasard ?

Ils répondirent que non, mais promirent d'ouvrir l'œil en rentrant au bureau. Ils étaient extrêmement enthousiastes à cette perspective, mais, au moment où ils s'en retournaient vers le Bureau des objets trouvés, Valerie Jennings oublia le sanglier à moustaches : elle n'avait d'yeux que pour Arthur Catnip.

Ce soir-là, le tic-tac de l'horloge de la table de chevet paraissait plus fort dans la pénombre. Lorsqu'elle regarda l'heure, Hebe Jones se demanda si elle allait être capable de s'endormir. Elle se déplaça jusqu'à son côté du lit, loin du sommeil agité de son mari, et son esprit revint à la soirée qu'ils venaient de passer. Comme à son habitude, Balthazar Jones s'était rendu à la pièce située en haut de la tour de Sel, sans un seul commentaire sur la date, et elle était demeurée sur le canapé, traversée d'éclats de douleurs en se demandant comment il avait pu oublier.

Elle se souvenait du dernier anniversaire de Milon. Il avait encore réclamé le jeu du Petit Chimiste, comme il le faisait chaque année depuis que son père lui avait raconté que Sir Walter Raleigh brassait son Baume de Guyane dans le poulailler de la Tour. A son grand ennui, il avait farci la tête du garçon de contes merveilleux au sujet du Grand Cordial, composé entre autres d'or et de licorne, qui avait soigné la reine Anne d'une fièvre menaçant sa vie.

— Papa a dit que la reine avait été si impressionnée qu'elle en avait demandé pour sauver la vie de son fils, le prince Henri, avait déclaré le garçon alors que la date de son anniversaire approchait. Il a dit qu'ils avaient essayé de le soigner en mettant des pigeons morts sur sa tête et en appuyant les deux moitiés d'un coq contre la plante de ses pieds, mais lorsqu'il a avalé le Cordial, il a ouvert les yeux, s'est assis et s'est mis à parler !

Hebe Jones avait continué à peler les pommes de terre.

— Ton père a cependant oublié de te dire qu'il est mort peu de temps après, avait-elle répondu.

Toutefois, en dépit des supplications de Milon, Hebe Jones refusait d'acheter un Petit Chimiste à son fils, car elle craignait les catastrophes qui en découleraient (d'autant que son mari affirmait qu'il superviserait personnellement chaque expérience).

Lorsque leur fils avait déchiré le papier-cadeau, il avait découvert un télescope qui n'offrait pas la moindre possibilité d'éruption. Ses parents l'avaient conduit sur le toit de la tour de Sel, où Balthazar Jones lui avait indiqué toutes les étoiles que le premier astronome royal ayant vécu dans la Tour aurait vues.

— Si les corbeaux viennent se poser sur ton télescope, dis-le-moi et j'irai chercher le fusil de grand-père, avait promis le hallebardier.

Milon avait paru ravi à la perspective de voir son père réduire les odieux volatiles en un tas de plumes noires, mais Hebe Jones savait bien que l'observation des planètes ne pouvait rivaliser avec les expériences chimiques dont son fils rêvait. Consciente de sa déception, elle lui assura qu'elle lui achèterait le cadeau dont il rêvait pour son douzième anniversaire. Mais l'anniversaire n'avait jamais eu lieu. Comme elle se retournait pour échapper au souvenir de la promesse qu'elle n'avait pu tenir, une larme brûlante coula le long de sa joue.

Des heures plus tard, à son réveil, la chambre était encore obscure. Elle se rendit immédiatement compte de l'absence de son mari et passa la main sur les draps.

La place était encore chaude. Elle rejeta la couverture élimée et sortit du lit pour aller tirer un rideau.

Elle étudia la Tour parée de faibles rayons de lumière. A travers la pluie dont les gouttes glissaient paresseusement le long des carreaux, elle distingua la silhouette de son mari sur les marches des remparts, encore en pyjama et robe de chambre que l'averse plaquait contre son corps.

A son retour dans la chambre, une nouvelle variété de pluie soigneusement dissimulée dans sa poche, Balthazar Jones découvrit que Hebe Jones avait disparu avec ses valises.

Chapitre dix

Incapable de se présenter à son poste en raison du poids qui pesait sur sa poitrine, Balthazar Jones s'assit sur le bord de son lit dans son pyjama sec et décrocha le téléphone. Pendant qu'il composait le numéro du bureau de la tour du Mot de passe, ses yeux suivirent chaque tour du cadran et le laborieux retour en arrière.

— Oui ? répondit le geôlier en chef.

Le hallebardier frottait la couverture élimée entre ses doigts.

— Ici le *Yeoman Warder* Jones, dit-il.

— Bonjour, *Yeoman Warder* Jones. La musaraigne va bien. Ce matin, elle a mangé un criquet pendant que j'étais sous la douche.

— C'est bien.

— Au fait, c'est un mâle ou une femelle ?

— Je n'en suis pas sûr. Je me renseignerai.

Balthazar Jones s'éclaircit la voix avant d'ajouter :

— Je ne vais pas me présenter à mon poste aujourd'hui.

— Et pour quelle raison, puis-je le savoir ? s'enquit le geôlier en chef en se levant et en balayant du regard la pièce à la recherche de son paquet de Figolu.

— Je ne me sens pas très bien.

— Vraiment ?

La réponse étouffée du geôlier en chef provenait du bord de la poubelle où il était en train de chercher l'emballage vide.

Il y eut une pause.

— J'ai fait une indigestion de lamproies, poursuivit Balthazar Jones tandis que son esprit était entraîné par les flots de désespoir.

— Une quoi ?

Le hallebardier essaya de se souvenir de ce qu'il venait de dire et réalisa soudain qu'il avait dit au geôlier en chef qu'il souffrait d'avoir, comme Henri Ier, mangé trop de ces espèces d'anguilles (qui avaient provoqué la mort du roi). Mais comment revenir en arrière ?

— Une overdose de lamproies, répéta Balthazar Jones aussi doucement que possible.

Il y eut une nouvelle pause.

— Une minute, répliqua le geôlier en chef en posant le téléphone.

Il s'approcha rapidement de la bibliothèque à côté de la marque de flèche et en tira un dossier dans lequel étaient consignées les absences. De retour à sa table de travail, il s'assit et reprit le combiné du téléphone avant de sélectionner un crayon dans une vieille boîte en fer qui avait contenu du sirop d'érable de la marque Golden Syrup.

— Et comment épelez-vous le mot « lamproie » ? fit-il une fois qu'il eut trouvé la page correspondante.

En attendant la réponse, il fit tourner le crayon entre ses doigts.

— Je n'en suis pas très sûr, répondit Balthazar Jones en scrutant sa robe de chambre humide qui pendait à la porte.

— Laaampppproooie, énonça le geôlier en chef tout en notant le motif de l'absence et la date du jour.

Après une nouvelle pause, il ajouta :

— Elles devaient être excellentes.

Après avoir raccroché, Balthazar Jones s'empara de la lettre qu'il avait trouvée sur son oreiller en rentrant dans sa chambre au petit matin, trempé de pluie et puant la Tamise. Bien qu'il l'ait lue de nombreuses fois, il n'y trouvait toujours pas la moindre lueur d'espoir sur un éventuel retour de sa femme. Il n'y avait pas d'erreur sur son besoin de s'éloigner de lui, son amertume à propos de sa réticence à évoquer la mort de Milon et son désespoir quant à l'érosion de leur amour.

Tout en fixant le prénom de sa femme au bas du feuillet, il songea à la succession d'heureux hasards qui les avaient rapprochés, Hebe Grammatikos et lui, tant d'années auparavant. Un hasard si heureux qu'il ne pouvait être imputé à la main réconfortante du destin, au point que, depuis cette époque, Balthazar Jones vivait dans la terreur de la nature capricieuse du hasard.

Pendant longtemps, il avait craint de ne jamais se marier. Enfant unique, il se réveillait la nuit au bruit des rires qui provenaient de la chambre de ses parents située à l'étage au-dessus. Il avait cru par principe que toutes les relations étaient aussi agréables, mais les jeunes filles s'avéraient toujours si décevantes ! Ses parents lui avaient assuré qu'il finirait par trouver sa mariée, mais, tandis que les années passaient et que leur conviction ne paraissait pas se réaliser, il décida de s'engager dans l'armée afin de tromper la solitude. Dans l'espoir qu'il n'aurait pas à tuer de gens, il préféra postuler pour le corps des gardes.

La veille de son départ, alors qu'il avait déjà les cheveux courts et que son sac l'attendait devant la porte de sa chambre, il fit la connaissance, dans l'épicerie du coin de la rue, de l'extraordinaire créature qui allait changer sa vie.

Venu acheter des timbres pour les lettres qu'il prévoyait écrire à ses parents, il remarqua tout de suite la jeune fille qui se tenait dans une des allées, une génoise Battenberg à la main. Ses cheveux foncés dessinaient des arabesques sur la poitrine de sa robe turquoise. Il s'avança et, lorsqu'elle posa son regard sur ses yeux de faon, il sut qu'il était perdu. Retrouvant ses esprits, il lui expliqua que l'horrible génoise à carreaux roses et jaunes avait été inventée par un lointain parent à lui en l'honneur de la femme qui avait capturé son cœur. Comme la dame souffrait de catastrophiques allergies, il ne pouvait lui envoyer des fleurs, et il avait eu l'idée de les remplacer par un gâteau arborant les plus belles couleurs de son jardin. Les quatre carreaux devaient correspondre à chacune des facettes qui l'enchantaient chez la dame : sa peau pâle, sa modestie, son esprit et son talent au piano. Chaque semaine, un carrosse arrivait chez elle avec, sur le siège arrière, une corbeille contenant un gâteau.

Or, comme le médecin avait également interdit à la dame de manger du sucre, elle ne goûtait jamais au gâteau. Elle préféra ranger son meilleur service en porcelaine pour débarrasser les placards de la salle à manger et y placer ces témoignages d'amour.

Lorsque l'homme fut informé de toute l'histoire, il décida de napper les gâteaux de pâte d'amandes afin qu'ils se conservent mieux. Il continua à les confectionner et elle continua à les conserver, une habitude qu'ils maintinrent jusqu'à leurs noces, et la création fut baptisée d'après la ville allemande où ils passèrent leur lune de miel.

Lorsque Balthazar Jones acheva son histoire, il y eut un moment de silence absolu. L'épicier pakistanais, qui était tout aussi fasciné que Hebe Grammatikos, déclara simplement depuis sa place derrière le comptoir : « C'est la vraie vérité, miss ! », parce qu'il voulait que cela le soit.

Le jeune couple s'installa sur le muret devant la boutique et continua à bavarder si longtemps que Balthazar Jones finit par inviter Hebe à dîner, au grand désespoir de sa mère qui tenait à garder son fils pour elle seule lors de sa dernière soirée. Mais elle ne mit pas longtemps à apprécier tout autant Hebe Grammatikos, et elle proposa même à l'invitée minuscule à l'appétit majuscule une part supplémentaire d'agneau de lait. Lorsque le dernier métro de la jeune fille eut quitté son quai, Mme Jones lui fit un lit dans le couloir et se retira à l'étage avec son époux.

Quand tout fut enfin silencieux, Balthazar Jones persuada enfin l'extraordinaire créature qui allait changer sa vie d'entrer dans sa chambre en lui assurant qu'il était un parfait gentleman. Elle s'assit au bord du lit et lui demanda pourquoi il portait le nom de Balthazar.

Il lui raconta qu'il avait été baptisé d'après l'un des Rois mages, car il avait été conçu le jour de Noël. A son tour, elle lui révéla qu'elle portait le nom de la déesse grecque de la jeunesse. Tous deux bavardèrent jusqu'au-delà de minuit. Soudain, ils se rappelèrent qu'ils allaient être séparés dans quelques heures et décidèrent de ne pas se coucher, sachant que le sommeil ne ferait que hâter le moment impensable.

Tandis que l'aube cruelle chassait la nuit, Hebe Grammatikos embrassa l'extrémité de chacun des doigts effilés de Balthazar Jones, doigts qui devraient s'habituer à tenir un fusil.

Et lorsqu'il fut l'heure de se dire au revoir, elle se tint sur le seuil en compagnie de ses parents et se joignit à eux, avec la même pierre dans le cœur, pour agiter la main.

Balthazar Jones utilisa les timbres de la boutique du coin de la rue pour envoyer des lettres à la minuscule créature qu'il y avait rencontrée. Mais son écriture était toujours si troublée par l'amour qu'il fallait plusieurs semaines avant que les enveloppes n'arrivent à la bonne adresse.

Alors que les ronflements sonores de son camarade de chambrée le tenaient éveillé, le jeune soldat n'en pouvait plus d'attendre des réponses qui ne venaient pas, et il écrivait de plus en plus et de plus en plus souvent.

Deux ans plus tard, lorsqu'il fit sa demande, le facteur des Grammatikos soupira de soulagement : son dos n'aurait pas tenu plus longtemps.

Balthazar Jones ignora le coup frappé à la porte de la tour de Sel. Il demeura dans la position qu'il occupait sur le lit, la lettre serrée dans ses mains, tandis que le vent soufflait par les interstices des fenêtres à croisillons. Mais, au lieu de cesser, les coups se firent de plus en plus forts, au point que le hallebardier se décida à aller répondre de crainte que le vacarme ne finisse par attirer l'attention. Pieds nus, il chancela jusqu'au bas des escaliers, tira la porte et mit la main devant ses yeux pour se protéger de l'éclat éblouissant du ciel marmoréen. Devant lui se tenait le Dr Evangeline Moore, une mallette noire à la main.

— J'ai cru comprendre que vous n'alliez pas bien, dit-elle.

Trop troublé pour imaginer une raison crédible de ne pas la faire entrer, il s'écarta pour la laisser passer et la suivit à l'étage, conscient du froid qui engourdissait la plante de ses pieds noircie par son incursion nocturne sur les remparts. Une fois dans le séjour, le hallebardier se sentit soudain gêné de se montrer en vêtements de nuit devant la jeune femme et se précipita sur le canapé.

— Faites attention où vous mettez les pieds.

La praticienne, dont les boucles cuivrées brillaient dans le moindre rayon de soleil, s'écarta vivement de Mme Cook. Elle déboutonna la veste de son tailleur-pantalon et s'assit sur le fauteuil désassorti.

Elle sortit un dossier de sa mallette noire, l'ouvrit sur ses genoux et fit glisser un doigt le long de la page. Les sourcils froncés, elle leva les yeux et déclara :

— Selon le geôlier en chef, vous avez mangé trop de lamproies.

Balthazar Jones baissa les yeux vers le sol et se mit à triturer le tapis émacié d'un orteil crasseux. Le seul bruit provenait des infimes craquements que Mme Cook émit en se redressant pour entamer son voyage du jour à travers la pièce. Tandis que le hallebardier gardait les yeux rivés sur le sol, le médecin de la Tour observa la tortue un instant avant de lever les yeux vers son patient. Balthazar Jones avait réussi à percer un trou si grand dans le tapis que son orteil y disparaissait.

— Ce n'est pas si rare, déclara-t-elle soudain. Vous en seriez surpris. Combien de lamproies exactement ? Une demi-douzaine peut-être ? Bref, peu importe, je suis sûre que ce n'est pas si grave. Il suffit que vous vous reposiez toute la journée, termina-t-elle avec un sourire qu'il prit pour une conclusion.

Mais juste au moment où il crut qu'elle allait partir, elle proposa de l'examiner rapidement. Trop abattu pour refuser, il se leva, et le médecin procéda aux coups de marteau et autres supplices à l'aide d'un assortiment d'instruments qui n'auraient pas déparé dans l'exposition des instruments de torture de la tour de Wakefield.

Lorsque l'examen fut enfin terminé, Balthazar se réfugia sur le canapé et toucha immédiatement sa barbe dans un geste de réconfort en observant le médecin qui rangeait son armurerie dans sa mallette noire.

— Tout semble aller pour le mieux. Ne bougez pas, je connais le chemin, annonça la généraliste en passant pardessus Mme Cook et en se dirigeant vers la porte. La main posée sur la poignée, elle se retourna brusquement.

— Je suis désolée au sujet de votre femme.

Le silence qui s'ensuivit fut enfin rompu par le bruit de ses talons dans les escaliers en pierre. Nullement surpris que la rumeur ait déjà fait le tour de la Tour, le hallebardier resta vautré sur le canapé.

Puis, incapable de supporter les pensées qui menaçaient de le submerger, il se leva et se rendit à sa chambre. Il préférait largement se rendre à son poste plutôt que de supporter encore un instant ses incessantes ruminations.

Il enfila alors en chancelant le pantalon de son uniforme victorien.

Hors de vue, le maître des corbeaux s'agenouilla près du pont qui franchissait les douves et sortit ses ciseaux à ongles pour couper soigneusement l'herbe qui poussait autour des petites croix. C'était là qu'étaient ensevelis les corbeaux morts depuis longtemps, dont bon nombre étaient simplement tombés de leur perchoir.

En dépit des histoires dont on gavait les touristes, la légende de l'écroulement de la monarchie en cas de disparition des corbeaux de la Tour ne reposait sur rien. Juste avant la Seconde Guerre mondiale, lorsqu'on avait mis les corbeaux en cage afin de les emmener dans la nuit, la Couronne n'avait pas eu un seul frisson.

Le congé surprise des volatiles avait été organisé au plus haut niveau pour les mettre à l'abri d'une catastrophe qui risquait surtout de peser sur le moral de la nation.

Le même jour, les joyaux de la Couronne avaient connu le même sort : ils avaient été transportés en grand secret dans des coffres par des gardes armés déguisés en croque-morts et dissimulés dans les carrières de Westwood, dans le Wiltshire, à l'ouest de Londres.

Les cages des corbeaux avaient ainsi pris le chemin du pays de Galles et la maison mitoyenne de la tante d'un hallebardier à Swansea. Derrière les murs crépis du pavillon, le black-out était permanent, et la tante avait accepté de ne recevoir personne chez elle afin que nul n'apprenne que les corbeaux avaient quitté la Tour. Rémunérée pour servir de nounou aux oiseaux, la tante se vit en outre octroyer une pension qui lui serait versée jusqu'à la fin de ses jours pour garder le silence à propos de ce déplacement temporaire.

Lorsque la guerre prit fin, la tante racontait à qui voulait l'entendre (et à ceux qui n'en avaient aucune envie) qu'elle avait exécuté une mission secrète pour le gouvernement. Si sa logorrhée pouvait s'expliquer par une carence en communication humaine, la lueur de démence qui brillait dans ses yeux ne jouait guère en sa faveur, et personne ne voulut la croire, pas même la feuille de chou locale. Quant aux corbeaux de la guerre, une espèce particulièrement remarquable pour ses dons d'imitation, ils conservèrent le rocailleux accent gallois jusqu'à leurs derniers jours dans la forteresse.

Satisfait d'avoir rendu leur dignité aux tombes, le maître des corbeaux rangea ses ciseaux dans sa poche et se redressa. Il se dirigea alors vers l'entrée de la Tour et se tint sur le pont en attendant les touristes de la dernière visite de la journée. Ses mains gantées de noir serrées devant lui, il observa les visiteurs qui sortaient, scrutant leurs sacs à dos afin de s'assurer qu'aucun ne tentait d'emporter en fraude l'un de ses précieux corbeaux en guise de souvenir. Lorsqu'une des girafes des douves redressa la tête en quête d'une feuille, les touristes tendirent la main, et un homme équipé d'une caméra vidéo autour de son chapeau s'approcha pour demander au maître des corbeaux quand ouvrait la ménagerie.

— Après-demain, si le gardien de la Ménagerie royale parvient à se reprendre, répondit le maître des corbeaux dans sa moustache.

— J'ai entendu dire qu'il y avait une ménagerie ici il y a des années, poursuivit le touriste australien.

— Oui, jusque dans les années 1830, jusqu'à ce qu'on se rende compte que ce n'était pas une bonne idée de laisser des animaux sauvages s'installer ici. D'ailleurs, si vous voulez mon avis, c'est toujours vrai, déclara le maître des corbeaux en tournant les yeux vers les girafes.

— Quelqu'un aurait été tué ? insista l'homme plein d'espoir.

Le maître des corbeaux raconta alors l'histoire malheureuse de Mary Jenkinson qui vivait avec le gardien du lion.

— Un jour, en 1686, elle était dans la tanière en train de caresser l'une des pattes de l'animal lorsqu'il saisit son bras entre ses dents et ne voulut plus le lâcher. Pour sauver la vie de Mary, on dut lui amputer le bras, mais elle mourut quelques heures plus tard.

Le touriste transmit sans attendre l'histoire à sa femme qui, rayonnant également de satisfaction, proposa à son mari de revenir après l'ouverture de la ménagerie.

Le maître des corbeaux regarda sa montre et appela les touristes qui attendaient la visite suivante de s'approcher. Il ouvrit alors les bras et annonça de la voix d'outre-tombe qu'il adoptait pour tirer des pourboires des Américains :

— Bienvenue à la Forteresse et au Palais royal de Sa Majesté ! Bienvenue à la Tour de Londres ! J'ai l'immense honneur d'être votre guide et, pendant l'heure qui vient, nous remonterons le temps jusqu'à neuf cents années en arrière…

Une heure plus tard, il se tenait devant la porte de la chapelle, saluant les touristes qui sortaient en file indienne tandis que chacun déposait une pièce dans sa main tendue. Une fois le dernier parti, il se dirigea vers l'enclos des corbeaux et appela chaque oiseau par son nom.

Ils se posèrent çà et là avant de se pavaner dans l'herbe en direction de leurs nichoirs en bois. Lorsqu'ils y furent entrés, le maître des corbeaux verrouilla les portes afin de préserver ses protégés des mâchoires des renards urbains, puis regarda sa montre et lissa sa moustache gris pigeon de sa main gantée de cuir.

Dans l'attente de sa prochaine opération, il traversa d'un pas euphorique la forteresse jusqu'à la tour de Briques et, furtif comme un voleur de chevaux, jeta un regard derrière lui. Satisfait de voir que personne ne le surveillait, il déverrouilla la porte et la referma au vol en tendant la main vers la rampe. Soudain, il se rappela qu'il portait encore son maillot de corps, un article peu érotique entre tous.

Il déboutonna donc sa tunique bleu foncé, retira le sous-vêtement et le laissa tomber en petit tas sur la première marche afin de ne pas l'oublier en partant.

Une fois rhabillé, il grimpa les marches de pierres jusqu'à la porte du premier étage. Le bruit de la porte qui s'ouvrait effraya les oiseaux, surprit le maître des corbeaux qui, ayant totalement oublié la présence de la nouvelle volière, poussa lui aussi un cri de terreur. Lorsqu'Ambrosine Clarke arriva enfin, les volatiles tournoyaient encore en poussant des hurlements démentiels. Vêtue d'un jean et d'un pull dont l'encolure révélait largement les profondeurs enivrantes de sa gorge, la cuisinière du Café de la Tour exhalait une telle odeur de friture que le maître des corbeaux n'eut aucun mal à la reconnaître malgré la pénombre.

Après avoir arraché leurs vêtements, tous deux se laissèrent tomber sur le plancher où ils furent enfouis par les nuages de téguments de graines fouettés par le vol frénétique des oiseaux. Le cri final d'extase de la cuisinière fut noyé par les jurons du loricule que le vacarme avait réveillé alors qu'il faisait un petit somme tête en bas.

Depuis son retour, après sa patrouille de l'après-midi à travers la forteresse, Balthazar Jones n'avait pas bougé de sa position dans le canapé. Il ne s'était pas soucié de tirer les rideaux, et il restait assis, les yeux fixés sur la nuit qui forçait contre les fenêtres à croisillons de la tour. Devant lui, sur la table basse, se trouvait le maillot de corps qu'il avait trouvé en bas de la tour de Briques lorsqu'il était allé vérifier la volière avant de rentrer chez lui.

Il n'expliquait pas la présence du linge, pas plus que la scène qu'il avait découverte en poussant la porte de la volière : épuisés de terreur, les résidents s'étaient endormis sur leur perchoir en groupes serrés, comme pour se réchauffer, tandis que le loricule rêvait, oscillant tête en bas au-dessous. Le seul qui ne dormait pas était l'albatros hurlant, occupé à fouiller les lieux en quête de sa compagne qui n'avait pas quitté le zoo de Londres puisqu'elle n'appartenait pas à la reine.

Ce n'est que lorsque le froid le força à se lever que Balthazar Jones trouva le courage de monter dans sa chambre à l'étage. Il ferma les rideaux dont les anneaux, en glissant sur la tringle, rendirent leur petit son triste, puis se déshabilla le plus lentement possible pour repousser encore le moment. Une fois en pyjama, il passa plus de temps que d'habitude dans la salle de bains, car il avait décidé que c'était le moment ou jamais de réparer le robinet qui gouttait depuis l'arrivée de la famille à la Tour, huit ans plus tôt. Lorsqu'il finit par ne plus savoir que faire pour s'occuper, il revint vers la chambre et contempla le lit vide. Incapable de s'y allonger, il enfila un pull-over, éteignit la lumière et s'installa dans le fauteuil qui jouxtait la fenêtre.

Des heures plus tard, alors que le sommeil continuait de le fuir, il se releva, tira l'un des rideaux et ouvrit la fenêtre. Appuyé sur le rebord, il regarda la forteresse hideuse sous le clair de lune et inspira la nuit humide. Là, dans le silence de mort, il entendit le gémissement mélancolique de l'albatros qui s'accouplait pour la vie.

Chapitre onze

Au petit matin, lorsque Hebe Jones avait voulu quitter la forteresse avec sa valise, le hallebardier de garde avait refusé de déverrouiller la petite porte qui ouvrait dans l'énorme portail en chêne de la tour du Milieu.

— C'est contraire au règlement, répliqua-t-il lorsqu'elle protesta.

Elle s'assit sur sa valise couverte de trois années de poussière et jeta un coup d'œil à sa montre avec l'impatience d'un prisonnier sur le point de sortir. Lorsque six heures sonnèrent et que l'antique verrou fut enfin tiré, elle se leva et se mit en marche d'un bon pas avec la ferme intention de se rendre à son travail, mais, debout dans le wagon du métro, plus serrée contre des étrangers qu'elle ne l'avait été depuis longtemps de son mari, elle réalisa que l'idée de passer encore une journée à tenter de réunir des articles perdus avec leurs propriétaires distraits dépassait ses forces. Elle grimpa les marches jusqu'à la sortie et laissa un message sur le répondeur du bureau pour avertir Valerie Jennings qu'elle était souffrante et se mit à errer dans les rues. Au bout d'un moment, elle se retrouva devant l'entrée de Green Park et y pénétra pour échapper à la foule des banlieusards qui, cognant sa valise à leurs mollets en passant, se rendaient à leur travail. Malmenée par le vent tandis qu'elle se demandait comment être une mère alors que son enfant était mort, elle passa la majeure partie de la journée sur un banc.

Lorsque la nuit commença à tomber, la crainte la poussa à se lever. Elle retourna dans la chaleur du métro et se laissa porter par les rames en se demandant où les femmes allaient lorsqu'elles quittaient leur mari. Pour finir, ses pas la guidèrent jusqu'à Baker Street et l'hôtel Splendid, le seul qu'elle connaissait, car elle y déjeunait chaque année pour l'anniversaire de Valerie Jennings. Lorsque la réceptionniste lui demanda si elle avait besoin d'une chambre double ou pour une personne, elle baissa les yeux.

— Je suis seule, répondit-elle en se demandant si la femme était capable de deviner que son mariage venait de prendre fin.

Après avoir été conduite à sa chambre par un groom polonais qui insista pour porter sa valise, elle s'assit sur son lit, et son estomac lui rappela qu'elle n'avait rien mangé de la journée. Sans quitter son manteau, elle commanda un sandwich au jambon et à la moutarde, et le mangea devant la coiffeuse. En ouvrant sa valise, lorsqu'elle s'aperçut qu'elle avait oublié sa chemise de nuit, elle la vit étalée sur le lit de la tour de Sel. Son esprit revint à son mari, et elle se demanda s'il y avait quelque chose pour son souper dans le réfrigérateur.

Elle n'avait pas très envie de dormir dans cet environnement aussi peu familier, mais elle suspendit son manteau et sa jupe dans la penderie vide et se glissa dans le lit avec son chemisier et ses collants.

En regardant autour d'elle les rideaux crème, le peignoir et le linge de toilette blanc luxueux et le vase de roses sur le bureau, elle imagina les jeunes couples en lune de miel qui avaient scellé leurs vœux dans cette chambre. Et elle se demanda combien d'entre eux étaient encore ensemble.

Entre des bribes de sommeil, elle passa la nuit à écouter les claquements de portes qui annonçaient le retour des résidants de l'hôtel, et les éclats intermittents de rire qui provenaient de l'étage au-dessus. Le matin suivant, en dépit de l'élégance de la salle à manger avec ses serviettes en lin blanc, son argenterie étincelante et ses serveurs en uniforme, Hebe Jones sauta le petit-déjeuner, lui préférant l'intimité du Bureau des objets trouvés.

Après avoir glissé sa valise sous sa table de travail, elle se dirigea vers le comptoir victorien d'origine et ouvrit l'un des registres de la veille. Elle constata que Samuel Crapper était venu récupérer le plant de tomates qu'il avait perdu plus tôt dans le mois, qu'une partition de musique écrite à la main avait été découverte sur la ligne Hammersmith & City et qu'une nouvelle robe de mariage avait été abandonnée sur un banc de la station de Tottenham Court Road.

Assise à sa table, elle était encore en train de contempler l'annuaire du téléphone d'un air abattu à l'arrivée de Valerie Jennings qui, tout en déboutonnant son manteau bleu marine devant la poupée gonflable, lui demanda si elle se sentait mieux.

— Oui, merci, répondit Hebe Jones en remarquant que sa collègue n'était pas comme d'habitude. Une touche de mascara faisait ressortir ses yeux derrière ses lunettes, un ornement qu'elle réservait normalement à son déjeuner d'anniversaire à l'hôtel Splendid ; au lieu de ses chaussures noires à talons plats, elle avait serré ses pieds dans une paire d'escarpins à talons hauts ; et au lieu de la boîte en carton qui portait le nom de la boulangerie du quartier, Valerie Jennings ne transportait qu'un sac en papier brun, de ceux qu'utilisent toujours les marchands de primeurs.

— Quand revois-tu Arthur Catnip ? demanda Hebe Jones.

Les yeux de Valerie Jennings se détournèrent en un éclair.

— Je n'en sais rien, répondit-elle en accrochant son manteau. Je n'ai pas eu de nouvelles.

Elle déplia ensuite son journal et le tendit à Hebe Jones.

— Tu te souviens du type qui est venu nous demander, dans la cabane à thé, si nous avions vu un sanglier à moustaches ? demanda-t-elle. Apparemment, le sanglier s'est échappé du zoo de Londres et il n'a pas été retrouvé.

Hebe Jones observa la photographie de la créature dans son enclos, les poils de son museau luisant s'étalant sur plusieurs colonnes en première page du quotidien.

Avec un frisson, elle rendit le journal et retourna à l'annuaire qu'elle continua de feuilleter. Puis elle décrocha le combiné et composa un numéro.

— Je suis bien chez madame Perkins ? demanda-t-elle lorsqu'on lui répondit enfin.

— Oui.

— Ici madame Jones du Bureau des objets trouvés du métro de Londres. On nous a remis un article qui concerne une Clementine Perkins qui serait décédée l'an dernier. Je me demandais si vous la connaissiez.

Il y eut un moment de silence.

— Vous l'avez retrouvée ?

La réponse avait tardé.

— Nous n'avons pas eu une minute de repos depuis sa disparition. Mon mari va être si content. Comment puis-je venir la récupérer ? Mes jambes ne sont plus très solides, vous savez. Et mon mari ne va jamais en ville. Il trouve qu'il y a trop de monde et il dit qu'il n'a pas envie de faire du surplace pendant des heures pour rentrer ensuite à la maison.

— Voulez-vous que je vous l'apporte ? Ce n'est pas quelque chose que j'oserais confier au service postal.

— Ce serait vraiment gentil à vous.

Il ne fallut pas longtemps à Hebe Jones pour dénicher la maison qui se tenait à l'écart des autres dans la rue, au-delà de sa pelouse envahie par les mauvaises herbes. Elle poussa le portail rouillé qui lui parut rugueux sous les doigts, car la peinture pelait.

Encouragée par la pensée d'avoir enfin trouvé le propriétaire de l'urne, elle longea vivement l'allée de béton, jeta un coup d'œil au panneau PAS DE PUB et appuya sur la sonnette.

Comme personne ne répondait, elle vérifia l'adresse et appuya à nouveau sur la sonnette. Enfin, une femme âgée vêtue d'une robe de chambre rose ouvrit la porte.

— Madame Perkins ?

— Oui, répondit la femme en plissant les yeux dans la lumière.

— Je suis madame Jones, du Bureau des objets trouvés du métro de Londres. Je vous ai parlé au téléphone.

— Ah oui, je me souviens, dit-elle en reculant. Entrez, entrez. Vous voulez une tasse de thé ?

Pendant que la femme s'affairait dans la cuisine, Hebe Jones chercha un endroit où s'asseoir.

Dans le salon, le désordre régnait en maître : piles de journaux gratuits en équilibre sur la moquette, vitrines croulant sous les bibelots bon marché et tasses sales qui oscillaient sur le manteau de la cheminée.

Mme Perkins revint enfin avec un plateau surmonté de deux tasses avec soucoupe qu'elle posa sur la table.

— Un biscuit ? proposa-t-elle en tendant une assiette.

Hebe Jones refusa, mais la femme se servit, écarta d'un fauteuil un tas de lettres encore cachetées et s'assit.

— Quel nom vous avez dit déjà ? demanda-t-elle.

— Hebe.

— C'est un joli nom. *Hebe veronica*… J'en ai dans le jardin, des véroniques, ajouta-t-elle en inclinant la tête vers les portes-fenêtres.

Hebe Jones s'empara de sa tasse et de sa soucoupe qu'elle posa sur ses genoux.

— En fait, mes parents m'ont donné le nom de la déesse grecque de la jeunesse et non de la plante.

Il y eut un silence.

— Je croyais que mes parents m'avaient appelée Flora en pensant à la déesse des fleurs, mais la vérité, c'est à cause de la margarine, commenta Mme Perkins en regardant fixement devant elle.

Hebe Jones baissa les yeux vers son thé.

— Rappelez-moi pourquoi vous êtes venue, ma belle ? demanda la vieille femme.

— Au sujet de Clementine.

— Ah oui. Nous l'aimions tant, dit-elle en fouillant la poche de sa robe de chambre en quête d'un mouchoir en papier. Elle commençait à perdre la tête et nous savions qu'elle n'allait pas faire long feu, mais c'est toujours un choc quand ça arrive. Même maintenant, je n'arrive pas à croire qu'elle soit partie. Je la vois encore en train d'entrer par la porte et de s'asseoir à l'endroit même où vous vous trouvez. Nous l'avons enterrée dans le jardin. C'était si important pour elle. Elle était toujours en train d'y aller pour tripoter les rosiers.

— Je vois, répondit Hebe Jones sans lâcher sa tasse.

— Mon mari pense que c'est un de ces renards de ville qui l'a déterrée. Qu'il a été attiré par l'odeur.

— L'odeur ?

— Ben, on se met à pourrir, non ? J'ai dit à mon mari de ne pas se servir d'une boîte en carton, mais il a insisté. Je lui ai dit que Clementine méritait mieux, mais il a dit que j'étais trop sentimentale. Alors, j'ai écrit son nom dessus pour que ça sorte un peu de l'ordinaire, déclara Mme Perkins en grattant un fil qui dépassait de l'accoudoir. Lorsque nous avons découvert qu'elle avait été déterrée, poursuivit-elle, nous avons eu le cœur brisé. Il y a des gens qui ne peuvent pas comprendre. Nous pensions que la boîte réapparaîtrait dans un des jardins voisins, mais vous avez dit qu'elle avait été trouvée dans le métro. Ce n'est pas bien. Je pense que les gens d'à côté ont quelque chose à voir avec cette affaire. Ils ne l'ont jamais aimée. Elle allait toujours gratter du côté de leur serre. Les chats sont très indépendants, vous savez, ajouta-t-elle en mordant enfin dans son biscuit à la crème.

Après s'être assuré que les ouvriers avaient bien installé tous les panneaux à temps pour l'ouverture de la Ménagerie royale cet après-midi-là, Balthazar Jones entra dans la tour de Develin. Il surprit le sanglier à moustaches dans un état d'extase absolue, les yeux clos et le museau poilu pointé vers les cieux tandis qu'il frottait ses considérables flancs contre le coin de la cheminée en pierre. Le hallebardier s'assit sur la paille, s'appuyant contre le mur circulaire et étendit les jambes. En voyant son gardien, l'animal envoya le pamplemousse cabossé voler de l'autre côté de la pièce et chargea derrière lui. Une fois qu'il l'eut rattrapé, le cochon tourna la tête vers l'homme à la moustache si peu impressionnante. Il n'y eut pas de réponse. Faisant à nouveau rouler la boule jaune du bout de son museau, il galopa à sa suite, le blaireau de sa queue fendant l'air comme un drapeau au-dessus de son considérable arrière-train. Il regarda à nouveau le hallebardier qui fixait aveuglément le vide devant lui, mais ne reçut pas le moindre encouragement. Le cochon avança alors lentement vers la paille et s'allongea près de l'homme en appuyant son dos contre sa cuisse.

Ignorant l'humidité qui s'infiltrait dans sa tunique, Balthazar Jones se demandait toujours où sa femme avait passé la nuit en espérant qu'elle n'avait pas eu froid sans sa chemise de nuit. Un frisson le parcourut lorsqu'il l'imagina en train de se réchauffer dans les bras d'un autre.

Il ramassa un brin de paille et se mit à jouer avec, se souvenant du jour où, des années auparavant, elle lui avait promis d'être sienne à tout jamais.

Deux ans après leur rencontre, Balthazar Jones avait invité Hebe Grammatikos à Hampstead Ponds, sur la colline qui dominait Londres, dans le seul but d'admirer la jeune femme dans son bikini rouge. A leur arrivée, elle adopta immédiatement une position horizontale sur la rive dans son nouveau maillot de bain, les cheveux étalés en halo sur l'herbe. Lorsqu'il tenta de l'attirer dans l'eau, elle prétendit qu'elle la trouvait trop froide (mais le pays traversait une vague de chaleur record qui entraîna le licenciement d'un météorologue annonciateur de précipitations). Sourd à ses arguments, Balthazar Jones finit par l'entraîner avec lui dans l'eau douce, et ce n'est que lorsque le jeune soldat alla chercher son appareil photo et se retourna pour la regarder depuis la berge qu'il songea qu'elle ne savait peut-être pas nager. Il l'observa disparaître sans bruit dans l'ombre des chênes qui dominaient les berges. Quelques secondes plus tard, quand elle émergea, ses cheveux dessinaient autour d'elle comme une tache d'huile.

Lorsqu'elle sombra à nouveau, il fila vers elle et tendit ses mains désespérées vers son corps. Incapable de la retrouver dans l'eau trouble, il inspira un grand coup avant de plonger à son tour, mais les fonds étaient encore plus vaseux et ce n'est qu'avec la vision du désespoir qu'il finit par repérer une mèche de cheveux noirs à quelques brasses de lui. Lorsqu'il eut réussi à immobiliser son corps qui lui glissait entre les mains à la manière d'une anguille, il la tira jusqu'à la rive et, avant qu'elle n'ait eu le temps de reprendre son souffle, la demanda en mariage.

Il préférait de loin épouser la mourante Hebe Grammatikos que n'importe quelle femme vivante.

A l'hôpital, lorsque Hebe Grammatikos revint enfin à elle, un brin d'algue dans la bouche, toutes les infirmières et les aides-soignantes la félicitèrent d'avoir survécu et trouvé un mari. Jusqu'à la célébration, alors que les deux fiancés suffoquaient de bonheur, ils évoquèrent souvent cette demande plus romantique que tout ce que Balthazar Jones aurait pu planifier. Le seul regret de Hebe Jones était qu'elle n'en avait aucun souvenir.

Elle avait cru qu'il lui suffirait de faire quelques pas dans l'eau pour se mettre à nager comme par miracle. Et chaque fois qu'elle demandait à Balthazar Jones de lui rappeler ce qu'elle avait répondu, il citait un proverbe tout droit sorti de la superstition familiale grecque :

— « Un tien vaut mieux que deux tu l'auras. »

Le grognement soudain du sanglier à moustaches dans son sommeil tira le hallebardier de ses rêveries. En se relevant doucement pour ne pas déranger l'animal, il regarda sa montre, brossa ses habits et se hâta d'aller à la rencontre de l'envoyé du Palais avant l'ouverture de la Ménagerie.

Lorsqu'il poussa la porte du Rack & Ruin, il découvrit Oswin Fielding déjà installé à la table située près de l'autographe encadré de Rudolf Hess. Il s'approcha de la patronne et commanda un jus d'orange en dépit de son envie d'une pinte. Il rapporta son verre entre les tables occupées par de nombreux hallebardiers qui prenaient leur pause déjeuner, et s'assit en face du courtisan.

— Je suis désolé au sujet de votre épouse, dit Oswin Fielding.

Balthazar Jones le fixa.

— Comment êtes-vous au courant ? demanda-t-il.

— Je l'ai entendu dire. Vous avez toute ma sympathie. Ma femme m'a quitté il y a plusieurs années. On ne s'en remet jamais.

Les deux hommes fixèrent leur verre.

— Quoi qu'il en soit, finit par continuer le courtisan, revenons à notre affaire. Etes-vous prêt pour l'ouverture ?

— Oui, répondit le hallebardier. Des nouvelles des manchots ?

— Malheureusement, non. Heureusement, l'ambassade

d'Argentine ne s'est pas manifestée, et il semble donc qu'ils ne soient pas au courant. Espérons que les choses demeurent ainsi. Toutefois, nous avons eu des nouvelles du cabinet du président du Brésil. Rappelez-vous que c'est le Brésil qui a offert les ouistitis de Geoffroy à la reine. Le type voulait savoir pourquoi ils exhibaient leurs organes dans ces clichés où vous apparaissez et qui, comme il nous l'a signalé, ont été publiés dans le monde entier.

Le hallebardier détourna les yeux.

— Apparemment, c'est un truc qu'ils font lorsqu'ils sentent venir le danger.

— Vraiment ? L'écuyer fronça les sourcils. Comme je n'en étais pas très sûr, je leur ai dit que c'était sans doute à cause de votre uniforme.

— Mon uniforme ? Et que vous a-t-il répondu ?

— Il a déclaré qu'il trouvait difficile d'imaginer que les singes trouvent la tenue des hallebardiers des plus sexy. J'ai essayé de lui expliquer que la Tour de Londres attire chaque année plus de deux millions de visiteurs et qu'ils ne viennent pas de toute la planète uniquement pour admirer les joyaux de la Couronne. Pour conclure, j'ai déclaré que l'histoire offre des plaisirs infinis.

— Et qu'a-t-il répondu. ?

L'écuyer tendit la main vers son verre.

— Je n'ai pas bien compris. Il parlait portugais.

Lorsque vint le moment d'ouvrir la ménagerie au public, Balthazar Jones déverrouilla le portail qui conduisait aux douves. Les visiteurs, qui patientaient depuis des heures, firent un pas en avant, et le hallebardier lui emboîta le pas au cas où ils auraient des questions – auxquelles il craignait de ne pas pouvoir répondre. La foule s'arrêta devant l'enclos des manchots (vide) et déchiffra obligeamment l'inscription qui expliquait que ces spécimens n'étaient pas seulement les plus petits manchots du monde, mais aussi les plus opportunistes. Les touristes acceptèrent sans rechigner l'explication du hallebardier qui les informa qu'ils étaient chez le vétérinaire, puis ils continuèrent en faisant claquer leurs pieds sur le ponton en bois pour aller inspecter le cadeau du président de la Russie. Au-delà du panneau qui disait NOURRISSEZ-MOI, ils fixèrent la petite créature qui évoquait un ourson à rayures jaunes sur sa fourrure brune. Le glouton émit un rot peu élégant, et une fillette demanda à Balthazar Jones si l'animal mangeait beaucoup.

— Plus que le geôlier en chef, répondit le hallebardier.

Comme ils se dirigeaient vers les girafes, le hallebardier leur proposa d'aller voir la duchesse d'York avant qu'il y ait trop d'attente. Devant leur assentiment, il les conduisit dans la forteresse, jusqu'à la tour de Devereux. Une fois que les touristes eurent surmonté leur déception (ils s'attendaient à contempler l'ex-belle-sœur de la princesse Diana en chair et en os) devant le singe plutôt bleu de teint, à la truffe retroussée et aux poils blond vénitien, ils sortirent leurs appareils photo en déclarant que la similitude était remarquable. Le hallebardier leur suggéra d'aller voir ensuite les oiseaux, mais la foule avait envahi les marches pour admirer les ouistitis de Geoffroy à face blanche dans toute leur gloire.

Irrité par l'invasion soudaine des abominables touristes, le geôlier en chef traversa la Pelouse en s'arrêtant pour indiquer à l'un d'entre eux la direction du Café de la Tour. Après lui avoir souhaité bonne chance, il continua jusqu'à la chapelle royale de Saint-Pierre-aux-Liens en se demandant s'il allait pouvoir dormir à nouveau. Il avait été réveillé à l'aube par le bruit de bottes en cuir qui allaient et venaient dans la chambre située sous le séjour.

Au lieu d'imprécations contre les Espagnols, la maison avait été envahie de supplications extrêmement poétiques à propos d'une dame du nom de Cynthia. Peu de temps après, la puanteur du tabac qui s'était infiltrée sous la porte de sa chambre l'avait rendu fou d'envie pour une bouffée de nicotine. Mais il était resté dans son lit, les draps remontés jusqu'au menton, craignant non seulement pour ses pommes de terre, mais aussi pour la vie de la musaraigne extrêmement sensible de Sa Majesté.

Lorsque lui et sa femme s'étaient installés à la Tour, il leur avait paru étrange qu'une maison aussi vaste soit restée vide. En apprenant que les locataires précédents avaient déménagé pour l'un des pavillons mitoyens de la rue de la Monnaie, ils s'étaient dit qu'ils avaient dû être découragés par le nombre de fenêtres fermées par des planches clouées, les cheminées bouchées et les innombrables verrous qui garnissaient les portes. Ils avaient donc arraché les clous, débouché les cheminées et ne tiraient qu'un seul verrou le soir. Main dans la main, ils avaient sélectionné un nouveau papier peint et commencé à poncer les murs noirs de fumée de tabac, écoutant les disques sur le gramophone qu'on leur avait offert pour leur mariage il y avait tant d'années. Il n'avait pas fallu longtemps pour qu'ils découvrent les funestes avertissements que les enfants de leurs prédécesseurs avaient griffonnés sur les murs. Ecartant ces graffitis comme autant d'effets de l'imagination toujours débordante de la jeunesse, ils avaient poursuivi leurs travaux de décoration tout en balançant leurs hanches matures sur la musique qui leur rappelait le temps de leurs fiançailles.

Leur bonheur commença à donner des signes d'épuisement lorsque la femme du geôlier en chef accusa son mari d'avoir recommencé à fumer, ce qu'il nia catégoriquement. Et la fureur de sa femme augmenta proportionnellement au nombre de ses dénégations. Elle finit par citer trois de ses parents dont la vie avait été dramatiquement raccourcie par le vice en question, mais l'odeur du tabac continua à envahir leur foyer chaque soir. Convaincue que son mari était sur le point de connaître une précoce et douloureuse agonie, elle quitta la Tour en quête d'un remplaçant, une tâche qui ne lui prit que peu de temps, car elle jouissait d'attraits considérables.

Incapable de supporter la demeure vide, où la simple vue du gramophone le faisait éclater en sanglots, le geôlier en chef passait ses soirées au Rack & Ruin.

Entre deux histoires dont ils étaient les héros alors qu'ils servaient dans les forces armées, les autres hallebardiers se vantaient de leurs rencontres avec les fantômes de la Tour avec encore plus de bravade. Plusieurs d'entre eux affirmaient avoir entendu les grincements de Margaret Pole, comtesse de Salisbury, qui avait été pourchassée par le bourreau armé d'une hache après que le premier coup eut échoué à la décapiter.

Plusieurs aussi déclaraient avoir vu la forme blanche de Thomas More, assise sur l'un des prie-Dieu de la chapelle. Et tous juraient par tous les diables qu'ils avaient vu de leurs yeux vu le terrifiant martyre de la poétesse protestante Anne Askew, seule femme à jamais avoir été écartelée sur le chevalet.

Le geôlier en chef n'en perdait pas une miette, mais il n'avoua jamais que le spectre de Sir Walter Raleigh avait élu domicile chez lui, une chose qui le terrifiait davantage que tout ce dont il avait été témoin sur le champ de bataille.

L'esprit était revenu à la Tour pour rédiger le deuxième tome de son *Histoire du monde*. Le premier, écrit pendant les treize années de sa détention, avait remporté un succès immédiat, dépassant les ventes des œuvres complètes de William Shakespeare.

Raleigh avait cru que la suite lui viendrait avec la même facilité, mais, alors qu'il était installé devant sa vieille écritoire de la tour Sanglante au milieu de ses globes terrestres et de ses rouleaux de cartes, il fut frappé par le syndrome du second manuscrit. Tout en grignotant l'extrémité de sa plume de ses dents tachées de goudron, cherchant désespérément à retenir les mots qui lui échappaient, il finit par se convaincre que le succès du premier volume devait s'expliquer par une certaine nostalgie envers l'homme qui avait introduit en Angleterre la puissante pomme de terre. Et même l'ale que lui apportait la forme tout aussi spectrale d'Owen-le-porteur-d'eau ne parvenait pas à le dépanner.

Le geôlier en chef poussa sur la poignée glacée et pénétra dans la chapelle où, plié en deux, le révérend Septimus Drew s'efforçait de retirer un chewing-gum sur le bas d'une chaise en pinçant furieusement la tapisserie de ses doigts protégés par des gants en caoutchouc rose.

— J'ai besoin de votre aide, annonça le geôlier en chef en s'avançant dans l'allée.

L'homme d'Eglise se redressa et posa ses poignets roses sur ses hanches.

— Naissance, mariage ou mort ? demanda-t-il.

— Exorcisme.

Lorsque Hebe Jones revint de sa visite inutile chez Mme Perkins, elle déboutonna son manteau turquoise en silence à côté du tiroir qui contenait cent cinquante-sept paires de fausses dents.

— Des résultats ? demanda Valerie Jennings.

— Ce n'était pas la bonne personne, répondit-elle en sortant l'urne de son sac pour la reposer sur sa table de travail.

Après un silence, Valerie Jennings ajouta :

— Tu pars en voyage ?

— Non, pourquoi ?

— A cause de la valise qui est sous ton bureau.

Il ne fallut pas longtemps pour que les larmes se mettent à couler. Hebe Jones pleura pour son mari qui, jusqu'à la tragédie, était toujours impatient de la voir, tous les jours, après trois décennies de mariage. Elle pleura pour Milon, tout seul là-haut dans le ciel, qu'elle voulait rejoindre.

Et alors qu'elle pensait en avoir terminé, elle pleura pour l'étranger qui avait égaré les restes de Clementine Perkins et qu'elle n'arrivait pas à retrouver.

Ce n'est qu'une heure plus tard, lorsque Valerie Jennings l'eut installée dans le fauteuil inclinable avec repose-pieds réglable et qu'elle eut emporté sa valise dans la chambre d'amis que les larmes de Hebe se tarirent enfin.

Chapitre douze

Le révérend Septimus Drew traversa la Pelouse en laissant de grandes empreintes sombres dans l'herbe raide de givre. Il avait passé la majeure partie de la nuit à se morfondre à propos de l'affection de Ruby Dore pour une créature qui ne méritait pas même une mention dans la Bible, et de son incapacité à la séduire avec le précieux cake à la mélasse de sa mère.

Lorsqu'il se leva, il n'avait plus le temps de s'adonner aux délices de la marmelade d'orange de chez Fortnum & Mason et, ignorant les cris que le geôlier en chef lui adressait depuis la fenêtre de sa chambre, il quitta la forteresse aussi vite que le lui permettaient ses trop longues jambes. Assis dans le wagon du métro, en direction du Refuge pour dames de la nuit à la retraite qui avaient été blessées par l'amour dans ses nombreux atours, il glissa les doigts dans la boîte posée sur ses genoux pour émietter un petit morceau de biscuit. Il avait confectionné pour les dames des biscuits auxquels il avait donné la forme des apôtres, gratifiant chacun de traits caractéristiques dans de minutieux tracés de glaçage blanc. Tout en grignotant le morceau, il se mit à espérer qu'aucune des dames ne remarquerait l'absence des jambes de Judas Iscariote.

Lorsqu'il arriva au refuge, la matrone avait déjà installé une nouvelle résidente dans une chambre à lit à une place surmonté par une croix en bois. Assis en face d'elle dans la salle commune, le chapelain lui expliqua qu'elle bénéficierait du couvert et du logis pendant six mois, au cours desquels on l'aiderait à trouver un autre emploi.

Pendant ce temps, elle pouvait, si elle le souhaitait, aider les autres femmes dans le potager qui était devenu une tâche d'amour. Car, expliqua-t-il, hormis la prière, il n'y avait rien de plus roboratif pour l'âme que de cultiver la bonne terre de Dieu et y voir croître les fruits de son travail.

Il tendit la boîte de biscuits dont la femme s'empara d'une main aux ongles peints en rouge. Après avoir essuyé les miettes de ses lèvres rouges, elle félicita l'homme d'Eglise pour son talent de pâtissier, puis s'enquit poliment du handicap de Judas Iscariote.

A son retour à la Tour, le chapelain fut interpellé par un touriste qui lui demandait où se trouvait la zorille. En se détournant de sa porte d'entrée bleue dont il cherchait la clef, l'homme d'Eglise tendit la main.

— Par là, à droite. Suivez l'odeur.

Une fois à l'intérieur, il verrouilla la porte derrière lui et grimpa les marches en bois usés jusqu'à son cabinet de travail. Armé de son stylo à encre, il se mit à composer un sermon en soignant particulièrement l'intrigue de manière à éviter que les hallebardiers ne s'endorment contre leur radiateur.

Il était si concentré sur sa tâche qu'il n'entendit pas le premier coup frappé à la porte. Il ignora le deuxième parce qu'il redoutait qu'il s'agisse de la présidente de la Société des amis de Richard III. Il l'avait repérée dès son retour, assise sur un banc près de la tour Blanche, et avait décelé en elle le brûlant désir de dévoiler la dernière découverte de la Société en matière de preuves à l'appui de l'alibi du machiavélique monarque.

Au troisième coup, le révérend Septimus Drew posa sa plume avec un geste d'irritation et se leva pour aller appuyer son front contre le carreau glacé et voir qui maltraitait ainsi sa porte. Dès qu'il vit qu'il s'agissait de Ruby Dore, qui soufflait dans ses mains et tapait des pieds pour se réchauffer, il se précipita, le cœur serré. Il atteignit la porte et l'ouvrit dans un tel état d'excitation que la jeune femme lui demanda s'il était tombé dans l'escalier.

A la fois ravi et stupéfait de la visite, il s'effaça pour laisser entrer la patronne du pub et lui indiqua la direction de la cuisine en souhaitant éviter de lui imposer son mélancolique salon de vieux garçon, d'autant qu'il avait laissé la biographie de l'exterminateur de la reine Victoria sur le fauteuil. Mais comme il lui offrait de s'asseoir à la table immaculée, le doute s'empara à nouveau de lui. Sur la paillasse trônait la triste théière individuelle et son unique tasse assortie ; dans le panier à légumes, une carotte tout aussi solitaire germait ; et dressé sur l'appui de fenêtre traînait une édition abondamment feuilletée de *Dîners en solo*. Il s'attacha à remplir la bouilloire pour dissimuler sa gêne et finit par se tourner vers elle en tenant les deux mugs devant lui.

— Thé ou café ? demanda-t-il.

— Café, merci, répondit-elle en retirant l'écharpe lavande qu'elle avait tricotée elle-même.

Une fois qu'ils furent assis l'un en face de l'autre, Ruby Dore se couvrit le visage des deux mains et murmura à travers ses doigts :

— J'ai quelque chose à avouer.

Le chapelain fut sur le point de préciser qu'il ne faisait pas dans la confession et qu'elle ferait mieux d'aller voir les catholiques en bas de la rue, mais la patronne du Rack & Ruin poursuivait déjà. Elle avait eu l'intention de lui rapporter le cake qu'il avait oublié dans le pub, affirma-t-elle, mais, lorsqu'elle avait ouvert le couvercle de la boîte et humé l'arôme de la mélasse, elle n'avait pu résister à l'envie d'en couper une tranche. Elle en avait mangé une seconde juste pour vérifier qu'il était aussi bon que ce qu'elle pensait et, comme elle ne pouvait vraiment pas rapporter un gâteau entamé, elle l'avait rapidement terminé.

— J'ai un moment pensé à accuser le canari, mais je ne suis pas sûre que vous auriez gobé cela, admit-elle.

Le révérend Septimus Drew écarta les excuses du revers de la main en soulignant que son absence de résistance était un compliment pour sa mère qui lui avait donné la recette. Ruby Dore en demanda immédiatement une copie, et il l'écrivit avec la calligraphie flamboyante d'une victime de l'amour. Pendant qu'ils buvaient leur café, Ruby Dore lui parla de son dernier achat pour sa collection d'articles de la Tour, un pot de rouge qui aurait été utilisé par Lord Nithsdale lors de son évasion en 1716, lorsqu'il s'était déguisé en femme. L'homme d'Eglise commenta que, de toutes les évasions, c'était sa préférée, et qu'il avait l'espoir d'aller visiter un jour Traquair House, dans la région des Scottish Borders, où le manteau féminin porté par le jacobite barbu était exposé.

Lorsque Ruby Dore se leva pour partir, le révérend Septimus Drew éprouva soudain la meurtrissure de la solitude.

— Avez-vous envie d'aller voir le Musée de l'abbaye de Westminster ce matin ? proposa-t-il soudain. L'exposition comporte le plus vieux perroquet empaillé du monde.

Ruby Dore partit en quête de quelqu'un pour la remplacer derrière le bar, et le chapelain fila à l'étage. Il retira sa soutane, peigna soigneusement ses cheveux et revint prendre place à la table de la cuisine en espérant que la chance lui sourirait.

Ayant corrompu la femme d'un hallebardier pour la remplacer en échange d'une bouteille de vin, Ruby réapparut peu de temps après.

Ils se glissèrent hors de la Tour en se cachant au milieu des touristes, et ils furent tous deux surpris par la longueur de la queue de ceux qui attendaient à l'entrée. Face à face, dans le métro, ils évoquèrent l'extraordinaire succès de la Ménagerie royale, auquel personne ne s'attendait. Ce n'est que lorsque le chapelain eut achevé de lui expliquer pourquoi il aimait les basilics à plumes qu'il s'aperçut qu'il avait oublié de mettre des chaussettes avant de partir.

Quand ils arrivèrent à l'abbaye, Ruby Dore demanda s'il voulait bien aller jeter un coup d'œil au tombeau de Newton, qui avait été maître de la Monnaie royale, à la Tour, pendant vingt-huit ans. Ils se tinrent côte à côte devant le sarcophage dont le bas-relief représentait des garçons nus qui portaient un lingot d'or, des récipients débordant de pièces ou allumaient un feu.

A la grande joie de Ruby Dore, le chapelain la conduisit ensuite vers le transept sud, dans le Coin des poètes, pour lui faire admirer le monument de Purbeck, en marbre gris, élevé à la gloire de Chaucer, qui avait été clerc des Travaux à la forteresse de 1389 à 1391.

Après une brève pause pour lui signaler la porte la plus vieille – aux environs de 1050 – de Grande-Bretagne, le révérend Septimus Drew la guida jusqu'au musée situé dans la crypte voûtée du XIe siècle de Saint-Pierre. Ruby Dore s'émerveilla de la collection des effigies grandeur nature des rois, des reines et des personnalités de la société, la plupart revêtues de leurs propres vêtements et toutes, hormis l'amiral Nelson, enterrées dans l'abbaye.

L'homme d'Eglise expliqua qu'à une époque, le corps des monarques décédés était embaumé et exposé pour la procession et le service funéraire. Par la suite, en raison du temps nécessaire à la préparation de la cérémonie, on utilisait plutôt des effigies. Après 1660, les effigies ne faisant plus partie de la procession funéraire, elles furent remplacées par une couronne en or sur un coussin de pourpre –

même si elles continuèrent à marquer l'emplacement de la tombe.

Il lui montra la vitrine qui renfermait la plus vieille de toutes : celle d'Edouard III fabriquée avec un morceau de bois de noyer évidé. La curiosité du XIVe siècle avait été analysée par un spécialiste du laboratoire de la Police métropolitaine.

— Il découvrit que les rares poils de ses sourcils qui restaient étaient ceux d'un petit chien, ajouta-t-il.

Alors qu'ils se rapprochaient d'Henri VII, l'homme d'Eglise précisa que son visage, avec sa bouche tordue, ses joues creuses et sa mâchoire serrée, avait été façonné à partir de son masque mortuaire.

Ruby Dore se dirigea vers Nelson, que le musée avait acheté en 1806 pour détourner les touristes de la tombe de l'amiral, située dans la cathédrale de Saint-Paul (entrée gratuite) et les attirer dans l'abbaye (entrée payante). En la rejoignant, le révérend Septimus Drew commenta :

— On dirait que son œil gauche est aveugle et pas son droit.

Enfin, le couple arriva devant la duchesse de Richmond et Lennox, vêtue des robes qu'elle portait pour le couronnement de la reine Anne en 1702. Ruby Dore se pencha afin d'observer de plus près le perroquet empaillé juché sur son perchoir à côté de la statue. Pendant des siècles, il avait attiré des processions de taxidermistes myopes du monde entier qui s'agenouillaient devant le saint spécimen.

Alors que Ruby contemplait l'oiseau, le révérend Septimus Drew (dont les connaissances fascinantes sur la collection lui avaient permis d'acquérir un grand nombre d'auditeurs en cours de route) raconta l'histoire du perroquet et de la duchesse.

Lorsque Frances Stuart avait été désignée pour être dame d'honneur de l'épouse de Charles II, la très jeune fille était si belle que le roi se prit sur-le-champ d'affection pour elle. Mais il n'était pas le seul à avoir remarqué les non négligeables appâts de l'adolescente (qui devait plus tard servir de modèle à la figure de *Britannia* sur les médailles). Afin de lui plaire, un courtisan transi lui avait offert en gage d'amour un jeune perroquet qu'il avait acheté à un marin portugais égaré de son cours. L'oiseau ne proférait rien de plus que des jurons en portugais, et Frances Stuart consacrait des heures à lui apprendre à déclamer des amabilités en anglais. Jaloux de l'attention qu'elle accordait au volatile, le roi tenta toutes sortes de subterfuges pour s'en débarrasser. Mais l'oiseau rusé écarta les amandes empoisonnées de sa coupe, repéra immédiatement les orteils des serviteurs armés de filets qui se cachaient derrière la tapisserie ou sentait instantanément les mains qui s'approchaient non pour le chatouiller mais pour l'étouffer.

Frances Stuart finit par s'enfuir avec le duc de Richmond et Lennox (qu'elle épousa). Toutefois, lorsqu'elle refit son apparition à la cour, le roi était toujours aussi épris, et sa jalousie du grossier volatile, aussi féroce que son adoration pour sa maîtresse. Dans ses moments les plus sombres, il jura que l'oiseau avait été son plus grand rival en amour.

En 1702, lorsque la duchesse finit par rendre l'âme, le perroquet annonça, dans l'anglais le plus fluide, qu'il prenait le deuil, et il mourut à son tour six jours plus tard.

Il fut alors naturalisé pour être exposé avec l'effigie funéraire de sa maîtresse en hommage à ses quarante années de fidélité. Et le roi ne put opposer son veto aux dernières volontés de Frances Stuart, car il avait été depuis longtemps enseveli dans l'abbaye.

Enchantée par l'histoire de la duchesse, Ruby Dore acheta à la sortie une carte postale qui la représentait, hélas, sans son célèbre compagnon. Tout en se dirigeant vers la station de métro de Westminster avec le révérend Septimus Drew, elle se demanda pourquoi tant d'hommes se contentaient de raconter des histoires dont ils étaient les héros lorsque les femmes préféraient les contes mystérieux de perroquets empaillés.

— A-quatre, déclara Valerie Jennings en jetant un regard furtif à son collègue sous ses cils lustrés.

Hebe Jones baissa les yeux vers la grille qu'elle avait dessinée.

— Manqué.

Elle ajouta :

— E-trois.

— Touché, répondit Valerie Jennings en fronçant les sourcils. C-cinq.

— Tu viens de couler mon contre-torpilleur, admit Hebe Jones en tendant la main pour répondre au téléphone.

Valerie Jennings avait proposé de jouer à la bataille navale après avoir remarqué que les yeux de Hebe Jones se perdaient à nouveau dans le vague, vers un monde qui n'était plus. Elle lui avait tendu une feuille de papier et lui avait lancé le défi en espérant que cela la distrairait de ses préoccupations. Elle avait bien eu l'intention de laisser son invitée gagner, mais, une fois les grilles dessinées et les navires positionnés, elle avait totalement oublié son objectif initial et s'était appliquée à éliminer les vaisseaux ennemis avec la cruauté impitoyable d'un pirate brandissant son coutelas dès qu'elle avait deviné que Hebe Jones avait placé l'un de ses sous-marins en diagonale, et ce, en totale infraction avec les lois de la mer.

Consciente d'avoir coulé la totalité de la flotte de Hebe Jones, Valerie Jennings décida de se lancer dans le nettoyage du réfrigérateur en guise d'expiation. Elle remit ses pieds gonflés dans ses escarpins à talons hauts, qui comprimaient ses orteils en deux triangles rouges, et se leva. Armée d'une paire de gants en caoutchouc jaune et d'un chiffon humide, elle se pencha dans le réfrigérateur. Les mèches qui s'échappaient de leur attache sur la nuque glissaient dans ses yeux et elle avait beau les remettre chaque fois en place, elles obscurcissaient sa vision avec la ténacité d'un essaim de mouches.

Furieuse, elle se retourna en quête d'une solution et, repérant un casque viking en plastique sur l'une des étagères, elle le coiffa en envoyant les tresses jaunes dans son dos avant de revenir à sa punition. Tout en jetant une boîte de biscuits vide, relique des jours glorieux de l'en-cas de fin de matinée, elle regretta amèrement de ne pas s'être maquillée pour son déjeuner avec Arthur Catnip.

Lorsque la cloche retentit, Hebe Jones reconnut sans peine l'ébauche de l'hymne national grec. Elle se leva pour répondre, s'arrêtant en chemin pour essayer une nouvelle combinaison sur le coffre-fort, comme le voulait la coutume du Bureau.

Thanos Grammatikos reposa la cloche sur le comptoir et embrassa sa cousine sur la joue. Après sa visite inutile chez Mme Perkins, Hebe Jones avait abandonné la technique de l'aiguille dans la botte de foin pour demander à son cousin de venir étudier l'urne. Bien qu'il ne possédât qu'une connaissance rudimentaire de l'art ténébreux de la menuiserie, dextérité dont témoignait le morceau de doigt qu'on avait dû lui recoudre, Hebe Jones espérait qu'il serait capable d'apporter quelques lumières sur le bois insolite.

— Comment vas-tu ? demanda-t-il. J'ai vu la photo de Balthazar dans le journal la semaine dernière. Que faisaient ces singes à exhiber leurs bijoux de famille derrière lui ?

— Je n'ai pas osé poser la question, répliqua Hebe Jones.

Il regarda l'urne qu'elle tenait dans ses mains.

— C'est donc ça ? demanda-t-il en la prenant et en passant ses doigts sur la surface crème. Pour être franc, je n'ai jamais vu de bois comme ça. Je peux le montrer à quelqu'un ?

— Tu ne la perdras pas, n'est-ce pas ? demanda Hebe Jones.

— Cite une seule chose que j'ai perdue.

— Ton doigt.

— Je ne l'ai pas perdu. Il était par terre.

— Admettons. Prends bien soin de ces cendres. Elles ont déjà été perdues une fois.

Lorsque Hebe Jones revint à sa table de travail, son estomac fit entendre un roulement discret. Comme si deux baleines se répondaient, la figure qui se tenait devant le réfrigérateur lui renvoya le même écho. Hebe Jones en identifia aussitôt la cause : depuis que Valerie Jennings avait déjeuné avec Arthur Catnip, elle avait réduit, de manière tout aussi tyrannique, la collation de fin matinée à un quartier de pomme et une tasse de thé au jasmin.

Lorsque le misérable roulement se fit entendre pour la deuxième fois sous son chemisier, Hebe Jones se leva et annonça qu'elle sortait une minute.

Debout dans la queue du salon de thé du coin de la rue, elle montrait aux pinces de la serveuse le plus gros pancake de la vitrine quand on lui tapota sur l'épaule. Elle se retourna et reconnut immédiatement le doux regard sombre et les cheveux bien coiffés éclairés d'argent.

— Je me disais que c'était vous, déclara Tom Cotton en souriant. Je suis le type au rein, vous vous souvenez ?

Il l'invita à partager sa table. Se disant qu'un petit bavardage lui donnerait assez de temps pour manger son en-cas avant de retourner au bureau, Hebe Jones paya et le suivit.

— Avez-vous lu les journaux aujourd'hui ? demanda-t-il tandis qu'elle prenait place. Quelqu'un a repéré le sanglier à moustaches qui s'était échappé du zoo de Londres.

Il lui tendit son journal en lui montrant la photographie floue prise par un lecteur de Tewkesbury, plus proche de Birmingham que de Londres, de la créature qui avait labouré le fond de son jardin.

— On ne dirait pas du tout un sanglier, dit-elle en scrutant la photo. Il ressemble plutôt au monstre du Loch Ness.

Tom Cotton ouvrit un sachet de sucre qu'il versa dans son café.

— Ce rein que vous m'avez aidé à récupérer a sauvé la vie d'un petit garçon, vous savez.

Hebe Jones posa le journal.

— Quel âge a-t-il ? demanda-t-elle.

— Huit ou dix ans, je crois.

Hebe Jones garda le silence pendant si longtemps qu'il finit par lui demander si elle allait bien.

— Ils n'ont pas pu sauver la vie de mon fils, finit-elle par dire en levant les yeux. Les médecins ont affirmé qu'il n'y avait rien à faire, mais on ne peut pas s'empêcher de douter.

— Je suis désolé, dit-il.

— Avez-vous des enfants ?

Tom Cotton s'empara de sa cuillère.

— Des jumeaux, répondit-il en remuant son café. Après mon divorce, ils sont allés vivre avec leur mère, et c'était vraiment difficile de ne les voir que le week-end. Je n'arrive cependant pas à imaginer ce que vous avez dû traverser, termina-t-il.

Hebe Jones détourna les yeux.

— Certains pensent qu'ils le peuvent, dit-elle. Vous seriez surpris de savoir combien me parlent alors de la mort de leur animal domestique.

Ils demeurèrent silencieux.

— Comment était-il ? demanda enfin Tom Cotton.

— Milon ? demanda Hebe Jones avec un sourire. Je l'appelais la prunelle de mes yeux, et c'était tout à fait ça.

Elle lui raconta qu'elle était tombée amoureuse de son fils dès le premier regard, et, alors que les jeunes mamans se plaignent généralement du manque de sommeil, elle avait toujours attendu ses cris nocturnes avec impatience, car ils lui permettaient de le prendre dans ses bras, d'appuyer sa joue contre sa petite tête veloutée et de lui chanter les berceuses grecques qui avaient endormi des générations de Grammatikos. Elle lui raconta que, lorsqu'elle avait conduit Milon à l'école pour la première fois, vêtu du pantalon que son père avait insisté pour lui coudre, elle avait pleuré davantage que tous les enfants réunis.

Elle lui raconta combien il était terrifié lorsqu'ils avaient emménagé à la Tour, mais qu'il avait fini par l'apprécier, ce qui avait rendu l'endroit bien plus supportable pour elle. Elle lui raconta comment Milon voulait devenir vétérinaire depuis que la tortue de la famille avait perdu sa queue, et qu'en dépit de ses difficultés en sciences, elle était certaine qu'il aurait réussi.

Elle lui raconta que la meilleure amie de son fils était une fillette du nom de Charlotte qui vivait aussi à la Tour, et qu'elle espérait que les deux petits finiraient par se marier, car il n'y avait que son propre père qui avait réussi à faire rire Milon plus que la petite fille. Enfin, elle lui raconta que personne ne l'avait jamais fait rire autant que son mari, mais que ces jours n'étaient plus. Lorsqu'ils avaient perdu Milon, ils s'étaient perdus l'un l'autre.

Lorsque Hebe Jones revint au Bureau des objets trouvés du métro de Londres, Valerie Jennings, qui avait terminé le nettoyage du réfrigérateur, était au téléphone.

— C'est possible, répondit-elle d'un ton égal en jetant un regard au cercueil du magicien. Non, cela ne ressemble pas à celui que nous avons… Il a été trouvé il y a environ deux ans… Je vois, mais si vous l'avez perdu il y a si longtemps, pourquoi avez-vous tant attendu pour le réclamer ?... Pourquoi êtes-vous allé en prison si je peux me permettre de vous demander ?… Je vois… Non, je comprends tout à fait. Moi aussi, je suis nulle avec une scie… Je compatis, vraiment. Les assistantes pétillantes sont si rares de nos jours… Bon, même s'il ne ressemble pas au vôtre, vous pouvez venir le voir quand vous voulez… Baker Street… Pour les articles de prix, nous avons besoin d'une preuve…

Un reçu ou une photographie... D'accord, pas du tout. A demain, donc... Valerie. Valerie Jennings.

Comme elle raccrochait le téléphone, la cloche suisse retentit. Offrant d'aller répondre, elle se leva et tira sur sa jupe pour cacher ses superbes cuisses.

En chemin, elle s'arrêta devant le coffre-fort, se pencha et tourna le cadran vers la gauche, puis vers la droite en composant les chiffres de ses mensurations (tout le reste ayant échoué).

Alors qu'elle se relevait, la lourde porte s'ouvrit d'un coup, et elle poussa un cri strident.

Hebe Jones se retourna d'un bond et, côte à côte, les deux femmes contemplèrent la porte ouverte du coffre.

— Vas-y, encouragea Hebe Jones. Regarde ce qu'il y a dedans.

Valerie Jennings s'accroupit et tendit la main à l'intérieur du coffre pour retirer liasse après liasse des billets de cinquante livres sterling qu'elle entassa sur le bureau à côté de la bouilloire. Elle plongea à nouveau dans le coffre et en sortit une pile de documents. Les deux femmes fixèrent l'argent.

— Combien crois-tu qu'il y a ? murmura Hebe Jones.

— Des milliers, murmura Valerie Jennings à son tour. Elle baissa les yeux vers les documents qu'elle tenait dans sa main.

— Et dans ces dossiers ? demanda Hebe Jones.

— On dirait une sorte de parchemin, répondit Valerie Jennings en soulevant la pile.

Mais la cloche suisse retentit à nouveau. Fascinées par la fortune qui s'étalait sur le bureau et par le manuscrit, les deux femmes firent la sourde oreille, mais le tintamarre ne cessa pas. Valerie Jennings siffla, passa les feuillets à Hebe Jones et alla répondre.

Electrisée par le sentiment de victoire sur le coffre-fort, elle tourna le coin pour tomber sur Arthur Catnip debout devant le comptoir victorien d'origine. Le poinçonneur de tickets semblait tout aussi surpris qu'elle.

— Je me demandais si je pouvais vous emmener déjeuner à nouveau, demanda-t-il.

— J'en serais ravie, répondit-elle.

— Que pensez-vous de demain à midi ?

— Parfait, dit-elle avant de disparaître au coin de la pièce pour retrouver ses esprits après ce second choc.

Ce n'est qu'au moment où elle s'approchait à nouveau du coffre et grattait sa tête qui la démangeait qu'elle réalisa qu'elle portait toujours le casque viking et ses deux longues tresses blondes en laine à tricoter.

Au fond du Rack & Ruin, Balthazar Jones était assis, seul, à une table, la main autour d'une chope vide. Cela faisait un moment qu'il était entré pour échapper à la commisération des autres hallebardiers qui le plaignaient du départ de sa femme.

Peu à peu, l'effet de la bière s'était fait sentir, et il constata avec soulagement que les rares buveurs de l'après-midi ne semblaient pas remarquer sa présence.

En fait, ils étaient surtout captivés par le spectacle de la première partie de Monopoly du Dr Evangeline Moore. La praticienne de la Tour avait opté pour la solution de la patronne du pub pour remplacer la chaussure historique en choisissant une pièce que sa mère cachait dans le gâteau de Noël, pas tant pour donner de la chance à celui qui la trouverait que dans l'espoir d'étouffer son mari.

Oublieux des paris scandaleux qui concernaient le jeu, le hallebardier réduisait le sous-bock en miettes. Il connut un bref moment de répit où son esprit oublia pendant quelques minutes le naufrage de son mariage pour être submergé par l'inquiétude au sujet de la collection d'animaux de la reine. Si les spécimens paraissaient en forme – sauf pour l'albatros hurlant qui ne s'était pas acclimaté –, Balthazar Jones considérait la ménagerie comme un château branlant de cartes qui serait sensible au moindre souffle d'un mauvais vent. Toutefois, il n'avait pas prévu que le vent viendrait de l'un des résidents de la Tour. Conscient de ne plus pouvoir repousser le moment, il se leva et se dirigea vers la porte. Il épingla au passage sur le panneau une affiche indiquant que la personne qui avait perdu un maillot de corps pouvait le récupérer à la tour de Sel.

Résigné à subir un nouveau sermon de la part du hallebardier en chef, il musarda le long de l'allée de l'Eau dans l'espoir qu'un touriste l'arrêterait pour lui poser une question, mais, pour une fois, il semblait que tout le monde filait vers les toilettes. Il toqua légèrement à la porte du bureau dans l'espoir de ne pas être entendu, mais une voix lui intima immédiatement l'ordre d'entrer.

Balthazar Jones franchit donc le seuil pour se trouver face au hallebardier en chef qui venait de rentrer de son domicile après avoir déjeuné en famille.

— *Yeoman Warder* Jones, asseyez-vous, dit celui-ci en indiquant la chaise en face de lui.

Le hallebardier retira son chapeau et le posa sur ses genoux en serrant le bord entre ses doigts.

Le hallebardier en chef se pencha et appuya les coudes sur la table.

— Comment ça se passe ? demanda-t-il.

— Très bien, répondit le hallebardier d'un ton neutre.

— Parfait. Je pensais que vous aimeriez savoir que le Palais m'a contacté et qu'ils sont très contents de la manière dont les choses avancent pour la ménagerie. Les chiffres des visiteurs sont bien plus élevés qu'à la même époque l'an dernier, et la presse, nationale et internationale, a été extrêmement positive.

Le hallebardier ne fit pas de commentaire.

Le hallebardier en chef s'empara d'un stylo qu'il se mit à rouler entre ses doigts.

— Bien sûr, il y a eu ces malheureuses photos de vous avec les ouistitis au départ. Avec un peu de chance, les journaux ne les publieront plus maintenant que nous les avons autorisés à prendre des photos des animaux dans la Tour. De quoi s'agissait-il en fait ?

Le hallebardier déglutit.

— Ils s'exhibent lorsqu'ils se sentent menacés, expliqua-t-il.

— Je vois.

Après une pause, il baissa les yeux vers son dossier et ajouta :

— Bien, je dois vous parler d'une ou deux autres plaintes. Je sais que les gens adorent se plaindre, mais il nous faut leur répondre. La première concerne les manchots. Quand reviendront-ils de chez le vétérinaire ?

Balthazar Jones se gratta la barbe.

— D'un jour à l'autre.

— Bien, le plus tôt sera le mieux, insista le hallebardier en chef en tapotant la table de la pointe de son stylo. Je n'aime pas l'allure de cet enclos vide. Cela donne l'impression qu'ils se sont échappés, comme ce sanglier à moustaches l'a fait du zoo de Londres. Une bande d'amateurs… A présent, la seconde plainte concerne l'albatros hurlant. Apparemment, certains résidents de la Tour ne trouvent pas le sommeil parce que cet oiseau ne cesse de gémir, ce qui énerve les autres oiseaux qui gémissent et énervent à leur tour les singes hurleurs qui se mettent…, eh bien, à hurler.

Il recula contre son dossier, les coudes sur les accoudoirs.

— Personnellement, je dors comme un loir, mais tout le monde n'a pas la chance d'avoir ma constitution.

— Je m'occuperai de l'albatros, déclara Balthazar Jones.

— Ravi de l'entendre. A présent, continuez ainsi. Je ne veux pas avoir les types du Palais sur le dos si quelque chose va de travers.

Lorsque Balthazar Jones revint à la tour de Sel, il s'approcha de la table basse pour vider ses poches pleines de graines de tournesol et de pépins de pomme. Sans se soucier de tirer les rideaux ou d'allumer les lampes, il s'installa sur le canapé dans les ténèbres.

En regardant le pâle croissant de la lune, il se demanda à nouveau où sa femme se trouvait. Il finit par se lever pour aller faire griller des toasts qu'il rapporta dans la salle à manger. Il alluma la lampe, s'installa pour manger, puis son attention se porta sur la partie antérieure du cheval de pantomime, dont il n'avait pas trouvé le courage de recoudre les oreilles. Il détourna le regard, mais ses yeux rencontrèrent la photographie de Milon avec la précieuse ammonite qu'il avait trouvée en cherchant des fossiles dans le Dorset. Il baissa enfin les yeux et vit les chaussures de sa femme sur le tapis.

Abandonnant son maigre souper, il se traîna dans l'escalier en colimaçon glacé, sans penser qu'il suivait exactement les pas d'un roi écossais du XIIIe siècle. Il se fit couler un bain, mais, dès qu'il fut dans l'eau, il songea à son terrible secret et de ce qu'en dirait Hebe Jones si elle le découvrait. Trop malheureux pour se détendre, il sortit de l'eau et enfila son pyjama.

Il contempla le fauteuil près de la fenêtre où il avait dormi depuis qu'il avait trouvé la lettre de sa femme, la semaine précédente. Incapable de supporter une autre nuit de sommeil recroquevillé dans le siège, il se glissa de son côté du lit et éteignit la lumière.

Alors que le sommeil continuait de le fuir, il tendit la main à tâtons dans le noir jusqu'à ce qu'il trouve la chemise de nuit de sa femme. Il y enfouit son visage et en huma l'odeur. Quelques heures plus tard, lorsqu'il se réveilla d'un rêve où Hebe Jones dormait à côté de lui, il serrait encore le linge blanc dans ses mains, et les flèches de la perte tombèrent en pluie sur lui.

Il s'enfuit vers la salle de bains et s'assit sur le bord de la baignoire, repoussant le moment de se remettre au lit. Alors qu'il baissait les yeux, la présence d'une feuille de laitue brunie sur le sol lui rappela qu'il n'avait pas vu Mme Cook depuis une semaine. Le cœur serré, il se remémora l'histoire captivante de l'extraordinaire créature.

Mme Cook descendait d'une tortue qui avait jadis appartenu au grand capitaine Cook. Il avait suffi à l'explorateur d'un regard sur les magnifiques motifs de la carapace de sa mère pour l'emporter à bord de la bombarde HMS *Resolution* où elle se vit ouvrir les grandes portes du pont supérieur. En 1779, lorsque le vaisseau toucha terre à Hawaï au cours d'une fête du culte d'un dieu polynésien, un certain nombre des habitants du cru prirent l'homme du Yorkshire pour une divinité. Dans l'espoir de les distraire de leur obsession, il leur céda son bien le plus précieux : la mascotte du bateau.

Un an plus tard, le reptile, qui possédait une propension naturelle à disparaître, fut remarqué sur la plage par un marin venu d'un bateau de passage. Persuadé que les tortues étaient de bons augures en mer, il la ramassa et la présenta à l'équipage avec l'enthousiasme d'un animateur de show une fois qu'ils eurent levé les voiles. La tortue devint donc la fierté du navire et, la nuit, l'homme racontait des histoires extraordinaires sur la chance dont jouissaient les marins qui naviguaient avec une tortue.

Mais le vent écarta le vaisseau de son cours, et les marins eurent bientôt épuisé toutes les rations. Affamés, ils se mirent à scruter la tortue avec appétit, et l'un d'entre eux se dressa pour affirmer que c'étaient les chats noirs qui portaient chance aux marins.

Un autre se joignit à lui et, bientôt, tout l'équipage tomba d'accord pour déclarer que le marin s'était trompé.

Le jour suivant, des pirates attaquèrent le navire et, lorsque le marin fut fait prisonnier sur le vaisseau ennemi, forcé d'obéir par la pointe des fusils, il empoigna le seau dans lequel il avait caché la pauvre mascotte. On lui donna l'ordre de préparer les repas, et il veilla à ce que chaque plat soit digne d'un véritable chef-d'œuvre. Le navire finit par jeter l'ancre à Portsmouth, dans le sud de l'Angleterre, et le marin fut libéré en récompense de ses services. Avec son seau, il s'en retourna chez lui au pays de Galles.

Il offrit la tortue à son épouse qui gagna une petite fortune en la montrant aux bonnes gens de Gower qui refusaient de croire à l'existence d'une créature portant sa maison sur son dos.

Chapitre treize

Balthazar Jones remua, sa joue barbue appuyée contre la chemise en coton de sa femme. Au réveil, il retrouva la douleur de l'absence et demeura allongé, les yeux fermés. Quelque chose n'allait pas. Soudain, il se rappela la feuille de laitue fanée sur le sol de la salle de bains et ouvrit les yeux.

Rejetant d'un coup la couverture élimée, il glissa les pieds dans ses charentaises en tweed écossais, noua sa robe de chambre sur la douce colline de son estomac et se mit en quête de la créature qui avait été considérée comme la matriarche de la famille depuis des générations de Jones. Il fouilla d'abord le placard à linge, dont la porte demeurait ouverte afin que Mme Cook puisse s'y réfugier lorsque la température piquante de la tour de Sel risquait de la condamner à un état permanent d'hibernation. Il essaya ses tanières dans la chambre, scrutant l'espace qui séparait la table de chevet et le lit ou fronçant les yeux pour distinguer ce qui se cachait derrière la corbeille à papier. Mais il ne repéra que les toiles que les araignées avaient eu le temps de tisser depuis le départ de Hebe Jones.

Il descendit l'escalier en colimaçon jusqu'au salon et scruta l'abîme situé entre le canapé et le mur circulaire. Il y avait bien quelque chose, mais lorsqu'il éclaira la poussière avec le faisceau de sa torche, il vit qu'il s'agissait d'une balle. En déplaçant le chevalet de sa femme, à côté de la bibliothèque, il libéra seulement une chaussette noire solitaire. Il souleva alors l'extrémité antérieure du déguisement de cheval – une cachette idéale –, mais tout ce qu'il découvrit fut les oreilles qu'il n'avait pas recousues.

La tête dans les mains, il se laissa tomber dans le fauteuil en essayant de se souvenir de la dernière fois qu'il l'avait vue. Lors de la visite du médecin de la Tour, la semaine précédente, il avait bien entendu le grincement arthritique des genoux de Mme Cook, mais il ne se rappelait pas l'avoir croisée depuis.

Il se leva et refit le trajet à l'envers en cherchant un indice d'estomac barbouillé. Après avoir regardé sous le lit pour la septième fois, il s'assit sur le sol, le dos contre la penderie. Il se sentait totalement seul au monde.

Assis dans l'eau de son bain aromatisée à l'huile d'arbre à thé, le révérend Septimus Drew glissa le doigt entre chacun de ses orteils pâles.

Sa minutie ne devait rien à une quelconque purification du corps pour celle de l'âme, mais plutôt à la conviction qu'il valait mieux prévenir que guérir. Bien qu'il ne passât pas autant de temps sous la pluie que les hallebardiers, il n'en était pas moins soucieux de ne pas succomber à la mycose qui ornait l'arrière de leurs genoux. Allongé dans l'eau aromatique, il laissa son esprit vagabonder vers l'invitation qu'il venait d'ouvrir et se demanda à nouveau s'il avait vraiment une chance de remporter le prix de la Fiction érotique. Comme il n'était jamais arrivé premier nulle part, il écarta toute idée de victoire et ferma les yeux.

Alors qu'il revivait sa visite au Musée de l'abbaye en compagnie de Ruby Dore, il y eut un coup à la porte d'entrée. Il se dressa d'un bond digne d'une baleine, faisant déborder l'eau du bain, et espéra qu'il s'agissait de la patronne du Rack & Ruin. Il s'enveloppa dans un peignoir et se dirigea vers l'une des chambres vides situées sur l'avant du logement, posa le front contre la vitre froide et regarda en bas. Là, debout sur le seuil, se tenait le geôlier en chef. Le chapelain avait essayé d'éviter l'homme depuis qu'il avait accepté de se charger de l'exorcisme, et il allait se dissimuler derrière le rideau lorsque le hallebardier leva les yeux et les fixa dans les siens. Incapable de faire mine d'être sorti, ce qu'il avait fait lors des trois occasions précédentes, le chapelain souleva la fenêtre à guillotine et cria :

— Je descends dans une minute !

Il retourna dans la salle de bains en laissant des gouttes d'eau derrière lui, retira son peignoir humide et, tout en séchant ses trop longues jambes, se demanda pourquoi il avait toujours été si nul en exorcismes.

C'était une compétence qui aurait pourtant été bien utile dans sa congrégation. Alors que plusieurs hallebardiers se vantaient d'avoir vu de nombreux fantômes partout dans la Tour, tous n'avaient confié qu'au chapelain la présence d'apparitions spectrales dans leur propre domicile.

C'était une question d'intimité : on ne révélait pas ses terreurs privées. En dépit du nombre de fois où il lui avait été demandé d'exécuter un exorcisme, il n'avait jamais vraiment bien saisi le mécanisme de la procédure, au grand dam (et à la colère) des hallebardiers.

Une fois habillé, il descendit nonchalamment les marches en prenant le temps de faire une pause pour inspecter une tache sur la rampe.

— Oui ? dit-il en ouvrant la porte.

— Je me demandais si vous pouviez venir régler ce petit souci dont nous avons parlé, dit le geôlier en chef dont les yeux s'ornaient d'ombres encore plus sombres dans le rayon éblouissant de soleil.

— Quel petit souci ? s'enquit le chapelain.

Le geôlier en chef hocha la tête en direction de son logement.

— Vous savez bien.

— Vraiment ?

— Odes à Cynthia ? Odeur de tabac ? Pommes de terre manquantes ?

— Ah oui ! s'exclama le chapelain en commençant à refermer la porte. Vous me direz quand vous êtes disponible et nous conviendrons d'un moment.

Le geôlier en chef mit le pied dans l'entrebâillement.

— Je suis disponible maintenant, insista-t-il.

Il y eut un silence.

— Vous êtes sûr que le moment est bien choisi ? demanda le chapelain.

— Il est bien choisi depuis que vous avez accepté de vous en occuper la semaine dernière.

Le chapelain suivit le geôlier en chef jusqu'au numéro sept de la Pelouse, allant jusqu'à compter sur le salut que lui procurerait à ce moment l'apparition de la présidente de la Société des amis de Richard III, mais le banc de la tour Blanche demeurait désespérément vide.

Le geôlier en chef ouvrit la porte et recula pour le laisser entrer. Le chapelain se dirigea directement vers la cuisine en déclarant :

— Que diriez-vous d'une tasse de thé avant de commencer ? Je n'ai pas eu le temps de prendre mon petit-déjeuner.

Le geôlier en chef le rattrapa et lui bloqua l'accès à la bouilloire.

— Je préférerais que nous en finissions tout de suite, si vous n'êtes pas contre, répliqua-t-il.

Le révérend Septimus Drew plissa les yeux vers la cage qui trônait sur la table.

— Qu'est-ce que c'est ? demanda-t-il.

— C'est la musaraigne étrusque de la reine.

— Voyons voir.

Le geôlier en chef leva la cage pour la poser sur le comptoir derrière lui.

— Je suis désolé, mais c'est une créature plutôt nerveuse. La salle à manger est par ici, continua-t-il en montrant le chemin.

L'homme d'Eglise le suivit pour se diriger droit vers l'angle de la pièce où se dressait la hache à long manche d'époque Tudor que le geôlier en chef portait lors des grandes cérémonies et la soumit à une inspection en règle.

— Vos prédécesseurs s'en servaient pour escorter les détenus jusqu'au tribunal de Westminster, n'est-ce pas ? demanda le chapelain en s'approchant. Je me trompe ou le fait de tourner la lame vers le prisonnier signifiait qu'il avait été condamné à mort ?

— Ne devriez-vous pas asperger les lieux d'eau bénite ou un truc comme ça ? demanda le geôlier en chef en ignorant la question du chapelain.

— Très juste, tout à fait juste, répondit l'homme d'Eglise en tapotant les poches de sa soutane pour chercher son flacon. Il pencha ensuite la tête, récita une petite prière et arpenta la pièce en jetant du liquide.

— Là, c'est bien, annonça-t-il avec un sourire. C'est fait !

Le geôlier en chef lui adressa un regard ébahi.

— C'est tout ? N'avez-vous pas besoin de lui demander de partir ou de lui dire quelque chose ?

Le chapelain mit la main sur sa bouche.

— Vous croyez ? demanda-t-il.

Les deux hommes se regardèrent.

— Non, non, ce n'est plus du tout à la mode, ce genre de trucs, annonça l'homme d'Eglise en écartant la suggestion du revers de la main. Parfait, il faut que j'y aille, ajouta-t-il en se dirigeant vers la porte d'entrée.

Tandis que le geôlier en chef contemplait le révérend Septimus Drew qui, la soutane volant aux quatre vents, retraversait la Pelouse, il fut envahi par le sentiment d'avoir été dupé. Il revint dans la cuisine, ouvrit la cage et offrit un autre criquet à la musaraigne qui s'approcha et le renifla de son petit nez pointu et velouté.

Sur la table de la cuisine, Hebe Jones trouva un message de Valerie Jennings qui lui disait qu'elle était allée travailler plus tôt afin de trier quelques affaires. Faute de dénicher une nourriture plus roborative dans les placards de sa collègue, elle s'assit à table et mangea un bol de *Special K*. Elle balaya d'un regard les lieux encore si peu familiers et se demanda combien de temps elle pouvait rester.

Si Valerie Jennings lui avait assuré que la chambre d'amis serait la sienne aussi longtemps qu'elle en avait besoin, et avait tout fait pour qu'elle se sente comme chez elle, elle ne tenait pas à exagérer.

Debout devant l'évier où elle lavait son bol, elle décida qu'il était temps de puiser dans les économies qu'elle avait faites pour les études supérieures de Milon afin de louer un appartement jusqu'à l'expiration du bail actuel des locataires qui vivaient dans leur maison de Catford.

A son arrivée au Bureau des objets trouvés, elle crut reconnaître une odeur de peinture fraîche, mais elle se dit que cela venait sûrement de la fenêtre ouverte et oublia les effluves pour aller préparer le thé. En attendant que la bouilloire siffle, elle regarda le coffre-fort, qui avait été soigneusement refermé afin que l'équipe de nettoyage ne file pas avec son contenu, et se demanda si sa collègue se souvenait des chiffres de la combinaison.

— As-tu trouvé tout ce que tu voulais pour le petit-déjeuner ? demanda Valerie Jennings en émergeant d'entre les rayonnages.

— Oui, merci, répondit Hebe Jones.

Elle se souvint soudain que sa collègue devait déjeuner à nouveau avec Arthur Catnip. Valerie Jennings avait dû fouiller sa penderie jusqu'au fond afin d'en exhumer une tenue suffisamment flatteuse, mais elle n'avait trouvé qu'une robe totalement indifférente à la mode. Elle avait également essayé de discipliner ses cheveux, mais avait apparemment abandonné l'idée en cours de route et s'était contentée d'épingler ses mèches sur sa nuque en un chignon ébouriffé.

— Tu es très bien, dit Hebe Jones.

Les deux femmes s'assirent devant leur table de travail et se mirent à leur tâche consistant à réunir les possessions perdues avec leur propriétaire distrait.

Ce n'est que lorsque Hebe Jones se leva pour aller faire une autre tasse de thé qu'elle remarqua la transformation spectaculaire.

— Le cercueil du magicien est rose, dit-elle, une main sur la bouche.

Valerie Jennings se retourna, un œil agrandi par la loupe qu'elle utilisait pour déchiffrer les manuscrits anciens qu'elles avaient découverts dans le coffre-fort.

— Je me suis dit qu'il fallait lui donner un peu de peps, dit-elle.

De retour à sa table, Hebe Jones étudia la feuille de lotus brodée qui ornait l'un des chaussons chinois, dont elle ignorait toujours tout du propriétaire, et se retint pour ne pas faire de commentaire sur le comportement de sa collègue. Valerie Jennings avait été plus que généreuse de lui offrir sa chambre d'amis alors qu'elle avait trop honte pour demander à l'une de ses sœurs de la loger.

Chaque soir, au lieu de poser des questions que Hebe Jones ne supportait pas d'entendre, elle s'était contentée de l'installer dans le fauteuil inclinable avec repose-pieds réglable et de lui offrir un verre de vin.

Et si elle ne cuisinait pas avec le talent des sœurs Grammatikos, Valerie Jennings mettait certainement dans ses casseroles tout l'amour sororal qu'elle possédait.

Peu après le quartier de pomme de la collation de fin de matinée, l'estomac de Hebe Jones émit son roulement de tonnerre, et elle attrapa son manteau turquoise sur le perroquet à côté de la poupée gonflable en annonçant qu'elle sortait une minute.

Dès que sa collègue fut dehors, Valerie Jennings glissa la main dans son sac noir pour en retirer un livre de poche qu'elle remit en place sur les étagères. Tout en scrutant les rayonnages en quête d'une nouvelle dose, elle entendit le tintement de la cloche suisse.

Irritée par cette interruption dans son rituel favori de la journée, elle tourna le coin pour tomber, devant le comptoir, sur un homme de grande taille coiffé d'un haut-de-forme noir et d'une cape assortie qui lui descendait jusqu'aux pieds. Sous son bras, il tenait une baguette magique.

— Je cherche Valerie Jennings, annonça-t-il en rejetant un pan de sa cape par-dessus son épaule et révélant la doublure en soie rouge.

— Ah oui, je vous attendais, dit-elle en ouvrant la tablette du comptoir. Suivez-moi.

Elle le guida dans la pièce à l'arrière et jusqu'au cercueil de magicien qu'elle venait de repeindre le matin même de manière à ce que Hebe Jones ne soit pas privée de son sanctuaire. L'homme passa sa main gantée de blanc sur la surface.

— Comme c'est étrange, dit-il. C'est exactement le même que le mien, sauf pour la couleur. Il y a même les marques de scie que j'ai faites sur le bois quand je n'ai pas coupé droit.

Valerie Jennings croisa les bras sur sa poitrine opulente et regarda l'accessoire.

— Je suis sûre que c'est plus difficile lorsque l'assistante pétillante se met à gémir, dit-elle. Ce n'est pas évident de savoir si elle joue correctement son rôle ou si vous avez entamé les chairs. Quoi qu'il en soit, si ce n'est pas votre cercueil, je vais vous reconduire à la porte. Si vous voulez bien me suivre…

Lorsque la cloche suisse retentit juste avant midi, le cœur de Valerie Jennings fit un bond dans sa poitrine. Elle ajouta une couche de Brume Lilas sur ses lèvres et se dirigea vers le perroquet dans des escarpins qui comprimaient ses pieds en forme de deux triangles rouges. Lorsqu'elle tourna le coin, au lieu du poinçonneur de tickets tatoué, elle se retrouva devant une femme en larmes, vêtue d'un duffle-coat et d'un béret, les mains serrées sur le comptoir.

— Est-ce que quelqu'un aurait rapporté une botte ?

Ce n'était pas une botte ordinaire, poursuivit-elle, car elle appartenait à Edgar Evans, le maître gallois de première classe qui avait trouvé la mort alors qu'il revenait du pôle Sud sous les ordres du capitaine Scott, en 1912.

La conservatrice rapporta comment elle était brusquement sortie du wagon de la Northern Line lorsqu'elle avait réalisé qu'au lieu de voyager vers le nord, comme on pouvait s'y attendre de la Northern Line, elle voyageait vers le sud. Ce n'est qu'à la fermeture des portes qu'elle s'était rendu compte qu'elle avait oublié le soulier historique.

Or, ledit soulier devait être réuni en grande pompe à son compagnon qui était, depuis des dizaines d'années, le clou du musée de Swansea dans la vitrine simplement étiquetée LA BOTTE D'EVANS.

En fouillant les étagères, Valerie Jennings finit par dénicher l'article en question à côté d'une paire de cuissardes de pêche dans la section PIEDS. Lorsqu'elle revint au comptoir, plus rouge et plus agacée que jamais, elle vit la femme éclater en sanglots et dut l'écouter lui faire un cours sur la biographie d'Edgar Evans en lui précisant bien de ne pas le confondre avec Teddy Evans, maître de *deuxième* classe de Scott lors de l'expédition polaire.

— Doux Jésus ! Je n'aurais pas idée de le confondre avec *Teddy* Evans, assura Valerie Jennings en fermant le registre avec un claquement pour mettre un terme à l'exploration antarctique.

Juste au moment où elle glissait le registre sous le comptoir, Arthur Catnip entra. Il avait lissé le champ de bataille de ses cheveux grâce à un gel que son barbier avait insisté pour lui offrir afin de se faire pardonner le massacre précédent, et sa tête évoquait à présent une patinoire.

Regrettant sur-le-champ de ne pas avoir retiré son manteau puisqu'elle commençait à transpirer, Valerie Jennings accompagna Arthur Catnip dans la rue en se demandant où ils allaient. Pour finir, ils se retrouvèrent dans Regent's Park ; le poinçonneur de tickets indiqua un banc près de la fontaine et lui proposa de s'asseoir.

— J'ai apporté un pique-nique, annonça-t-il en ouvrant son sac à dos et en étalant un plaid sur les genoux de Valerie Jennings. Si vous avez froid, dites-le-moi.

Tout en se servant un sandwich de rôti de porc, Valerie Jennings lui raconta que, selon les journaux, on avait encore aperçu le sanglier à moustaches à deux reprises, toujours plus loin, dans l'Essex et en East Anglia. Arthur Catnip répondit que, s'il le trouvait dans son jardin, il éviterait de convoquer la presse, car il ne souhaitait pas que les armées de journalistes piétinent son cher potager.

Il lui offrit un pâté de saumon en croûte que Valerie Jennings regarda d'un œil méfiant, mais, après la première bouchée, elle le félicita pour sa cuisine et lui raconta qu'elle était allée autrefois à la pêche au saumon avec son ex-mari. Elle s'était tellement ennuyée qu'elle s'était jetée dans le torrent afin d'obliger tout le monde à rentrer.

Une tomate dans la main, Arthur Catnip répondit qu'il avait un jour jeté un marin par-dessus bord en raison des commentaires peu élogieux que ce type avait faits sur celle qui était alors Mme Catnip, mais il avait changé d'avis et plongé à son secours, car il avait rapidement réalisé que l'homme n'avait pas tout à fait tort.

Lorsque le poinçonneur de tickets regarda la fontaine, il songea au jour où il avait versé de l'antigel de voiture dans le bassin du jardin, car son professeur de biologie avait dit que les poissons du pôle Sud avaient de l'antigel dans leur sang. Une fois l'expérience lancée, il était allé constater le résultat, mais toutes les carpes Koï de son père étaient mortes. En essuyant le coin de sa bouche avec sa serviette, Valerie Jennings raconta à son tour qu'elle venait de rendre une botte appartenant à Teddy Evans, le maître de première classe qui avait trouvé la mort pendant le voyage de retour de Scott au pôle Sud, mais qu'il ne fallait pas confondre avec Edgar Evans, maître de deuxième classe de l'expédition maudite.

Une fois la Tour fermée pour la nuit, Balthazar Jones, qui avait guidé la dernière visite de la journée, ferma la volière. Il avait le nez gelé. L'après-midi avait été particulièrement occupé et il avait cependant trouvé le temps d'emmener certains des touristes dans les enclos. Ce n'était pas tant la mission de guide qui le poussait – des cartes étaient disponibles qui indiquaient l'emplacement de chaque animal –, mais le besoin de garder un œil sur ses ouailles. Il avait déjà remarqué que plusieurs visiteurs se débarrassaient des sandwiches et des viennoiseries qu'ils achetaient par inadvertance au Café de la Tour en les jetant au glouton. Mais, malgré son considérable appétit, la créature les avait dédaignés, et les déchets s'empilaient dans son enclos.

En grimpant les marches de la tour de Briques avec un sac de courses Hamleys dans la main, il repensa au maillot de corps qu'il avait trouvé et se demanda pourquoi personne n'était venu le réclamer.

Lorsqu'il poussa la porte, le paradisier du Prince Albert bondit sur une branche basse, ses deux plumes ornementales déployées sur deux fois la longueur de son corps dessinant de gracieuses arabesques dans l'air. Le petit loricule, en pleine sieste tête en bas, ouvrit un œil pour regarder le gardien de la Ménagerie royale déverrouiller la grille et pénétrer dans la volière. L'inséparable femelle glissa de son perchoir pour atterrir sur son épaule. Concentré sur les caractéristiques pattes disgracieuses, le hallebardier finit par dénicher l'albatros hurlant posé derrière un arbre en pot, seul, les ailes blanches et noires serrées contre ses flancs. Il s'assit à côté de lui et tira de sa poche un paquet qu'il déballa sous l'œil attentif du loricule qui gardait l'autre fermé. Balthazar Jones posa le calmar bio à plat dans sa main et le tendit à l'oiseau mélancolique, mais la créature amaigrie refusa d'y poser les yeux.

Le hallebardier et l'albatros restèrent dans la même position, les yeux perdus dans le vague et le cœur débordant de peine. Ce n'est qu'une heure plus tard que l'oiseau souleva enfin le cou pour grignoter le présent gastronomique de son énorme bec crochu alors que le perroquet s'était rendormi.

Lorsque l'albatros hurlant eut terminé de manger, Balthazar Jones se leva, suivi de l'oiseau qui secoua ses plumes et lâcha un dépôt liquide. Le hallebardier ouvrit le sac de courses, en sortit un petit canard en plastique blanc (le jouet le plus proche d'un albatros qu'il avait trouvé) et le posa près de l'animal avant de partir.

Il traversa la triste pénombre jusqu'à la tour de Sel et, trop abattu pour trouver le courage de monter les marches humides jusqu'au séjour vide, ferma la porte derrière lui. Assis dans l'obscurité sur la première marche poussiéreuse, il posa ses joues blanches de barbe sur ses poings et pensa de nouveau à sa femme. Il se maudit de l'avoir perdue et se demanda s'il pouvait l'appeler. Mais il était si sûr de ne pas la mériter qu'il chassa bientôt cette pensée. Il se releva et, cherchant l'interrupteur à tâtons, rencontra la poignée de la porte de la chambre de Milon. Il n'y avait pas pénétré depuis le jour terrible entre tous, mais, poussé par une force nouvelle, il appuya sur la poignée. En se dégageant, le pêne rendit dans l'obscurité un bruit aigu. Le hallebardier poussa la porte, lissa de la main le mur rugueux jusqu'à l'interrupteur et se protégea ses yeux de l'autre main jusqu'à ce qu'il s'habitue à la lumière.

Il lui fallut un moment pour distinguer la pièce. Là, sur le mur, au-dessus du lit soigneusement bordé, s'étalait la carte géographique du monde qui avait fini par remplacer le poster de dinosaure acheté pour son fils au Musée d'histoire naturelle afin de l'aider à apprécier sa nouvelle maison. Il regarda la petite croix noire que Milon avait dessinée pour marquer l'embouchure de l'Orénoque, où Sir Walter Raleigh, son prisonnier préféré, avait entamé sa quête de l'Eldorado.

Au-dessus de la commode trônait une psyché que le hallebardier avait repérée dans la vitrine d'un antiquaire et, en dépit du prix fantaisiste, achetée parce qu'il savait qu'il n'aurait pas à se battre avec les courbes des murs pour la monter. A côté, un flacon d'after-shave odorant témoignait, selon Hebe Jones, que le garçon qui n'avait pas encore besoin de se raser était amoureux de Charlotte Broughton.

Balthazar Jones s'approcha de la commode, s'empara de la brosse et toucha les cheveux foncés qui y étaient restés accrochés. Il se souvint d'avoir dit à Milon espérer qu'il ait hérité des gènes de sa mère et que ses cheveux ne deviennent pas gris aussi vite que ceux de son père.

Debout devant la petite bibliothèque, il se pencha pour lire la tranche des livres. Devant les volumes qui racontaient l'histoire de Harry Potter, il s'empara d'une petite boîte d'allumettes et l'ouvrit, reconnaissant d'emblée la pièce de cinquante pence qui avait voyagé dans l'intestin du garçon au risque de lui être fatale.

Il tendit la main vers l'ammonite qui reposait à côté et la frotta entre ses doigts en se souvenant de la joie de Milon devant sa trouvaille. En la reposant sur l'étagère, il surprit une photographie qui dépassait entre deux livres et, en tirant, il se retrouva face au visage souriant de Charlotte Broughton, debout sur les remparts. Sa femme avait eu raison depuis le début.

Il tira la chaise en arrière, s'assit devant le bureau et fit glisser la paume de ses mains sur le bois que Hebe Jones n'avait pas cessé d'épousseter. Il scruta la rangée de classeurs et en prit un qu'il reconnaissait. Collé sur la couverture, un morceau de papier pas tout à fait carré s'ornait de l'inscription : *Evasions de la Tour de Londres.*

Le hallebardier ouvrit le classeur en se remémorant les moments où ils avaient travaillé ensemble dessus. Ils étaient allés rendre visite au révérend Septimus Drew, autorité en la matière, et s'étaient installés dans sa cuisine pour l'écouter. En dégustant des tartelettes à la confiture, ils avaient entendu ses dramatiques envolées sur quelque quarante évasions. Balthazar Jones jeta un regard sur la première page consacrée à Ranulf Flambard, archevêque de Durham et premier prisonnier de renom de la Tour, qui se trouvait également être le premier évadé.

Il lut le compte rendu de son fils sur la manière dont l'archevêque avait réussi à enivrer ses gardiens et à descendre le long des murailles sur une corde qu'on lui avait fait passer dans un gallon de vin.

En tournant la page, il tomba sur un essai à propos de John Gerard, qui demandait à ses gardiens de lui apporter des oranges et écrivait des lettres apparemment innocentes à ses partisans en ajoutant des messages rédigés avec le jus de manière à ce qu'on ne puisse les décrypter qu'avec une chandelle. La technique lui avait permis de dresser un plan, et le prêtre jésuite avait réussi à s'enfuir avec John Arden, son compagnon de cellule, en grimpant à la corde de la tour du Berceau jusqu'au ponton. Lorsqu'il eut achevé sa lecture, le hallebardier se souvint de tous les messages secrets que lui et Milon s'étaient envoyés, à la grande irritation de Hebe Jones qui se demandait où passaient ses oranges.

Il vit que le classeur comportait plusieurs pages blanches qui ne portaient qu'un nom de prisonniers, ce qui lui fit penser que Milon aurait eu une excellente note s'il avait vécu assez longtemps pour achever son projet. Balthazar Jones s'empara d'un crayon dans le pot placé au fond du bureau et le tint à l'endroit précis où son fils posait autrefois les doigts.

Il alla ensuite jusqu'à la penderie et ouvrit les deux portes. L'odeur de Milon était si forte qu'il en fut comme tétanisé. Enfin, il leva les deux mains et écarta les cintres, prenant le temps de se souvenir de son fils avec chaque pièce de vêtement. Il baissa les yeux sur les chaussures alignées deux par deux et les trouva si petites…

Incapable de supporter plus longtemps l'odeur familière, il referma les portes, éteignit la lumière et, à tâtons dans l'obscurité, entama le long trajet de retour jusqu'à sa chambre vide.

Chapitre quatorze

Après un dernier frisson cataclysmique qui déferla jusqu'à ses genoux arthritiques, le maître des corbeaux s'écroula sur Ambrosine Clarke. Il resta allongé, respirant l'odeur de suif de ses cheveux pendant que les oiseaux, troublés par les cris d'extase du maître qui glissait d'avant en arrière sur le plancher de bois à chaque coup de reins, poursuivaient leurs révolutions hystériques dans la volière voisine. Le claquement frénétique des ailes finit par s'apaiser, et seuls les toucans continuèrent à décrire leurs arabesques multicolores.

En remontant ses chaussettes noires, le maître des corbeaux jeta un regard à la cuisinière qui ramenait ses seins lourds dans les bonnets de son soutien-gorge, les cheveux aplatis sur le dessus de sa tête, qu'il avait empoignée afin de mieux accomplir sa tâche. Surpris, comme toujours, par la rapidité avec laquelle les flammes infernales du désir fléchissaient, il attrapa son uniforme recouvert de téguments de graines.

En enfilant son pantalon, il sentit son estomac se révulser à la perspective des tourments qui suivaient invariablement ces rendez-vous clandestins. Comme prévu, dès qu'ils furent habillés, Ambrosine Clarke tendit la main vers son panier et, ignorant les protestations du maître des corbeaux affirmant qu'il n'avait plus d'appétit, en déballa le contenu. Il suffit d'un regard pour que le maître des corbeaux mesure toute l'ampleur de sa pénitence du jour : le petit-déjeuner anglais digne des matins victoriens dont elle le menaçait depuis des semaines, avec supplément de rognons, de haddock en pâte feuilletée et de gelée en forme de lièvre. Tout en avalant péniblement chaque bouchée, il se dit qu'il subissait une torture plus cruelle que l'écartèlement infligé à William Wallace sur le chevalet, et dont les pitoyables gémissements résonnaient parfois à travers la tour de Briques.

La cuisinière partit la première après avoir vérifié par la fenêtre que la voie était libre avant de tirer la lourde porte de chêne. Le maître des corbeaux enfila ses gants de cuir noirs pour la suivre quelques minutes plus tard tandis que la puanteur de la zorille lui retournait à nouveau l'estomac. En traversant la forteresse qui n'avait pas encore ouvert ses portes au public, sa colère quant à la décision de loger les animaux de la reine dans la Tour prit le pas sur ses brûlures d'estomac. Depuis l'ouverture de la ménagerie, les visiteurs n'avaient guère montré d'intérêt pour ses chers corbeaux, et ce, en dépit de leur pedigree historique et de leur intelligence qui, selon les études argumentées des meilleurs savants, rivalisaient avec celles des grands singes et des dauphins. Il s'était souvent plaint des créatures royales au Rack & Ruin, la douceur de son jus d'orange ne parvenant pas à compenser l'amertume qui jaillissait de sa bouche. Toutefois, il rencontrait rarement chez les hallebardiers le soutien qu'il attendait. En dépit de leurs réserves initiales, la plupart d'entre eux avaient acquis une certaine affection pour les animaux, séduits qu'ils étaient par l'appétit époustouflant du glouton, la douceur des opossums à queue en anneau penché qui s'endormaient dans leurs bras, les fanfaronnades des rats domestiques, auxquels Ruby Dore avait appris à rouler de minuscules tonnelets sur le bar, et le charme de la duchesse d'York à face bleue, qui grimpait sur leurs genoux et fouillait leurs cheveux avec le toupet de la nourrice de Juliette.

Une averse força le maître des corbeaux à adopter une allure peu élégante qu'il aggrava en enfonçant la tête dans les épaules afin d'éviter que la pluie ne s'infiltre dans son cou. Soudain, il s'arrêta net dans sa course. Fixant la scène avec incrédulité, il se précipita sur le gazon en poussant des grognements sourds de terreur pure.

Il s'agenouilla sous la pluie battante, ramassa délicatement le cadavre de corbeau qui gisait au milieu d'un amoncellement de plumes sanglantes et chercha le pouls. Mais le cou de l'oiseau retomba mollement en arrière, et les yeux vitreux ne cillèrent pas. Le maître des corbeaux se précipita dans sa maison, posa le petit corps sur la table de la salle à manger et, dans un frénétique combat contre la mort, se mit à lui faire du bouche-à-bouche.

Tandis que Balthazar Jones se frayait un chemin à travers la pluie, une variété commune qui tombait en grosses gouttes du bord de son chapeau, il aperçut au loin le maître des corbeaux et se demanda s'il était arrivé un malheur. La veille au soir, lorsqu'il s'était enfin décidé à s'occuper de sa lessive, il avait ramassé le maillot de corps et constaté que l'étiquette correspondait à celle d'un certain faiseur dont l'homme chantait sans cesse les louanges. Debout devant la machine à laver, il avait passé de longues minutes à réfléchir à la manière dont le sous-vêtement du gardien des corbeaux avait pu se retrouver sur les marches de la tour de Briques, jusqu'à ce qu'un morceau de carotte ridée abandonné sur le sol détourne son attention et qu'il se lance dans une nouvelle et vaine chasse à Mme Cook.

Serrant dans sa main quelques choux de Bruxelles destinés au sanglier à moustaches, le hallebardier arriva à la tour du Facteur d'art pour nourrir les basilics à plumes. Il fut accueilli sur le seuil par l'une des secrétaires du service de presse qui avaient été obligées de céder leurs confortables bureaux du rez-de-chaussée aux reptiles vert vif. Elles avaient éprouvé une telle haine pour le donateur, le président du Costa Rica, et son maudit présent qu'elles s'étaient mises à boycotter le café dans leurs nouveaux locaux exigus au premier étage.

Affront suprême, les trois femmes avaient dû non seulement déménager leurs meubles, mais elles devaient à présent faire face à d'innombrables coups de téléphone du monde entier au sujet de la nouvelle Ménagerie royale.

— Ah ! *Yeoman Warder* Jones. J'espérais vous voir, dit la femme boudeuse qui portait un foulard de cachemire rose fuchsia autour du cou. Nous avons eu un coup de fil des journaux argentins qui se demandent où se trouvent les manchots sauteurs.

Le hallebardier gratta sa barbe mouillée.

— Ils sont chez le vétérinaire, répondit-il.

— Encore ?

Balthazar Jones hocha la tête.

— C'est ce que je leur ai dit, mais ils n'ont pas eu l'air de me croire.

Le hallebardier posa son regard sur un horizon lointain.

— Nous avons également eu des questions du *Catholic Times* au sujet du surnom des basilics à plumes. Pourquoi « lézards Jésus-Christ » ?

— C'est parce qu'en cas d'urgence, ils sont capables de courir sur l'eau pour fuir leurs prédateurs, annonça-t-il.

Il y eut un silence.

— Il y a autre chose. Nous avons eu deux ou trois coups de fil à propos des girafes, continua-t-elle. Vous pouvez me rappeler qui les a offertes ?

Les yeux du hallebardier tombèrent sur les choux qu'il tenait encore dans sa main.

— Les Bruxellois, euh, je veux dire les Belges, répondit-il.

Après avoir nourri les basilics à plumes, Balthazar Jones repartit sous la pluie vers la tour de Develin en espérant que le sanglier à moustaches aimerait sa nouvelle balle.

Alors qu'il dépassait la tour Blanche, il entendit des pas précipités derrière lui et il se retrouva, sans savoir comment, plaqué contre le mur, une main sur la gorge.

— Qui est le coupable ? éructa le maître des corbeaux.

— Coupable de quoi ? bafouilla le hallebardier.

— Assassinat.

— Je ne sais pas de quoi vous parlez.

Le maître des corbeaux approcha le visage de Balthazar Jones.

— Je viens de retrouver Edmond sur le gazon. Les pattes et le cou brisés. Qui a fait cela ? répéta-t-il.

— Ils sont tous enfermés. Ils l'ont toujours été.

Le maître des corbeaux resserra sa poigne autour du cou de son collègue.

— Alors, l'un d'entre eux s'est échappé, siffla-t-il.

— C'est peut-être un renard ou le chien du hallebardier en chef, coassa Balthazar Jones.

— Je savais que vous y étiez pour quelque chose, déclama le maître des corbeaux.

Puis il pointa son doigt de cuir noir vers lui et tourna les talons.

Une fois qu'il eut repris son souffle, Balthazar Jones rajusta son chapeau et ramassa les choux qui étaient tombés à terre dans la bataille.

Malgré la nature docile de l'espèce, il se demanda si le sanglier à moustaches pouvait être responsable du méfait, car c'était le seul animal qu'il n'avait pas vérifié le matin.

Mais, lorsqu'il atteignit la tour, il vit que la porte était toujours verrouillée. En regardant par-dessus son épaule afin de s'assurer que personne ne le surveillait, il fit tourner la clef. Dès qu'il pénétra dans la pièce, l'animal bondit vers lui en faisant voler le blaireau de sa queue dans l'air comme un drapeau au-dessus de son considérable arrière-train. Après avoir frotté le sanglier derrière les oreilles, le hallebardier lui tendit les choux que l'animal bouscula aussitôt pour les faire rouler au sol comme des billes et se lancer à leur poursuite. Balthazar Jones s'assit dans la paille, appuya son dos contre le mur froid et ferma les yeux. Il leva la main et toucha son cou du bout des doigts.

Au bout de quelques instants, il fouilla dans la poche de sa tunique pour en sortir les lettres d'amour qu'il avait écrites à Hebe Jones il y avait si longtemps. Il les avait exhumées de leur cachette pendant la nuit, alors qu'il ne trouvait pas le sommeil, mais n'avait pas eu le courage d'en lire une seule. Il regarda la première enveloppe à l'adresse déformée par l'amour, et en tira la lettre.

Dès qu'il commença sa lecture, il se rappela la jeune fille dont les cheveux noirs bouclaient sur le corsage de sa robe turquoise, et dont les yeux de faon s'étaient posés sur lui dans la boutique du coin de la rue. Il se souvint de cette première nuit ensemble et de leur stupeur lorsqu'ils avaient réalisé qu'ils allaient devoir se quitter au matin. Il se souvint de la première fois où ils avaient fait l'amour pendant un week-end à Oxford, lorsqu'une coupure de courant dans le pub de l'Auberge du joyeux marinier, dont les poutres provenaient de navires naufragés, les avait obligés à se réfugier plus tôt que prévu dans leur chambre.

La lumière de la chandelle que leur avait confiée l'aubergiste éclairait à peine les anciennes fresques de vaisseaux aux voiles gorgées de vent. Et, après qu'ils eurent ainsi scellé leur amour, ils s'étaient promis de rester ensemble jusqu'à l'âge où ils seraient si vieux qu'il leur aurait poussé une troisième série de dents, tout comme le centenaire indien dont ils avaient lu l'histoire dans le journal.

Lorsque le sanglier vint s'asseoir près de lui et posa ses moustaches sur sa cuisse, le hallebardier, réchauffé par le souffle de l'animal à travers son pantalon, déplia une autre lettre. Après avoir relu le déluge d'adoration, il se souvint du papillon qui gambadait au-dessus des rangs de prie-Dieu pendant leur mariage, un si bon présage qu'il plongea toute la famille Grammatikos dans une véritable euphorie. Il se souvint de la manière dont Hebe et lui s'étaient promis de rester ensemble pour toujours, en dépit de ce que la vie leur réservait, et comment, à l'époque, il lui avait paru inconcevable de rompre cette promesse. Baissant les yeux vers ses mains de vieil homme qui tenaient une lettre composée il y a si longtemps, il posa les yeux sur l'anneau d'or éraflé qui n'avait pas quitté son doigt depuis que, devant l'autel, sa femme le lui avait donné.

Il décida alors de lui écrire une nouvelle lettre.

Après avoir soigneusement verrouillé la porte de la tour de Develin derrière lui, il regagna son domicile. Porté par une nouvelle bouffée d'espoir, il grimpa l'escalier en colimaçon, poussa la porte et pénétra dans la pièce où les hommes de l'équipage du sous-marin allemand avaient été emprisonnés pendant la guerre.

Ignorant les swastikas et le portrait du maréchal Göring dessinés à la craie sur le mur, il tira la chaise en bois, qui rendit un grincement funèbre contre le plancher tanguant, et s'assit devant la table qu'il avait dénichée chez un brocanteur. Il sélectionna une feuille de papier sur l'une des piles et, avec la calligraphie qui n'avait pas changé d'un pouce en trois décennies, il écrivit les mots *Chère Hebe.*

Le Niagara d'affection qui s'ensuivit était aussi flagorneur que frénétique. Il rappela à sa femme comment la graine de leur amour avait été plantée lors de leur première nuit ensemble, lorsqu'elle avait posé un baiser à l'extrémité de chacun des doigts qui allaient tenir un fusil. Il lui dit à quel point, ce matin-là, il avait amèrement regretté de devoir rejoindre l'armée, mais que les germes de leur amour avaient jailli en dépit de la distance qui les séparait. Il lui rappela le papillon attiré par les fleurs de l'amour qui était entré dans l'église pour danser au-dessus de leur tête. Et il lui rappela que Milon, le fruit de leur amour, avait été la plus grande joie de sa vie outre celle d'être son mari.

Lors d'une pause, il leva les yeux vers le manteau de la cheminée qui se dressait de l'autre côté de la pièce, mais il ne voyait rien d'autre que son fils, âgé de quelques heures, dans les bras de sa mère.

Soudain, ses pensées revinrent à ce jour terrible entre tous et une lame déchira son cœur. Si elle le découvrait, sa femme ne lui pardonnerait jamais ce qu'il avait fait.

Il déchira la lettre et resta assis devant la table jusqu'à la fin de la matinée, la tête dans les mains, étouffé par la culpabilité tandis que la pluie battait les carreaux.

Lorsque la porte de l'horloge s'ouvrit pour laisser jaillir le coucou qui poussa ses onze cris endiablés, Hebe Jones sortit le panneau DE RETOUR DANS 1/4 D'HEURE et abaissa le rideau. Elle patienta à sa table de travail en espérant que les nouvelles résolutions de sa collègue montreraient quelques fissures, mais lorsque Valerie Jennings se redressa devant le réfrigérateur, au lieu d'une friandise au beurre et au sucre, elle brandit les mêmes pommes vertes que sa collègue avait dû supporter bien trop longtemps.

En dépit du fait que Valerie Jennings lui avait déjà raconté dans les moindres détails le pique-nique de la semaine précédente, Hebe Jones écouta ses réminiscences en sirotant son thé au jasmin. Elle réécouta l'histoire du plaid qu'Arthur Catnip avait tendu pour la protéger du froid. Elle réécouta l'histoire des verres qu'il avait apportés pour le vin, en pur cristal et non en plastique. Et elle réécouta les heures qu'il avait dû passer la veille au soir à préparer les mets, et comment, en dépit de son régime, Valerie Jennings avait, par politesse, goûté à sa compote de rhubarbe à la crème.

Lorsque la collation toucha à sa fin, Hebe Jones se leva pour aller rincer les tasses en se rappelant que son mari lui proposait toujours de prendre un plaid afin de se protéger du froid dans la tour de Sel ou que, bien qu'il n'ait jamais osé lui faire subir ses recettes de pâtisserie, il était un expert en matière de chutney à la tomate, du moins jusqu'à ce que le hallebardier en chef remarque les plants qu'il faisait pousser avec Milon à côté de leur tour et en exige l'éradication.

Lorsqu'elle releva le rideau, un poinçonneur de tickets attendait déjà devant le comptoir à côté d'un sarcophage en bois dont le nez était écorné.

— Il est vide ? demanda Hebe Jones en regardant l'objet de haut en bas.

— Un morceau de bandelette, répondit l'homme. La momie a dû descendre à la station précédente.

Après avoir consigné l'article dans le registre, Hebe Jones aida le poinçonneur à le glisser le long de l'allée jusqu'à la section EGYPTE, un trajet rendu encore plus pénible en raison de la différence notable de taille entre les deux porteurs.

De retour à sa table de travail, elle décrocha le téléphone pour appeler la Guilde des ébénistes. Le matin, lorsqu'il avait rapporté l'urne, son cousin Thanos Grammatikos lui avait assuré que l'objet était en bois de grenadier. Elle demanda au président de la Guilde de lui adresser les coordonnées d'un ébéniste qui se spécialiserait dans ce bois, mais il n'en connaissait aucun et promit simplement de lui envoyer la liste des compagnons qui pourraient l'aider dans sa quête. Après avoir raccroché, elle vérifia que sa collègue ne la regardait pas et ouvrit le journal du gigolo.

— La perfidie des Suédois ! s'écria Valerie Jennings.

— Pardon ? demanda Hebe Jones qui était plongée dans une rencontre avec un cube de glace.

— La perfidie des Suédois, répéta sa collègue en fermant le dictionnaire de latin qu'elle avait emprunté à l'une des étagères. C'est le sens de *perfidia Suecorum*. C'est l'une des rares expressions que j'arrive à déchiffrer dans ce manuscrit. Si tu voyais l'écriture !

En se dirigeant vers le comptoir pour répondre au son de la cloche suisse, Hebe Jones prit le temps de jeter un œil par-dessus l'épaule de sa collègue. Lorsqu'elle tourna le coin, elle tomba sur Tom Cotton dans son uniforme bleu. Elle leva la main vers sa bouche et demanda :

— Vous n'avez pas perdu autre chose, j'espère !

— Je me demandais si vous aviez envie d'un café, dit-il.

Pendant que Tom Cotton faisait la queue, Hebe Jones s'installa à leur table du fond. Elle profita de l'attente pour le contempler, dans son uniforme net, tandis qu'il parlait avec la serveuse, et se demanda pourquoi sa femme l'avait laissé filer. Lorsqu'il s'approcha avec son plateau, elle baissa les yeux.

— Alors, dit-il en s'asseyant et en posant une tasse et une assiette devant elle. Vous a-t-on apporté des objets intéressants depuis la dernière fois ?

Hebe Jones réfléchit un moment.

— Un tuba dont ma collègue joue à ses moments de désespoir, et un sarcophage, dit-elle.

Elle mordit dans son pancake.

— Et vous, vous avez sauvé quelques vies dernièrement ?

— Ce sont les donneurs et les médecins qui sauvent des vies. Moi, je me contente d'être le porteur, précisa-t-il en levant la tasse.

Hebe Jones regarda la table.

— Nous n'avons pas fait de don avec les organes de Milon, dit-elle en levant finalement les yeux. Ils ont pris son cœur pour le faire examiner par un spécialiste. Il s'est passé des semaines avant qu'on le récupère. Je ne supportais pas l'idée de le savoir sans.

Après un long silence, Tom Cotton reprit la parole.

— Vous n'avez pas totalement perdu Milon, vous savez. J'ai perdu ma sœur quand nous étions très jeunes. Nous portons toujours une part de ceux que nous aimons au fond de nous.

Après avoir séché ses joues sur le mouchoir blanc et doux qu'il lui tendit, elle le regarda à travers le kaléidoscope de ses larmes.

— Merci, murmura-t-elle en posant sa petite main sur la sienne.

Balthazar Jones n'avait pas eu l'intention de ressortir après sa journée de travail, mais l'étage supérieur de la tour de Sel ne donnait plus l'impression d'être le sanctuaire qu'il avait été. Après être resté vautré sur le canapé pendant une heure dans l'obscurité, il sortit pour aller marcher sur les remparts. En traînant le pas, les mains enfouies dans ses poches à l'abri du froid, il s'aperçut que ses problèmes l'avaient suivi. Il s'arrêta un moment pour observer le pont de la Tour, brillant comme une fête foraine dans la nuit, mais ses problèmes revinrent l'envelopper comme un brouillard, et il fut forcé d'avancer. Il avait beau marcher plus vite, il était incapable de leur échapper.

Pour finir, il trouva refuge au Rack & Ruin. Après avoir poussé la lourde porte en chêne, il traîna un moment sur les dalles usées de l'entrée en se demandant s'il allait pouvoir supporter la compagnie de tous ces gens. Il repéra une table libre à côté d'une vitrine de souvenirs et commanda un verre en espérant que personne ne le remarquerait, mais, tandis qu'il patientait devant le comptoir, l'un des hallebardiers se tourna vers lui en disant :

— Navré pour ta femme.

Il emporta sa pinte jusqu'à la table et s'assit, la tête

penchée sur la main, dessinant des traits sur le verre embrumé par la condensation. Le bruit de la chaise qu'on tirait en face de lui sur les dalles interrompit brusquement ses ruminations. Il leva les yeux sur le révérend Septimus Drew qui s'asseyait en face et posait son verre de vin rouge.

Avec l'enthousiasme débordant du chevalier qui venait de déterrer le Saint-Graal, l'homme d'Eglise se lança dans l'histoire de sa stupéfiante découverte. Il lui avait fallu des mois de ténacité, expliqua-t-il, mais il avait enfin réussi à desserrer les doigts crochus du gardien de l'histoire de la Tour et il avait passé des nuits entières sur les pages maculées par le temps afin d'y dénicher un soupçon d'explication. Alors qu'il était sur le point d'abandonner tout espoir, il avait soudain trouvé ce qu'il cherchait : l'anecdote scandaleuse qui expliquait la présence du trou de balle.

Les yeux de Balthazar Jones se posèrent sur la table dans un signe de désintérêt total, mais l'homme d'Eglise poursuivit son histoire.

Un soir, en 1869, deux hallebardiers s'étaient enivrés au Rack & Ruin au point que le patron du pub avait été incapable de les réveiller après le dernier service.

Il les laissa dormir, la tête écroulée sur la table, et se retira à l'étage. Pendant la nuit, l'un secoua l'autre pour le réveiller parce qu'il était convaincu d'avoir aperçu le fantôme d'un prêtre jésuite.

Le second hallebardier répondit à son collègue terrifié qu'il avait dû rêver, reposa la tête sur la table et se rendormit. Mais le premier hallebardier s'approcha du comptoir afin de s'emparer du pistolet du patron et s'installa, le dos au mur, bien décidé à attendre le retour de l'apparition. Le chapelain de l'époque, qui était toujours armé la nuit au cas où l'un des hallebardiers tenterait de lui voler ses cloches, se faufila dans le pub afin de se servir de gin. Au même moment, réveillé par le vacarme, le patron apparut en bas des marches, le pistolet de sa femme à la main.

— Et soudain, le coup partit ! hurla le révérend Septimus Drew en agrippant le bras de Balthazar Jones tant il était impatient de livrer son dénouement explosif.

Mais avant que l'homme d'Eglise ne puisse révéler la chute, la porte du Rack & Ruin s'ouvrit à la volée sur le geôlier en chef.

— Où est le *Yeoman Warder* Jones ? clama-t-il.

Le hallebardier se leva.

— Je viens de voir le dragon de Komodo dépasser en courant la tour Blanche ! hurla le geôlier en chef.

Le gardien de la Ménagerie royale fut suivi par le reste des buveurs qui abandonnèrent sans hésiter leurs pintes afin d'assister au spectacle. Dès qu'ils atteignirent la tour Blanche, tout le monde put se rendre compte que le reptile géant n'était pas le seul évadé.

Deux singes hurleurs fonçaient à travers la Pelouse et, si l'on en jugeait par la puanteur ambiante, la zorille était aussi en balade. En se lançant à la poursuite des singes, Balthazar Jones remarqua que la porte de la tour de Briques était grande ouverte.

Il chargea dans l'escalier en colimaçon jusqu'à la volière dont la porte était également ouverte. Tous les oiseaux avaient disparu, hormis l'albatros hurlant qui était seul au milieu de l'enclos, sa tête blanche nichée dans ses plumes.

Le hallebardier dégringola les marches et scruta le ciel de la nuit, mais tout ce qu'il vit fut le ventre clair du phalanger volant qui planait au-dessus de sa tête comme un petit cerf-volant poilu. Repérant la duchesse d'York au loin, il se dirigea vers elle, mais, lorsqu'il tourna au coin de l'allée de l'Eau, les basilics à plumes étaient sur ses talons. Pendant un moment, il s'arrêta, posa ses mains sur ses genoux pour recouvrer son souffle et du même coup contempler les rhinopithèques de Roxellane qui tournaient au coin de la rue de la Monnaie. Tandis que son souffle affolé projetait des nuages de vapeur dans les ténèbres, le dragon de

Komodo le dépassa en agitant sa langue fourchue. Balthazar Jones se retourna afin de voir d'où il était venu, et ses yeux tombèrent sur les opossums à queue en anneau penché qui gisaient, sans mouvement, sur les pavés.

Il se précipita pour s'agenouiller à leurs côtés et les prit dans ses bras. Il caressa de sa main tremblante leur tête soyeuse. Rien à faire, aucun ne bougea.

Chapitre quinze

Ce n'est que lorsque l'aube mouillée d'un nouveau jour se leva que Balthazar Jones parvint enfin à regagner l'escalier en colimaçon de la tour de Sel. Bien qu'il n'ait rien avalé depuis le déjeuner de la veille, il se contenta d'un verre d'eau dans la cuisine avant de monter. Trop abattu pour songer à prendre un bain, il s'allongea sur son côté du lit, dans son uniforme, et ferma les yeux. Mais les rêves lui échappaient, car il ne parvenait pas à effacer les images épouvantables des heures qu'il venait de passer à s'efforcer de faire rentrer les animaux dans leurs enclos et leurs cages.

Incapable de supporter leurs cris démoniaques qui clouaient les épouses des hallebardiers de terreur dans leur lit, il s'était d'abord occupé des singes hurleurs. Il avait coincé le premier avec l'aide d'une sentinelle que la créature tentait d'escalader pour s'emparer de son chapeau en poil d'ours. Les trois autres s'étaient précipités dans la maison que le révérend Septimus Drew avait oublié de verrouiller lorsqu'il y était passé en coup de vent pour se procurer une lampe torche. Le hallebardier était soulagé que le révérend ait été absent pour ne pas assister au massacre. La théière était en miettes, quatre chaises de la salle à manger, décapitées, et les documents qui s'empilaient dans son cabinet de travail avaient pris l'air dans une tornade de feuillets qui obligea les chasseurs à suspendre leurs poursuites jusqu'à ce que leur vision redevienne nette. Après une diversion qui fit intervenir une soutane tout juste repassée, les singes finirent par jaillir par la porte d'entrée pour se retrouver finalement encerclés devant le Rack & Ruin par les nombreux hallebardiers qui s'étaient joints à la traque. Les créatures furent enfin poussées dans la tour de Devereux à grands coups de friands au fromage et aux cornichons qui avaient été dérobés dans le pub.

Balthazar Jones assista alors l'un de ses collègues, qui affrontait les basilics à plumes sur la Pelouse. Conscient de la menace, les lézards se dressèrent sur leurs pattes arrière à son approche et dépassèrent les deux hommes en courant, les pattes avant écartées pour conserver quelque équilibre dans leur course peu élégante.

Les deux hallebardiers les poursuivirent au-delà de la caserne de Waterloo jusqu'à ce qu'elles soient bloquées par deux autres hallebardiers qui étaient en train de poursuivre, dans la direction opposée, l'inséparable femelle qui venait d'abattre son compagnon, envoyant des nuages de plumes vertes et rose pêche dans les airs. On érigea des échelles pour aller déloger le phalanger volant, qui s'était juché sur un appui de fenêtre de la tour Blanche, et Balthazar Jones partit récupérer la zorille qui, à en juger par l'odeur, n'était pas loin. Il la trouva endormie à côté du Café de la Tour, ses relents âcres mêlés aux remugles des bacs d'ordures qui trônaient à côté de la porte de service.

Il observa ensuite les ouistitis de Geoffroy, rassemblés en haut d'un canon, déclarer l'état d'urgence tandis que s'approchait une bande de hallebardiers, bras écartés, qui portaient tous les signes d'une consommation excessive de bière. Les singes continuèrent à s'exhiber longtemps après la fuite des hallebardiers dont la barbe peinait à dissimuler les rougeurs.

Quant aux oiseaux, ce fut un jeu de patience. Après des efforts considérables, Balthazar Jones persuada le geôlier en chef de donner ses restes de nourriture.

L'homme revint de chez lui avec des morceaux de pain tartinés de maigres reliefs, que le hallebardier disposa à terre sous les arbres.

Le premier à tomber fut l'un des toucans, qu'il captura avec un filet de pêche, et, après un salto final de victoire autour de la tour Blanche, même l'inséparable succomba à la tartine graisseuse.

En revanche, dans le clair de lune, le loricule refusa de quitter son poste dans le platane, où il se balançait, tête en bas, avec la décontraction d'un trapéziste de haut vol. Tandis que, vaincus, les autres résidents de la Tour regagnaient leur lit, Balthazar Jones fit de nouvelles tentatives. Et, lorsque toutes échouèrent, il finit par sortir de sa poche le Figolu qu'il avait chapardé dans la cuisine du geôlier en chef. Mais le sacrifice des figues gorgées de soleil n'incita pas plus le minuscule oiseau à abandonner son perchoir illicite.

Abandonnant pour finir les offrandes gastronomiques, le hallebardier adossa une échelle contre le tronc de l'arbre. Sous l'œil vigilant de l'oiseau, il progressa le long des barreaux avec l'équilibre d'un marin imbibé de rhum grimpant le grand mât.

Alors qu'il lui suffisait de tendre le bras pour saisir l'oiseau, la créature exécuta un double saut arrière et se laissa tomber sur la branche du dessous. Le hallebardier redescendit de plusieurs barreaux et tendit ses doigts fins, mais l'oiseau ferma les deux yeux et plongea vers le sol avec l'allure d'un poids mort.

Juste avant de heurter le sol, il s'empara du Figolu et s'envola sur le toit de la tour Blanche, où il s'installa sur une girouette dorée, se balançant dans la brise tout en déversant sur Balthazar Jones une pluie de miettes de biscuit.

Le hallebardier ne se souvenait pas d'avoir arrêté l'alarme de son réveil lorsqu'elle sonna plusieurs heures après s'être mis mis au lit. La première chose dont il fut conscient fut la sonnerie du téléphone qui retentit sur la table de chevet de son côté. D'abord, il l'ignora et tira les couvertures sur sa tête. Elle s'interrompit pour reprendre quelques secondes plus tard. Il sortit alors la main de la couverture élimée et saisit le combiné.

— Allo ? coassa-t-il.

— Bonjour, ici Oswin Fielding. Je suis au Rack & Ruin. Vous deviez m'y retrouver à neuf heures.

Balthazar Jones assura à l'écuyer qu'il était sur le point de partir et rejeta les couvertures pour se précipiter dans la salle de bains. Tout en luttant contre la constipation, il songea aux corps désolés des opossums à queue en anneau penché et se demanda comment il allait pouvoir expliquer leur mort à l'écuyer.

Il n'avait aucun doute quant au responsable de l'évasion des animaux : c'était l'individu dont le maillot de corps blanc pendait dans son placard à linge. Sa colère monta lorsqu'il se rappela le maître des corbeaux qui le plaquait contre la tour Blanche.

Depuis leur confrontation à propos de la queue de Mme Cook, huit ans plus tôt, à l'arrivée de la famille Jones dans la Tour, il s'était méfié de l'homme. Il n'appréciait pas plus la manière dont ce type traitait sa femme, une créature en sucre, que l'on voyait si rarement dans le pub, que Hebe Jones avait déclaré :

— Je suis sûre qu'il la garde enfermée à clef comme dans une coque de noix.

En sortant, Balthazar Jones aperçut le reflet de son uniforme froissé dans le miroir de la chambre et regretta de ne pas l'avoir retiré pour dormir. Il enfila son chapeau sur ses cheveux tumultueux et, l'estomac révulsé par l'appréhension, descendit les escaliers.

Protégeant ses yeux de l'éclat des nuages d'albâtre en chemin vers le Rack & Ruin, il ouvrit la porte du pub et trouva un certain soulagement dans la pénombre à l'arôme de houblon. Il commanda une tasse de thé à la patronne, qui refusait de servir de l'alcool avant dix heures du matin, une coutume lancée par l'un de ses ancêtres afin de veiller à ce que tous les résidents de la Tour soient en pleine possession de leurs facultés lorsqu'ils allaient vider leur pot de chambre. Il lui adressa en grommelant quelques remerciements pour avoir rassemblé les rats domestiques et porta son thé entre les tables vides jusqu'à Oswin Fielding qui examinait son sempiternel dossier.

— Vous voici, déclara l'écuyer en levant les yeux. J'ai entendu dire qu'il y avait eu un incident la nuit dernière.

Le hallebardier s'assit en face de lui sans dire un mot.

— A mon arrivée, ce matin, j'ai vu les opossums perchés dans un arbre. Le hallebardier en chef m'a informé du remue-ménage de la nuit dernière. La bonne nouvelle, la seule, c'est qu'il semble qu'aucun des animaux des douves ne se soit échappé, ce qui fait que le public n'est pas au courant.

Balthazar Jones songea à l'amoncellement de corps sur les pavés de l'allée de l'Eau.

— J'ai cru que le dragon de Komodo avait tué les opossums, s'entendit-il dire.

— Ils ont dû faire mine d'être morts. Ils sont en pleine forme à présent, répondit Oswin Fielding en retirant ses lunettes et en se mettant à les nettoyer à l'aide d'un mouchoir bleu avant de poursuivre. Le hallebardier en chef se demandait si vous aviez oublié de fermer les enclos, mais je lui ai affirmé qu'un homme qui n'avait pas perdu sa tortue en tant d'années ne pouvait être aussi distrait.

Balthazar Jones regarda la table.

— Vous avez une idée de l'identité du coupable ? poursuivit l'écuyer en remettant ses lunettes sur son nez. Je ne pense pas une seule minute que les animaux aient pu s'échapper tout seuls.

Le hallebardier s'adossa à la chaise.

— J'ai des soupçons, lâcha-t-il.

— Vous voudriez bien m'en parler ?

— Mais je n'ai aucune preuve.

— Eh bien, nous allons lancer une enquête pour confondre le coupable, déclara l'écuyer en tournant une page de son dossier. Au moins, tous les animaux ont été repris.

Les pensées du hallebardier se tournèrent alors vers l'occupant de la girouette de la tour Blanche, et il leva sa tasse jusqu'à ses lèvres.

— Bien, continua Oswin Fielding, j'ai demandé cet entretien pour vous informer que le Premier ministre du Guyana vient d'envoyer des loutres géantes à la reine. Plutôt ennuyeux, je dois dire.

Balthazar Jones fixa le courtisan.

— Mais nous n'avons pas de place pour des loutres géantes, protesta-t-il.

— Personne n'est ravi de ce cadeau, je peux vous le dire. Nous devrons nous contenter de l'enclos des manchots pour le moment. Veillez à les surveiller correctement. Il s'agit d'une espèce menacée d'extinction, comme ce dragon de Komodo. Au fait, comment va-t-il ?

— Bien, juste un peu gros, c'est tout.

L'écuyer regarda à nouveau son dossier.

— Tant qu'il n'a pas dévoré un bébé, il n'y a pas de quoi s'inquiéter.

Le hallebardier détourna les yeux vers la fenêtre en se demandant quand il avait vu le chien du hallebardier en chef pour la dernière fois.

— A présent, il y a une chose dont je tenais à vous parler, dit Oswin Fielding.

Balthazar Jones se mit à jouer avec un sous-bock.

— Les journaux de ce matin rapporteraient que les girafes sont un cadeau du roi de Belgique, continua l'écuyer. Ce que je comprends mal, c'est que le service de presse affirme que l'information vient de vous.

Le hallebardier détourna les yeux.

— J'avais un chou de Bruxelles avec moi à ce moment-là, bafouilla-t-il.

— Quel rapport ? demanda l'écuyer.

— Bruxelles est la capitale de la Belgique.

L'envoyé du Palais cligna de l'œil en direction du hallebardier.

— Je sais, mais vous n'auriez pas pu penser à un pays d'Afrique ? demanda-t-il. Nous avons déjà eu un coup de téléphone du cabinet du roi Albert ! Je leur ai dit que le service de presse avait dû se mélanger les pinceaux et, si j'étais vous, j'éviterais ces dames pendant quelque temps. Elles ne sont pas très contentes.

Le courtisan ferma le dossier et recula dans sa chaise en laissant échapper un soupir.

— Comment va madame Jones ? demanda-t-il.

Il n'y eut pas de réponse.

— Elle n'est toujours pas revenue ?

Balthazar Jones regarda par la fenêtre.

— Non, finit-il par répondre.

— Dommage. Ma femme non plus, vous savez.

Après le départ des deux hommes, Ruby Dore débarrassa les tasses vides et rassembla les fragments du sous-bock. Elle se promettait de se coucher tôt ce soir-là, car elle était restée debout bien après minuit afin de dénicher le dernier des rats domestiques. Elle avait pratiquement abandonné tout espoir, mais alors qu'elle fouillait dans la poubelle à côté du Café de la Tour, le révérend Septimus Drew était arrivé derrière elle en affirmant qu'il en avait vu deux du côté du Musée des fusiliers.

Plus d'une heure après, ils les avaient repérés dans la chapelle royale de Saint-Pierre-aux-Liens, dont l'un des hallebardiers avait laissé la porte ouverte pendant le remue-ménage. Les rongeurs s'étaient immédiatement réfugiés sous l'orgue, et, de désespoir, le couple de chasseurs s'était laissé tomber sur le premier rang de prie-Dieu.

Quand les petites vermines avaient refait leur apparition devant eux pour plonger sans aucune honte leurs dents pointues dans le lin blanc de l'autel, le chapelain était allé chercher l'appât le moins sacré du monde : du beurre de cacahuète.

Une fois que les créatures eurent réintégré leur cage de la tour du Puits, Ruby Dore invita l'homme d'Eglise au Rack & Ruin et verrouilla la porte derrière elle pour ne pas donner aux hallebardiers l'idée de venir prendre un dernier verre. Elle remonta de la cave avec une bouteille de champagne millésimée, qu'elle avait gardée pour une occasion spéciale qui n'était jamais venue. Pendant qu'elle remplissait les coupes, le révérend Septimus Drew observa le canari endormi sur son perchoir et dit qu'il avait toujours pensé qu'il était dommage que Canary Wharf n'ait pas été baptisé d'après une invasion de minuscules oiseaux jaunes comme on aurait pu le croire, mais en pensant aux îles espagnoles dont les fruits arrivaient à ces docks par bateaux. Lorsqu'elle lui tendit son verre, la patronne du Rack & Ruin comprit que l'occasion spéciale était enfin venue.

Après sa première coupe, elle révéla qu'elle étudiait en candidat libre pour un diplôme universitaire en histoire. Elle ne l'avait confié à personne, expliqua-t-elle en surveillant sa réaction, car elle voulait éviter que les gens pensent qu'elle se montait la tête. Elle avait repris le pub de son père sans vraiment envisager une autre carrière, mais elle était parvenue à la conclusion – après une vingtaine d'années derrière le bar – que la vie devait lui réserver un autre destin que le remplissage de pintes pour des hallebardiers.

Le révérend Septimus Drew répondit qu'il trouvait l'idée merveilleuse, d'autant qu'il avait également envisagé d'étudier l'histoire à l'université (l'appel de la théologie avait été plus fort). Ruby Dore remplit à nouveau son verre et, tandis qu'ils sirotaient leur champagne, ils évoquèrent la vie de plusieurs monarques d'Europe dont Æthelred d'Angleterre le Malavisé, Pépin le Bref et George Ier le Bêcheur de navets.

Lorsque la bouteille fut vide, Ruby Dore trouva enfin le courage de lui poser la question qui la tenaillait. Le révérend Septimus Drew répondit qu'il n'avait rencontré qu'une seule femme avec laquelle il voulait passer le reste de ses jours et qui penserait que le fait de vivre dans la Tour soit un privilège et non une malédiction.

— Que s'est-il passé ? demanda Ruby Dore.

— Elle ne sait rien, admit-il.

Et il soutint le regard de Ruby Dore si longtemps qu'elle finit par baisser les yeux vers le comptoir en rougissant.

Ruby Dore étouffa un bâillement et baissa les yeux. Elle lavait les tasses de Balthazar Jones et d'Oswin Fielding en se demandant à quel moment les gens commenceraient à remarquer qu'elle était enceinte.

Elle avait déjà décidé d'opposer des rebuffades sur les questions qui concernaient le père en expliquant simplement qu'ils n'étaient plus ensemble. C'était la réponse dont elle se servit pour annoncer la nouvelle à ses parents. Sa mère conserva le silence pendant si longtemps que Ruby Dore se demanda si elle était toujours au bout du fil. Barbara Dore avoua alors la vérité :

— Je ne suis pas prête à être grand-mère, mais je n'étais pas non plus prête à être mère.

Toutefois, c'est la réaction de son père qui la préoccupait le plus. De nouveau, la ligne demeura silencieuse pendant un moment, mais cette fois, c'était parce que Harry

Dore était en train de calculer que sa fille avait dû tomber enceinte lors de son séjour en Espagne (il était particulièrement bon en calcul, car il lui avait fallu surveiller des décennies de hallebardiers qui tentaient de l'entourlouper). Ravalant la question qu'il avait sur les lèvres, il offrit ses félicitations et cria la nouvelle exaltante à sa seconde épouse en lui annonçant qu'il serait prochainement grand-père. Lorsque, quelques minutes après avoir raccroché, toutes les ramifications de la situation lui tombèrent dessus, il rappela immédiatement sa fille.

— Bon sang, Ruby, ne laisse pas le médecin de la Tour se charger de l'accouchement, insista-t-il. Je ne crois pas que le lino de la cuisine y résisterait.

La patronne du pub alla chercher le balai dans le placard situé sous l'escalier et se mit à balayer entre les tabourets du comptoir. Lorsqu'elle ouvrit la porte d'entrée pour jeter la poussière dehors, elle contempla le désordre laissé la nuit précédente par les singes hurleurs. En s'enfuyant du domicile du révérend Septimus Drew, ils avaient empoigné ce qu'ils pouvaient. Elle ramassa une grande chaussette ornée d'un bonhomme de neige et un col ecclésiastique, ainsi que des morceaux de papier froissés. En rentrant dans le pub, elle crut reconnaître l'écriture et lissa l'un des feuillets sur le bar pour découvrir rapidement la main de celui qui avait consigné la recette du cake à la mélasse.

En revanche, elle ne comprenait pas pourquoi le révérend évoquait la gloire des tétons en bouton de rose.

Hebe Jones posa sa valise dans le vestibule. Elle glissa dans sa poche les clefs qu'elle venait de récupérer auprès de l'agent immobilier et se mit à explorer son nouveau foyer. En flânant d'une pièce à l'autre, elle tomba à sa grande déception sur plusieurs défauts qu'elle n'avait pas remarqués lorsqu'elle avait accepté de louer l'appartement. Debout dans le living qui dominait la rue, elle réalisa combien le bruit de la circulation était fort. Si la cuisine était bien plus grande que celle à laquelle elle était habituée dans la tour de Sel, la cuisinière fonctionnait à l'électricité et non au gaz, et l'intérieur des placards était couvert de graisse. Dans la salle de bains, elle constata que la moquette rebiquait sous le lavabo et portait des taches suspectes. Assise sur le lit bourrelé de bosses et usé par d'innombrables inconnus pour l'acte intime, elle se demanda si elle parviendrait à s'habituer à dormir seule.

Elle observa la pauvre coiffeuse de style années 1970 qu'elle n'aurait jamais choisie. Regrettant déjà le confort de l'appartement surchauffé de Valerie Jennings avec ses boîtes de mouchoirs ornées de volants, elle se souvint que cela n'était que temporaire.

Lorsque le bail de ses locataires toucherait à sa fin, elle pourrait enfin retrouver leur maison de Catford où la carpette de l'escalier montait bien droite à l'étage, où les pièces étaient carrées et non circulaires, et où les voisins s'occupaient de leurs oignons et ne connaissaient même pas son nom.

Toutefois, la perspective de rentrer chez elle ne suffit pas à endiguer la vague de désarroi, et ses pensées revinrent au naufrage de son mariage. Pendant des années, Balthazar et Hebe Jones avaient vécu dans un état de félicité qu'elle savait désormais illusoire.

Alors que certains couples surmontaient les périodes difficiles en s'imaginant dans les bras d'un ou d'une autre, ils étaient tellement persuadés d'avoir fait le bon choix qu'ils n'avaient jamais envisagé autre chose.

Mais, après la tragédie, un désespoir corrosif avait mordu les verrous de leur affection jusqu'à ce que le mécanisme de leur colossal amour soit grippé à tout jamais. Et il ne restait de leur union qu'un vague écho.

L'étrangeté du décor la poussa à se lever et à retourner dans le vestibule. Elle ouvrit la porte d'entrée et la referma derrière elle. En descendant les escaliers pour se rendre au Bureau des objets trouvés, ses pas claquèrent et résonnèrent derrière elle.

A l'arrivée de Hebe Jones, Valerie Jennings émergea des rayonnages en lui demandant comment elle trouvait l'appartement.

— Charmant, répondit Hebe Jones. Je te remercie de m'avoir hébergée si longtemps.

Elle s'installa à sa table et, en glissant le coupe-papier sous le rabat de chaque enveloppe, ouvrit le courrier du jour, espérant trouver une distraction. Le seul message d'intérêt était une autre lettre de remerciement de Samuel Crapper – cette fois pour avoir retrouvé sa veste de velours côtelé – et une liste de membres de la Guilde des ébénistes qui pourraient aider Hebe Jones dans ses recherches. Le cœur de plus en plus lourd, elle feuilleta la liasse épaisse. En pensant à l'inconnu qui avait égaré son urne, son cœur sombra davantage, et elle composa le premier numéro de téléphone de la liste.

Après une première déception, elle composa un autre numéro, puis progressa dans la liste en demandant chaque fois si son interlocuteur avait déjà travaillé sur du bois de grenade.

Elle entendit retentir la cloche suisse alors qu'elle n'était arrivée qu'au bas de la première page. Irritée par le dérangement, elle jeta un coup d'œil vers Valerie Jennings pour voir si sa collègue allait répondre, mais elle la vit, se balançant comme un navire à la charge mal répartie, disparaître dans l'une des allées avec un jeu de clubs de golf.

Debout devant le comptoir victorien d'époque se tenait un homme vêtu d'un long manteau en cuir noir. Il avait laissé pousser ses cheveux comme pour compenser le net recul qui marquait le haut de son front, et les avait noués en un maigre catogan qui pendait lamentablement dans son dos. Sa peau blafarde de vampire n'était éclairée que par une multitude de boutons d'acné.

— Suis-je bien au Bureau des objets trouvés du métro de Londres ? demanda-t-il.

— Puis-je vous aider ? répondit Hebe Jones.

L'homme posa ses mains sur le comptoir.

— J'ai laissé un calepin dans le métro il y a environ un mois. Je viens seulement d'apprendre l'existence de votre bureau et je me demandais si vous l'aviez trouvé. Il a une couverture rigide, noire, et il est rédigé à l'encre verte.

— Une minute, s'il vous plaît.

Hebe Jones tourna au coin de la pièce pour revenir instantanément avec le journal du gigolo qu'elle fit glisser sur le comptoir d'un seul doigt.

— Vous ne l'avez pas lu, n'est-ce pas ? demanda l'homme en glissant le carnet dans sa poche.

— Mon Dieu, non, répliqua-t-elle.

Après s'être méticuleusement lavé les mains, elle revint à sa table, décrocha le téléphone et appela le numéro suivant sur la liste.

— Je voudrais parler à Sandra Bell, demanda-t-elle.

— Elle-même.

— Ici madame Jones. Je me demandais si vous aviez déjà travaillé sur du bois de grenade.

— Oui, en effet, mais il ne m'en reste malheureusement plus.

Hebe Jones expliqua qui elle était et qu'elle était en train d'essayer de retrouver la trace du propriétaire d'une urne fabriquée avec ce bois insolite.

— J'ai bien fabriqué une boîte en bois de grenade, mais je n'avais aucune idée de sa destination, répondit la femme. L'homme m'a simplement fourni les mesures et je me suis lancée dès que j'ai trouvé du grenadier. Ce n'est pas un bois facile à se procurer, mais je peux vous donner les coordonnées du client, si vous le souhaitez.

« Dieu tarde mais n'oublie jamais », pensa Hebe Jones en raccrochant.

Elle regarda du côté de Valerie Jennings qui se tenait près de la poupée gonflable et mettait son manteau.

— Je vais jusqu'à l'église danoise, dit-elle en boutonnant le vêtement.

Hebe Jones avait suggéré que l'endroit pût constituer une piste quand Valerie Jennings s'était retrouvée dans une impasse lorsqu'elle tentait de retracer le propriétaire du coffre-fort. Tous les documents qu'elle avait dénichés dedans étaient signés par un certain Niels Reinking. Lorsqu'elle avait téléphoné au transporteur dont l'adresse était imprimée en haut de chaque feuillet, on lui avait répondu qu'il n'entrait pas dans la politique de la compagnie de fournir des détails personnels. Après avoir parcouru l'annuaire en vain, Hebe Jones avait précisé que le nom Reinking était d'origine danoise.

— Je ne crois pas avoir jamais rencontré de Danois, avait déclaré Valerie Jennings.

— Moi non plus, avait répondu Hebe Jones en ajoutant que sa mère n'avait jamais laissé entrer le bacon danois chez elle, car le Danemark avait capitulé devant les nazis après seulement deux heures d'occupation. Puis elle suggéra d'essayer l'église danoise au coin de la rue, du côté de Regent's Park.

— On ne sait jamais, quelqu'un a peut-être entendu parler de lui.

Avant de quitter le bureau, Valerie Jennings posa une nouvelle couche de rouge Brume Lilas sur ses lèvres dans l'espoir de croiser Arthur Catnip en sortant, mais c'est la déception et non le poinçonneur tatoué qui l'accompagna jusque dans la rue. En se demandant à nouveau pourquoi elle n'avait pas eu de ses nouvelles depuis leur second déjeuner, elle songea qu'elle avait été bien sotte de confondre Edgar et Teddy Evans en relatant l'histoire des bottes de l'Antarctique. A l'approche de l'église, elle en était à se maudire, à maudire les explorateurs et toutes les chaussures perdues.

A l'entrée, elle se dit que si Dieu était capable de comprendre le danois, il saurait aussi comprendre sa souffrance, et elle retira les chaussures qui comprimaient ses oignons pour les poser à côté du porte-parapluie. Rendant grâce que son gros orteil n'avait pas déchiré son collant, elle remonta la nef glacée et, parvenue à l'autel, balaya les lieux du regard.

Comme il n'y avait aucun signe de vie, elle prit place sur l'un des prie-Dieu pour soulager ses pieds. En ouvrant la brochure qu'elle avait prélevée sur la table de l'entrée, elle commença à lire les informations sur les services que l'église offrait aux marins danois.

Mais elle se demanda d'emblée si Arthur Catnip s'était rendu dans des chapelles anglaises (si de telles chapelles existaient à l'étranger) quand il était dans la marine. Comme elle était sur le point de trouver le courage de se lever, une porte latérale s'ouvrit sur le pasteur qui portait une paire de jeans et un pull rouge.

— Vous avez de la chance, nous ne sommes généralement pas ouverts à cette heure de la journée. Je venais juste rattraper mon retard de paperasse, dit l'homme en s'approchant d'elle.

Comme il baissait les yeux vers ses pieds, elle expliqua rapidement pour qui elle travaillait et qu'elle avait trouvé un article qui appartenait à un certain Niels Reinking.

— Je me demandais si vous le connaissiez, ajouta-t-elle.

Le pasteur leva les yeux vers le plafond pour réfléchir.

— Le nom ne me dit rien, mais je demanderai autour de moi. Je suis meilleur pour me souvenir des visages que des noms.

Il l'accompagna jusqu'à la porte et l'observa forcer ses pieds dans ses chaussures.

— Je devrais peut-être essayer des sandales de jésuite, murmura Valerie Jennings avant de tendre la main vers la poignée de la porte.

A son retour au Bureau des objets trouvés, elle mit la bouilloire en route et, tout en patientant, informa Hebe Jones de ses progrès récents avec le coffre-fort. Au moment où elle allait attraper les tasses à thé, la cloche suisse retentit, et Valerie Jennings tourna aussi vite que ses escarpins le lui permettaient. Mais, au lieu du poinçonneur tatoué, elle tomba sur une femme vêtue d'un imperméable, un grand sac en plastique dans les mains.

— Je viens de trouver ceci sur la District Line et je me suis dit que j'allais vous l'apporter, dit la cliente en poussant le sac sur le comptoir victorien d'origine.

Valerie Jennings l'empoigna et en examina le contenu, d'abord un manteau noir, puis une cuirasse, un sabre laser et enfin un casque noir orné d'une mentonnière monstrueuse.

Après avoir remercié la femme en ajoutant qu'elle aimerait que tout le monde soit aussi honnête qu'elle, Valerie Jennings consigna les articles dans le registre. Une fois certaine d'être seule, elle s'empara du casque et le mit sur sa tête. Elle tendit le sabre laser devant elle à deux mains et leva les yeux. A travers ses paupières plissées, elle distingua une forme et tourna légèrement la tête pour mieux voir à travers la visière. Il s'agissait d'Arthur Catnip.

— Est-ce Valerie Jennings ? demanda-t-il d'un ton perplexe.

— C'est bien moi, répondit-elle d'une voix étouffée.

— Je me demandais si vous viendriez dîner avec moi, ce soir, demanda-t-il en reculant hors de portée de l'arme.

Le casque noir opina.

— Que pensez-vous de vingt heures à l'hôtel Splendid ?

Le casque opina de nouveau.

Le poinçonneur de billets hésita un moment avant de tourner les talons.

— Que la Force soit avec vous, jeta-t-il par-dessus son épaule.

Dans la salle de bains, dont les rideaux étaient minutieusement tirés pour repousser la nuit, le geôlier en chef s'extirpa de la baignoire. Debout sur le tapis, ses bijoux de famille oscillant sous la pleine lune de son ventre, il se frotta le dos avec une serviette. Une fois en pyjama, il se brossa les dents et, comme il se sentait bien, il alla même jusqu'à passer le fil dentaire pour faire plaisir à son dentiste.

Il grimpa dans son lit, éteignit la lampe et laissa échapper un ronron de contentement avant de se laisser aller au sommeil ininterrompu dont il jouissait depuis que le chapelain avait exécuté son saint office.

A dire vrai, il n'avait eu guère d'espoir ni de confiance dans les compétences du révérend Septimus Drew et ne lui avait demandé son aide que par désespoir. Mais l'exorcisme s'était avéré un tel succès que le geôlier en chef, qui avait jusqu'alors considéré la religion comme une forme de sorcellerie, était allé jusqu'à envisager la possibilité de se rendre à la messe du chapelain le dimanche suivant.

L'explosion retentit un peu après minuit, terrifiant les odieux corbeaux au point qu'ils lâchèrent une volée de fientes dans une parfaite coordination. Convaincu qu'il était saisi par la crise cardiaque dont le médecin de la Tour le menaçait depuis des lustres, le geôlier en chef se réveilla et, lorsque les douloureuses palpitations finirent par ralentir, projeta ses jambes hors du lit pour gagner en vacillant la fenêtre. Il dégagea du bout des doigts un disque dans la buée qui couvrait le carreau, mit ses mains en coupe et scruta la nuit. L'obscurité était trop épaisse, et il souleva la fenêtre à guillotine pour mieux voir.

Devant lui scintillait la silhouette d'un antique poulailler, moins la porte d'entrée ; parmi les décombres, allongée sur le dos, une forme humaine en braies de velours et chapeau à plumes arborait un visage couvert de suie. Il fallut un moment au fantôme de l'explorateur pour recouvrer ses esprits avec l'expérience qui venait de faire exploser son atelier improvisé. Sir Walter Raleigh se redressa lentement, gémissant sur l'état de sa veste incrustée de perles, puis il se mit debout et commença à réparer la porte.

— Ce fichu Raleigh, enragea le geôlier en chef en claquant la fenêtre.

Il décrocha sa robe de chambre de la porte et l'enfila. En nouant le cordon autour de sa taille, il maudit l'inutile chapelain et ses chevilles osseuses, qui s'était contenté de pousser le fantôme dehors.

La main agrippée sur la rampe en bois, il descendit l'escalier étroit pieds nus et longea le vestibule jusqu'à la cuisine afin de vérifier l'état de la musaraigne étrusque après une telle agitation.

Il trouva ses lunettes, ouvrit la cage et retira délicatement le couvercle de la maisonnette en plastique.

Mais il eut beau chatouiller les flancs de la créature de ses doigts boudinés, la musaraigne garda son petit museau pointu et velouté obstinément baissé.

Chapitre seize

Balthazar Jones rangea soigneusement le flacon égyptien de parfum dans la vitrine et recula pour admirer l'effet produit. Il s'agissait d'un échantillon particulièrement fin de l'averse légère qui était tombée la nuit précédente. En époussetant tout aussi soigneusement la collection, il contempla les autres variétés, lisant les étiquettes une par une avec tout le plaisir du collectionneur obsessionnel.

Il ferma la porte sur la pièce au graffiti de guerre et se dirigea vers l'étage au-dessous en pensant à son petit-déjeuner. Il n'avait pas atteint le milieu des marches que la sonnerie du téléphone lui fit accélérer le pas et se brûler la paume sur la rampe de corde.

Mais, lorsqu'il répondit, au lieu de sa femme, il entendit au bout du fil un représentant qui venait lui vanter la gloire du double vitrage.

Il raccrocha et s'affala sur une chaise de son côté du lit. Il savait que Hebe Jones ne reviendrait pas, mais il entretenait malgré tout l'espoir douloureux qu'elle chercherait à entrer en contact avec lui. Pendant quelque temps, il fut obsédé par l'idée qu'elle allait lui écrire en affirmant qu'elle avait commis une erreur en le quittant. Certain que si la lettre n'était pas arrivée avec le courrier du matin, elle serait apportée par coursier, plusieurs fois par jour, il se présentait à la tour du Mot de passe pour vérifier son casier. Puis, comme les semaines passaient sans un mot, il finit par se convaincre que la seule lettre qui lui parviendrait d'elle serait celle de son avocat.

A partir de ce moment, il cessa de ramasser son courrier, et les lettres qui lui étaient adressées finirent par former un tel monticule que le hallebardier en chef le menaça de les jeter à la poubelle s'il ne s'en chargeait pas.

Les mains entre ses cuisses pour les abriter du froid, il regarda autour de lui en se demandant ce qu'il devait faire des affaires de sa femme. Sur la coiffeuse trônait le coffret coloré qu'il lui avait acheté pendant leur lune de miel et dans lequel elle rangeait ses boucles d'oreilles.

A l'une des poignées de la commode pendaient les colliers qui avaient un jour orné son cou. Et, en haut de la penderie, une boîte renfermait la robe de mariage qu'elle avait refusé de laisser dans le grenier de leur maison de Catford, affirmant que c'était la première chose dont elle s'emparerait s'il y avait le feu. Décidant que tout devait rester ainsi, le hallebardier enfila son uniforme et quitta la tour de Sel sans déjeuner, parce qu'il n'avait pas les tripes d'affronter le repas seul.

Il pénétra dans l'enclos situé sur le gazon à côté de la tour Blanche pour vérifier les opossums à queue en anneau penché. Ils devaient se cacher sous les feuillages, récupérant du choc qu'ils avaient subi la nuit des évasions.

Le hallebardier se mit alors à penser au coupable dont le maillot de corps était encore pendu dans son placard à linge, mais, sans preuves, il doutait d'être en mesure de demander des comptes au maître des corbeaux.

Enfin, il dénicha les petits animaux timorés au fond de l'enclos en repérant les boucles impeccables de leur queue entre les feuilles. Satisfait de voir qu'elles avaient pleinement surmonté le traumatisme, il ouvrit la porte grillagée qui conduisait au minuscule phalanger volant, un cadeau du gouverneur de Tasmanie. La créature gris perle, qui souffrait de dépression lorsqu'on la laissait seule, ouvrit d'un coup ses énormes yeux bruns.

Après lui avoir appris à grimper à la petite échelle qu'il lui avait fabriquée, il lui chatouilla la fourrure avec une plume perdue par l'un des toucans, puis l'entraîna dans un agréable jeu de cache-cache. Enfin, il la nourrit de petits morceaux de fruits frais dont elle raffolait jusqu'à ce que l'animal s'endorme dans ses mains.

Abandonnant les créatures nocturnes à leurs rêves, il se dirigea vers le numéro sept de la Pelouse et leva les yeux vers la girouette de la tour Blanche. Il fixa le point vert émeraude qui se balançait encore dans la brise, mais la frustration lui fit détourner les yeux.

Au même moment, il sentit quelque chose atterrir sur son épaule et, tout en fendant la foule de touristes qui avait commencé à s'infiltrer dans la forteresse, essuya furieusement le cadeau que le perroquet lui avait envoyé.

Après avoir frappé à la porte bleu clair, il trompa son attente en scrutant les nuages, puis toqua à nouveau au bout de plusieurs minutes. Il était certain que le geôlier en chef était chez lui. Retirant son chapeau, il se pencha pour épier les lieux par la fente de la boîte à lettres : l'homme était assis en bas des marches, en pyjama, la tête dans les mains. Il ouvrit lentement les doigts, et deux yeux vinrent fixer Balthazar Jones.

— Ouvrez la porte. J'ai apporté des criquets pour la musaraigne étrusque, appela le hallebardier.

Le geôlier en chef s'approcha de la boîte aux lettres et se pencha.

— Faites-les-moi passer, répondit-il.

Alors que le hallebardier se mettait à glisser le sac en plastique dans la fente, il fut saisi d'un soupçon. Il arracha le sac et déclara :

— Je pense qu'il est plus facile que vous ouvriez la porte. Il est trop gros.

Le geôlier en chef entrebâilla juste assez la porte pour passer sa main, mais, ignorant les doigts boudinés tendus, Balthazar Jones appuya son épaule contre le bois et poussa.

— Si cela ne vous dérange pas, je pense que je vais jeter un petit coup d'œil à la musaraigne pendant que j'y suis.

Une fois que Balthazar Jones eut dépassé le geôlier en chef, une victoire qui exigea quelques bousculades peu civiles, il traversa le vestibule droit vers la cuisine. Il posa son chapeau sur la table, ouvrit la cage et tendit la main à l'intérieur pour soulever le couvercle de la maisonnette en plastique. Il donna un petit coup de doigt à la minuscule créature, mais elle n'eut aucune réaction. Il la secoua un peu plus fort. Rien.

En se retournant vers le geôlier en chef, il demanda alors :

— Vous savez pourquoi elle ne bouge pas ?

Les yeux du geôlier en chef glissèrent de l'autre côté de la pièce avant de revenir sur son visiteur d'un air d'innocence totale.

— Elle fait un petit somme ? suggéra-t-il.

Balthazar Jones passa la main dans la maisonnette et en tira l'animal en le tenant par la queue pour le lever devant ses yeux. La musaraigne qui se balançait manifesta autant d'animation qu'une montre d'hypnotiseur.

— Dites-moi quand elle est morte, insista-t-il.

Le geôlier en chef tomba sur une chaise et se passa la main dans les cheveux avant d'avouer que l'animal n'avait pas remué depuis près d'une semaine. Les deux hommes contemplèrent le corps raidi en silence.

— Nous allons simplement dire qu'elle hiberne, décida Balthazar Jones. En attendant, vous allez devoir en trouver une autre.

Le geôlier en chef le regarda d'un air abattu.

— Je ne crois pas qu'on trouve des musaraignes étrusques en Angleterre, souligna-t-il.

Sans un seul commentaire, Balthazar Jones quitta la pièce.

En se dirigeant vers les douves pour aller nourrir le reste des animaux, le hallebardier se rappela le moment où il avait recueilli le cadeau de la reine de la part du président du Portugal, et de leur trajet lamentablement lent à travers la cité au son de *Love Songs* de Phil Collins.

Il pensa à la nuit que l'animal avait passée sur la vieille table à manger de l'étage supérieur de la tour de Sel, en cachette de Hebe Jones, alors qu'il se demandait qui était digne de s'en occuper, et songea au petit museau pointu et velouté qui ne frissonnait plus.

Il dépassa la tour du Mot de passe et fit une pause sur le pont des douves. Mais même la colossale file de visiteurs qui se tenait devant la Tour, impatients d'admirer la collection d'animaux exotiques de Sa Majesté, ne parvint à alléger sa peine.

Le révérend Septimus Drew remplit l'arrosoir orange dans la salle de bains et le porta jusqu'à son atelier dédié à l'extermination de *Rattus rattus*. Cela faisait plusieurs semaines qu'il ne s'était pas installé devant la paillasse éclairée par la lampe d'architecte, œuvrant jusqu'aux petites heures du jour sur la dernière invention qui porterait un coup rapide et fatal à l'engeance qui se nourrissait de tapisserie de prie-Dieu. Sa négligence n'était, hélas, pas la conséquence d'une diminution de la population moustachue (qui continuait à lâcher sans vergogne ses crottes dans toute la chapelle), mais imputable au respect qu'il entretenait pour l'incompréhensible affection de Ruby Dore pour la vermine en question.

En arrosant les anémiques plantes-araignées, qui menaçaient de s'éteindre par manque de soins, il tourna ses pensées à nouveau vers la soudaine froideur de la patronne du pub. Après les heures qu'ils avaient passées côte à côte au Rack & Ruin ou à pourchasser les rats domestiques, il était rentré chez lui dans un état d'exaltation certaine. Ce n'était pas le champagne millésimé qui était en cause, même si l'année demeurait exceptionnelle, mais la conviction que Ruby Dore était sans nul doute la femme la plus sublime qu'il ait jamais rencontrée.

Assis enfin seuls dans le pub, la tête du canari depuis longtemps nichée sous son aile, la propriétaire du pub lui avait raconté l'histoire la plus fascinante au sujet du cœur de Thomas Hardy. Une histoire qu'il n'avait jamais entendue en dépit de sa passion inexpugnable pour l'abbaye de Westminster.

Tout en lui versant un autre verre, elle lui avait révélé que l'auteur de *Tess d'Urberville* avait stipulé dans ses dernières volontés son souhait d'être mis en terre dans son comté natal du Wessex. Toutefois, à sa mort en 1928, le gouvernement avait insisté pour ensevelir le trésor national dans l'abbaye aux côtés d'autres poètes célèbres. Eclata alors une dispute bien peu élégante au terme de laquelle le cœur de Hardy fut déterré pour être enterré à Stinsford et rendu à son épouse.

Le reste de son corps fut incinéré, et les cendres, ensevelies en grande pompe dans la célèbre abbaye. Toutefois, la légende affirmait que le cœur avait été placé dans une boîte en fer-blanc et rangé dans l'abri de jardin pour plus de sécurité, mais Cobweb, le chat de la maisonnée, avait découvert la cachette et dévoré le morceau de choix.

On disait qu'en découvrant le carnage, l'ordonnateur des pompes funèbres avait tordu le cou au chat sans autre forme de procès et placé son corps dans le cercueil avant d'enterrer le tout.

Lorsque Ruby Dore acheva son histoire, le chapelain ne put prononcer un mot tant son admiration était grande, et il se contenta de saisir la douce main blanche pour y déposer un baiser.

Las, en dépit de ces heures d'intimité du petit matin, avec pour seule séparation le plateau collant du comptoir en bois, Ruby Dore se comportait à présent comme s'ils n'étaient que des étrangers. Depuis, chaque jour, peu importe l'heure à laquelle il entrait dans le pub, il était toujours le dernier servi, un affront remarquable pour un Anglais. Chaque fois que les hallebardiers s'éloignaient en quête d'une table, il tentait de lui parler, mais la jeune femme s'emparait de son tricot et se mettait à piquer ses aiguilles ou disparaissait pour renouveler les tonnelets.

En regardant la terre avaler goulûment l'eau, il se demanda à nouveau ce qu'il avait bien pu faire pour lui déplaire. Incapable de supporter plus longtemps cette incertitude, il descendit les marches en bois battu, rangea l'arrosoir dans le placard, sous l'évier de la cuisine, et tira les voilages. Comme il le redoutait, la présidente de la Société des amis de Richard III montait la garde sur son banc de la tour Blanche, les genoux serrés et ses cheveux gris acier voletant dans la brise. Cela n'empêcha cependant pas l'homme d'Eglise d'empoigner ses clefs et de sortir d'un pas vif de chez lui.

Il était parvenu au niveau de la tour Sanglante lorsqu'il sentit un petit coup sur l'épaule. Il se retourna et, avant de laisser la femme placer un seul mot, leva la main et déclara que rien de ce qu'elle pouvait lui dire ne le convaincrait des mérites du roi bossu.

— Si vous cherchez un ami de Richard III, essayez le geôlier en chef. Il est persuadé que c'est le duc de Buckingham qui a assassiné les deux petits princes. Voilà où il habite, ajouta-t-il en tendant le doigt dans la direction du numéro sept de la Pelouse.

Poursuivant son chemin vers le pub, il sentit un autre petit coup sur l'épaule et, croyant que l'amie de Richard continuait de le harceler, il se retourna vivement dans l'intention de lui annoncer qu'il était occupé par une affaire de la plus haute importance. Mais il se retrouva en face du gardien de l'histoire de la Tour qui tordait ses mains aux doigts crochus.

— Avez-vous vu le *Yeoman Warder* Jones ? demanda-t-il.

— Pas aujourd'hui, rétorqua le chapelain.

— Eh bien, si vous le voyez, dites-lui qu'un couple d'oryx vient d'arriver, termina-t-il.

Le révérend Septimus Drew se faufila dans la foule de touristes et franchit le panneau PRIVE de l'allée de l'Eau. Il poussa la porte du Rack & Ruin pour tomber sur un groupe de hallebardiers, debout autour de la table où le Dr Evangeline Moore et le maître des corbeaux disputaient une partie de Monopoly entamée la veille au soir.

Depuis que l'interdiction avait été levée, le médecin de la Tour n'avait pas perdu une seule fois (elle jouait toujours avec la pièce de trois pence).

Chaque fois que la praticienne avait réussi à rafler toutes les propriétés avec la cruauté d'un huissier, son adversaire suivant insistait pour jouer avec la pièce qui portait toujours les stigmates de ses séjours dans le pudding de Noël flambé. Mais rien ne pouvait convaincre le médecin de céder son pion adoré.

Le chapelain s'approcha du bar et, lorsqu'il attira enfin son attention, commanda à la patronne une pinte de « Fille du Bourreau ». Mais son choix n'eut aucun effet pour adoucir l'attitude de la jeune femme qui lui rendit sa monnaie sans un mot en la glissant dans les flaques de bière qui inondaient le comptoir. Après quoi, elle se hissa sur son tabouret, reprit son tricot et baissa la tête. Le révérend Septimus Drew contempla les mailles qui filaient sur la seconde aiguille à l'instant où elles étaient formées. Il posa sa pinte, regarda autour de lui et se pencha vers elle.

— Puis-je vous parler en privé ? murmura-t-il.

Ruby Dore leva les yeux sans prononcer un mot, puis elle répondit :

— Je vous retrouve dans la tour du Puits dans une minute. Vous feriez mieux de partir avant moi ou les commérages risquent d'aller bon train.

Tandis qu'il patientait dans la pénombre, dos aux rats domestiques, le chapelain tenta d'écarter de son esprit les horribles grincements de dents en visualisant les carottes de concours que les Dames de la nuit à la retraite cultivaient dans leur potager. Peu après, la patronne du pub entra à son tour, refermant la porte derrière elle avec une telle force que les rongeurs s'enfuirent vers leur tanière.

Elle plongea la main dans la poche de son jean pour en sortir un morceau de papier qu'elle lui tendit.

— Je pense que vous avez perdu quelque chose, dit-elle. L'un des singes hurleurs s'en est emparé lorsqu'ils ont saccagé votre domicile et l'a laissé tomber devant le pub.

Le révérend Septimus Drew déplia la feuille et se mit à lire. En reconnaissant aussitôt sa propre prose, il replia le papier et le fit disparaître dans la poche de sa soutane.

Il se mit alors à lui confier sa passion pour l'écriture et l'inspiration qu'il avait puisée dans l'histoire d'amour de sa veuve de mère. Il expliqua qu'il s'était essayé à tous les autres genres littéraires, mais que les grandes maisons d'édition du pays lui avaient interdit de leur envoyer d'autres manuscrits.

Il ajouta que chaque penny gagné allait directement à un refuge qu'il avait fondé pour aider les prostituées à trouver des moyens de subsistance plus sains que l'amour autodestructeur qu'elles colportaient.

Rien, pas même l'évocation des carottes du potager des Dames de la nuit, ne parvint à apaiser Ruby Dore. Elle l'informa qu'en tant qu'homme d'Eglise, il n'avait rien à faire avec la description des tétons en bouton de rose, et qu'il mettait non seulement la réputation de l'Eglise en danger, mais aussi celle de la Tour tout entière.

— Pourquoi les hommes ne sont-ils jamais ce qu'ils affirment être ? lui lança-t-elle pour finir en se dirigeant vers la porte, balançant sa queue de cheval vigoureusement dans son dos.

Seul dans l'obscurité, le révérend n'entendait plus le macabre grignotement des petites mâchoires qui provenaient de la tanière des rats, car les mots qu'il venait d'entendre étouffaient tout autre écho.

Sous ses cils brillants de mascara, Valerie Jennings regarda Hebe Jones qui allait répondre à l'appel de la cloche suisse. Elle se leva, remit en place la ceinture de sa jupe à fleurs et se dirigea vers les étagères de livres. En cherchant le nom de Mlle E. Clutterbuck afin de se plonger dans une lecture qui lui permettrait de fuir le monde ingrat, il lui parut soudain étrange que ce soit toujours Arthur Catnip qui trouve dans le métro des livres de l'obscure romancière du XIXe siècle.

Son esprit revint une fois de plus à leur dernière rencontre, au moment où, sur le perron propre et net de l'hôtel Splendid, il s'était dressé sur la pointe des pieds pour lui souhaiter bonne nuit d'un baiser.

Après sa journée de travail, elle n'avait pas eu le temps de rentrer chez elle pour se changer pour dîner. Elle s'était donc contentée d'aller fouiller d'une main frénétique dans la section VETEMENTS du Bureau des objets trouvés, où elle avait fini par dénicher une robe noire à manches trois quarts qui possédait encore son étiquette (qu'elle avait coupée). Puis elle avait continué ses recherches dans la section SACS A MAIN, en quête d'un article assorti qui avait alors pris la forme d'une pochette de soirée noire à gros clip en strass. Le « clac » de la fermeture était des plus satisfaisants. En tâtonnant dans le tiroir des parfums oubliés, elle hésita entre Sensation nocturne et Musc mystique pour finir par adopter les deux, et ferma les yeux pour jouir du nuage aromatique dont elle s'enveloppa. Elle ouvrit un second tiroir et découvrit parmi les colliers un rang de perles crème dont le fermoir en strass était parfaitement assorti à celui de son sac.

Les doigts tremblants, elle attacha les perles autour de son cou et s'approcha du miroir des toilettes où elle libéra ses boucles foncées de leur habituelle attache pour les laisser cascader sur sa nuque et ses épaules.

Debout sur le perron propre et net de l'hôtel Splendid, dressée sur les chaussures qui moulaient ses orteils en deux triangles rouges, elle rajusta ses lunettes récemment polies et patienta. Lorsque le poinçonneur tatoué arriva, elle faillit ne pas le reconnaître dans sa nouvelle coupe de cheveux (une couronne des plus monastiques).

Au moment où ils pénétrèrent dans la salle de restaurant, elle constata que les lieux étaient encore plus luxueux que la véranda victorienne de l'hôtel où Hebe Jones l'invitait tous les ans à déjeuner au milieu des orchidées pour son anniversaire.

Lorsque le serveur lui tira sa chaise, elle constata que leur table était la seule qui s'ornait de roses jaunes. Arthur Catnip s'installa en face d'elle et lui déclara à quel point il la trouvait belle, et elle oublia qu'elle portait, à sa grande honte, la robe d'une inconnue, qui ne lui allait pas tout à fait.

Lorsque le serveur apporta les entrées, le poinçonneur de tickets regarda les huîtres de Valerie Jennings et précisa qu'une des rares choses dont il se souvenait de ses cours de biologie était que les mollusques étaient capables de changer plusieurs fois de sexe au cours de leur existence. Valerie Jennings répondit que son plus proche contact avec un changement de sexe était le costume de père Noël qu'elle avait endossé pour aller distribuer des cadeaux dans le service pédiatrique de l'hôpital, et qu'elle avait dû utiliser les toilettes pour hommes afin de ne pas perturber les enfants.

Au moment du plat principal, Valerie Jennings jeta un regard à l'oie d'Arthur Catnip et lui raconta qu'une oie l'avait attaquée lorsqu'elle nourrissait les canards dans le parc. Le poinçonneur de tickets lui rapporta que, lorsqu'il avait six ans, il avait mangé tout le pain que sa mère lui avait confié pour les canards. Son frère l'avait alors poussé dans le bassin, et le gardien du parc avait dû le tirer par les cheveux pour l'empêcher de couler.

Pendant que Valerie Jennings attendait son moelleux danois aux pommes, Arthur Catnip mentionna que, si l'envie lui prenait de remettre son costume de père Noël, il lui fallait aller au Danemark pour assister au Congrès international des pères Noël qui s'y tenait chaque été.

En sirotant le vin moelleux qu'on leur avait servi pour accompagner le dessert, Valerie Jennings répondit qu'elle ne mettrait jamais les pieds au Danemark, car le pays avait cédé à l'occupant nazi deux minutes seulement après le début de la Seconde Guerre mondiale.

Le couple ne réalisa qu'il était l'heure de partir que lorsque le serveur s'approcha pour les informer que le restaurant allait fermer.

En attendant que les taxis appelés par le portier arrivent, ils se tinrent sur le perron propre et net sans se soucier des morsures du froid de la nuit. Dès que la première voiture se gara, Arthur Catnip lui souhaita une bonne nuit et, dressé sur la pointe extrême de ses pieds, lui posa un baiser sur les lèvres. Elle en fut si ravie qu'elle ne pensa à rien d'autre pendant tout le trajet.

En se maudissant d'avoir fait erreur quant au temps de résistance du Danemark, Valerie Jennings choisit un livre, revint à sa table et le glissa dans son sac. Au moment où elle s'asseyait, la sonnerie du téléphone retentit.

— Bureau des objets trouvés du métro de Londres. Que puis-je faire pour vous ? annonça-t-elle d'une voix qui n'aurait pas déparé lors des transmissions radiophoniques des années 1930.

Une voix au fort accent demanda Valerie Jennings.

— C'est elle-même.

Le pasteur de l'église danoise expliqua qu'il lui avait fallu quelques efforts, mais qu'il avait réussi à retrouver une personne du nom de Niels Reinking.

— Je ne sais absolument pas si c'est l'homme que vous recherchez, mais j'ai son adresse. Peut-être pourriez-vous lui écrire, ajouta-t-il.

— Quelle excellente idée ! répondit Valerie Jennings. J'ai toujours pensé que l'art épistolaire méritait qu'on y revienne. Je vous écoute.

Mais Valerie Jennings n'avait aucunement l'intention de perdre du temps à se soumettre aux caprices de la poste de Sa Majesté. Dès qu'elle reposa le combiné, elle s'empara de son A à Z de Londres et empoigna son manteau bleu marine sur le perroquet à côté de la poupée gonflable.

Moins d'une heure plus tard, elle se tenait devant une maison de style édouardien qui s'élevait gracieusement vers le ciel. La porte d'entrée était flanquée de lauriers en pots, et elle appuya sur la sonnette en regardant du côté de la baie en attendant. Un homme aux yeux bleus et à la touffe de cheveux blancs comme neige vint lui répondre.

— Puis-je vous aider ? s'enquit-il en essuyant ses mains sur un chiffon maculé de peinture.

— Seriez-vous monsieur Niels Reinking ? demanda-t-elle.

— Absolument.

— Je suis Valerie Jennings, du Bureau des objets trouvés du métro de Londres. Je me demandais si vous n'aviez pas perdu quelque chose.

— Je perds toujours tout, répondit Niels Reinking en

mettant les mains sur ses hanches. En général, mes lunettes alors que ma femme affirme qu'elles sont sur ma tête. Vous n'auriez pas trouvé mon carnet de chèques par hasard ? continua-t-il, plein d'espoir.

— En fait, c'est un peu plus gros que ça. Il s'agit d'un coffre-fort.

Incapable de dire un mot, il la considéra pendant un moment.

— Je crois que vous feriez mieux d'entrer, dit-il pour finir.

Valerie Jennings s'installa dans le canapé en cuir du salon et observa les étranges tableaux qui ornaient les murs pendant que Niels Reinking disparaissait dans la cuisine. Il revint avec une cafetière et versa le café en tremblant avant de s'installer dans le fauteuil coordonné. Plusieurs années auparavant, expliqua-t-il, ils avaient été cambriolés, et les voleurs s'étaient enfuis avec leur coffre-fort. Bien sûr, il aurait dû suivre les instructions du fabricant qui conseillait de fixer solidement le coffre au mur, mais il n'avait jamais pris la peine de s'en occuper. Bien qu'il ait porté plainte auprès de la police, il n'avait jamais eu de nouvelles et avait abandonné tout espoir de retrouver son coffre.

— Et vous dites que vous l'avez trouvé ? demanda-t-il.

Valerie Jennings repoussa ses lunettes sur son nez.

— On a laissé un coffre dans le métro il y a plusieurs années, et nous venons seulement de l'ouvrir, dit-elle. Toutefois, afin de vérifier qu'il vous appartient bien, je dois vous demander ce qu'il contenait.

Niels Reinking baissa les yeux vers le tapis crème devant lui.

— Eh bien, cela fait un bout de temps, dit-il, mais je pense qu'il y avait des documents concernant la compagnie de transport pour laquelle je travaillais. Je me demandais ce qu'ils étaient devenus. Et il y avait de l'argent liquide. Ce que ma femme appelait son « fonds de fuite ». Inutile de vous dire que nous sommes toujours ensemble. Mais ce n'est pas tant cela qui me préoccupe. Ce que je voudrais savoir, c'est s'il y avait un manuscrit dans le coffre.

— Il y avait un article de cette nature dans le contenu, répondit Valerie Jennings.

Le baiser qui atterrit alors sur sa joue la secoua à tel point que la tasse qu'elle tenait toujours dans la main se renversa dans la soucoupe. Niels Reinking revint à son fauteuil avant de se lancer dans l'histoire du manuscrit.

La valeur historique de ce texte était telle pour son pays natal qu'il n'avait pas eu les moyens de l'assurer. Au XVIIe siècle, l'un de ses ancêtres du nom de Theodore Reinking avait été si contrarié par les revers de fortune du Danemark après la guerre de Trente Ans qu'il avait écrit un ouvrage intitulé *Dania ad extero de perfidia Suecorum* ou « Adresse des Danois au monde sur la trahison des Suédois ». Le pays qu'il accusait le fit arrêter dans de brefs délais et, après plusieurs années d'emprisonnement, lui offrit de choisir entre avoir la tête coupée ou manger son manuscrit. Il prépara le livre en sauce, consomma le tout et eut la vie sauve.

A sa libération, il rentra chez lui. Maigre et la barbe lui mangeant le visage, une odeur de bête sur lui, il rayonnait de tout son être quand il tira de ses chaussettes fumantes les chapitres les plus virulents de son livre, qu'il avait déchirés pour les cacher dans ses vêtements. Témoignage de la ruse supérieure du peuple danois, l'ouvrage fut d'autant plus vénéré qu'il faisait partie du seul livre de tous les temps qui ait été cuisiné et consommé. Une immense source de fierté nationale, selon Niels Reinking.

Lorsque Hebe Jones arriva au café, Tom Cotton lisait un journal dont la première page arborait une photographie granuleuse d'un sanglier à moustaches qui aurait été surpris dans les Hautes Terres d'Ecosse.

Elle retira son manteau turquoise et s'assit en lui demandant comment s'était passée sa journée.

— J'ai dû aller à Birmingham en hélicoptère pour livrer un cœur à l'un des hôpitaux, dit-il en repliant son journal.

Elle déchira un sachet de sucre et le versa dans le café qu'il lui avait commandé.

— A qui appartenait-il ? demanda-t-elle en le regardant sans cesser de remuer sa cuillère.

— Un homme qui a trouvé la mort dans un accident de voiture.

Hebe Jones baissa les yeux.

— Au moins, ils savent de quoi il est mort.

Un long silence suivit.

Lorsqu'elle retrouva l'usage de la parole, Hebe Jones rapporta ce terrible jour entre tous. La veille du jour où son monde allait s'écrouler, elle était allée comme d'habitude souhaiter le bonsoir à Milon dans sa chambre. L'enfant était allongé dans son lit et lisait un ouvrage de mythologie grecque qui avait appartenu à son grand-père. Après avoir posé le livre sur sa table de chevet, elle avait remonté la couette jusqu'à son menton et l'avait embrassé sur le front. Alors qu'elle se dirigeait vers la porte, son fils lui avait demandé qui était sa divinité grecque préférée.

— Déméter, la déesse de la fertilité.

— Et celle de papa ? demanda ensuite Milon.

Hebe Jones réfléchit pendant une minute.

— Je suppose que cela doit être Dionysos, le dieu du vin, de la joie et de la folie. Et la tienne ?

— Hermès.

— Pourquoi ?

— L'un de ses attributs est la tortue, répondit le garçon.

Le matin suivant, lorsque Milon ne s'était pas présenté au petit-déjeuner, elle avait descendu l'escalier en colimaçon pour aller ouvrir sa porte.

— Ours affamé ne danse pas, clama-t-elle en entrant.

Il n'avait pas cillé. Elle s'était approchée du lit et l'avait légèrement poussé. Il ne s'était pas réveillé. Elle l'avait ensuite secoué, juste avant de se mettre à hurler et d'appeler son mari.

Lorsque les secours étaient arrivés, ils avaient dû arracher le garçon aux mains de Balthazar Jones qui tentait encore de le ranimer. Ils suivirent l'ambulance jusqu'à l'hôpital et, pour la première fois, Hebe Jones avait vu son mari brûler un feu rouge.

C'est un jeune médecin indien qui leur avait appris la mort. Hebe Jones s'était effondrée avant de reprendre ses esprits dans un box où le médecin lui avait annoncé qu'elle allait devoir rester là jusqu'à ce qu'elle soit assez forte pour quitter les lieux.

A son retour à la tour de Sel, la mère n'avait plus de fils, et elle s'allongea dans la chambre de Milon pour pleurer toutes les larmes de son cœur sous la pluie de cendres qui recouvrait désormais son existence.

Le médecin légiste qui avait examiné le cœur de Milon déclara à la barre des témoins que, dans un cas sur vingt de mort subite, on ne trouvait pas de cause précise, et ce, malgré l'examen d'un spécialiste cardiaque.

Il parla de syndrome et d'arythmie, s'éclaircissant la voix pour préciser que l'arrêt cardiaque était causé par un trouble qui modifiait le rythme cardiaque, et que l'on pouvait parfois en identifier les causes, mais pas toujours. Il ajouta qu'il arrivait que la mort soit provoquée par un groupe d'affections relativement rares modifiant le fonctionnement électrique du cœur, un point qui ne pouvait être décelé que sur un patient en vie.

Certains ne présentaient aucun symptôme, poursuivit-il, alors que d'autres traversaient des pertes de conscience. Certains enfants décédaient dans leur sommeil ou au réveil, d'autres mouraient d'épuisement ou à la suite d'une forte tension émotionnelle.

Avant de se rasseoir, il précisa que douze jeunes gens succombaient au syndrome de mort inexpliquée chaque semaine.

Lorsque le coroner de l'enquête eut entendu tous les témoins, il leva les yeux de ses dossiers et annonça que Milon Jones était mort de causes naturelles. C'est alors que Hebe Jones s'était levée pour crier :

— Qu'y a-t-il de naturel pour un enfant de mourir avant ses parents ?

Chapitre dix-sept

En passant devant la tour Blanche, Balthazar Jones ramassa une plume vert émeraude qui s'était posée sur le devant de son uniforme, mais il refusa de jeter un seul regard à son propriétaire suspendu tête en bas à la girouette, et poursuivit son chemin à travers la forteresse jusqu'au numéro sept de la Pelouse.

Il ignora tout autant la variété de gouttelettes visqueuses qui avait commencé à tomber. Il toqua et, en attendant la réponse, se gratta l'arrière du genou qui subissait une attaque particulièrement virulente de mycose.

Lorsque le geôlier en chef finit par ouvrir la porte, Balthazar Jones détecta sur-le-champ les notes musquées d'après-rasage. Il suivit son hôte dans le couloir, jetant un œil par la porte ouverte du salon où il découvrit la présidente de la Société des amis de Richard III qui, perchée sur le bord d'une chaise longue, les cheveux gris acier en pétard, agrippait une tasse de thé comme s'il s'agissait d'une arme.

Le geôlier en chef ferma soigneusement la porte de la cuisine et s'approcha de la table. Il ouvrit la porte de la cage et, avec le geste ample d'un magicien, retira le couvercle de la maisonnette en plastique.

Les yeux rivés à l'intérieur de l'abri, Balthazar Jones ne put d'abord prononcer un seul mot.

— Mais elle est deux fois plus grosse que l'autre ! s'exclama-t-il d'un ton incrédule.

Le geôlier en chef se gratta la nuque.

— C'est tout ce que j'ai pu trouver dans les circonstances, dit-il. Il y a des limites à ce que l'on peut exiger d'un homme !

En silence, ils contemplèrent les formidables hanches de la bête.

Balthazar Jones soupira.

— Si on vous pose des questions, vous direz que vous l'avez gavée, dit-il en tournant les talons et en claquant la porte derrière lui.

Au moment où il dépassait le site de l'échafaud, sur la Pelouse, le hallebardier regarda sa montre. Il avait encore un peu de temps avant l'arrivée des abominables touristes. Il se dirigea vers la tour de Briques, les yeux plissés pour éviter les gouttes de pluie, et grimpa l'escalier en colimaçon en s'essuyant le visage avec son mouchoir.

Il s'assit à côté de l'albatros hurlant qui s'accouplait pour la vie, retira son chapeau et s'appuya contre le mur froid. Son entrée avait soulevé un nuage de plumes blanches qui tournoyèrent avant de retomber sur son pantalon bleu marine. L'oiseau mélancolique au plumage désormais terne avança de ses pieds disgracieux vers le hallebardier et se posa tout contre lui, protégeant sa chair rose des courants d'air qui rampaient sur les planchers.

Du bout des doigts, Balthazar Jones caressa la tête soyeuse de l'oiseau. Jouissant de ce moment de solitude en compagnie de ses protégés, il leva les yeux vers le paradisier du Prince Albert dont les plumes ornementales servaient aux oiseaux jardiniers à décorer leurs berceaux de parade. Il regarda ensuite l'inséparable femelle, les plumes vert et rose encore gonflées par sa victoire sur son compagnon, et ses pensées revinrent à l'invitée échevelée du geôlier en chef. Elle avait dû passer la nuit dans la forteresse pour être arrivée si tôt. Pour sa part, il savait qu'il ne voudrait jamais se réveiller à côté d'une autre que Hebe Jones.

Tout en continuant à caresser la tête de l'albatros, il fixa le rectangle de ciel gris qui se découpait dans la fenêtre d'en face et se demanda qui tenait la main de la femme qu'il ne méritait plus. Il espérait que, qui que ce soit, l'homme appréciait les nombreuses vertus qui lui avaient paru, à lui, si naturelles pendant toutes ces années, notamment la ténacité que le hallebardier avait prise pour de l'obstination. Une chose était sûre cependant : personne ne l'aimerait autant que lui.

Au bruit que la porte de chêne fit en s'ouvrant, le hallebardier bondit sur ses pieds, et les toucans se mirent à tournoyer à toute allure, dessinant cercle de couleur après cercle de couleur du bout de leur bec que les Aztèques disaient fait d'arc-en-ciel.

Balthazar Jones tourna la tête : le révérend Septimus Drew se tenait sur le seuil.

— Te voici ! dit le chapelain en fronçant les yeux pour apercevoir Balthazar Jones à travers le grillage. Je pense qu'il faut que tu saches qu'un troupeau de gnous est arrivé. Le hallebardier en chef a appelé Oswin Fielding pour lui demander de les emmener ailleurs.

Les deux hommes se regardèrent un moment sans parler.

— Puis-je entrer ? demanda l'homme d'Eglise.

— Tant que tu ne fais pas de mouvements brusques. Cela effraie les oiseaux.

Le chapelain ouvrit la porte grillagée de ses longs doigts sacrés et la referma soigneusement derrière lui. Emerveillé, il leva les yeux vers les oiseaux au bec coloré et aux cris assourdissants qui décrivaient des cercles dans l'air. Soudain, un bruit sourd se fit entendre, et des pieds gris couverts d'écailles vinrent se poser à côté de l'inséparable dont la tête, étincelante de couleurs, s'inclina sur le côté pour observer le révérend avec la circonspection d'un juge.

Balthazar Jones tira une poignée de graines de tournesol de la poche de sa tunique et la tendit au chapelain.

— Mets la main à côté de ton épaule. L'inséparable viendra s'y percher pour manger les graines, dit-il.

Le révérend Septimus Drew prit les graines et s'assit contre le mur opposé en étendant ses trop longues jambes devant lui. Bientôt, l'inséparable se posa sur son épaule dans un éclat de vert et rose pêche et se mit à dévorer les graines à petits coups de bec.

Puis il se rapprocha légèrement du prêtre et se mit à lui frotter le cou du dessus de sa tête.

— Il t'aime bien, dit le hallebardier.

— En voilà au moins un, commenta le révérend Septimus Drew. Et celui-là, qu'est-ce qui ne va pas chez lui ?

Le hallebardier baissa les yeux vers l'albatros.

— Il souffre d'être séparé de sa compagne, expliqua-t-il.

Lors du silence qui suivit, les pensées des deux hommes se faufilèrent dans le même recoin.

— Depuis combien de temps Hebe est-elle partie ? Un mois ? demanda le chapelain.

Balthazar Jones hocha la tête.

— Va-t-elle revenir ?

— Non.

Un nouveau silence s'installa.

— Qu'as-tu fait pour lui faire changer d'avis ?

Le hallebardier ne répondit pas.

— Ne crois-tu pas que cela en vaut la peine ? insista le révérend Septimus Drew. Si c'était ma femme, je passerais le reste de ma vie à essayer de la faire revenir.

Le hallebardier continua à scruter ses mains, mais la proximité des oiseaux l'apaisait, et il finit par répondre :

— Je ne sais plus comment on fait pour aimer.

Après une pause, le révérend poursuivit :

— Essaie de lui montrer l'amour que tu donnes aux animaux.

Les ailes se mirent en mouvement, et l'oiseau vert et rose pêche retourna à son perchoir. Le révérend Septimus Drew regarda sa montre, se leva et brossa ses habits. Alors qu'il ouvrait la porte de la volière, le hallebardier tourna la tête en demandant :

— Alors, c'était la balle de qui au Rack & Ruin ?

L'homme d'Eglise fit une pause et le regarda.

— Je n'en sais rien. J'ai inventé toute l'histoire au fur et à mesure. J'essayais de te remonter le moral.

Et le seul son qui suivit fut l'écho de ses grands pieds sur le vieil escalier en colimaçon.

En tirant le rideau pour l'heure sacrée de la collation de fin de matinée, Hebe Jones sentit tout le poids de la crainte sur son estomac vide. Au fil des semaines, elle avait envisagé d'apporter son propre en-cas pour combattre les grondements de faim qui se déclenchaient sous son chemisier, mais elle avait écarté l'idée en se disant que c'était là une décision par trop cruelle à l'égard d'une femme dont la merveilleuse circonférence l'empêchait de se réfugier dans le cercueil du magicien pour échapper aux tourments du jour. Prête à absorber de nouveaux quartiers de pomme, elle essuya la poussière qui s'était déposée sur l'urne.

Valerie Jennings s'approcha. Dans une main, elle avait une tasse qui dégageait l'indéniable arôme de bergamote et d'agrume du thé Lady Grey, dans l'autre, une assiette surmontée d'un morceau de cake maison assez gros pour déclencher un glissement de terrain.

Une fois qu'elle eut repris ses esprits, Hebe Jones détourna son regard de l'assiette pour le poser sur sa collègue qui était revenue s'asseoir à sa table. Non seulement elle buvait du thé digne de ce nom, mais elle s'attaquait à une assiette tout aussi considérable de gâteau. Un nouveau coup d'œil, et Hebe Jones remarqua que Valerie Jennings ne portait aucun maquillage. Ses yeux allèrent alors jusqu'aux pieds de sa collègue qui étaient glissés dans ses chaussures noires à talons plats.

Tandis que les jours passaient sans nouvelles, Hebe Jones évita de mentionner le nom du poinçonneur de tickets tatoué.

Au début, elle avait partagé l'optimisme de Valerie Jennings à chaque tintement de la cloche suisse, et elles échangeaient un regard chargé d'espoir silencieux qu'il s'agissait de lui.

Finalement, un nuage noir de désespoir s'infiltra dans le Bureau et se posa au-dessus de Valerie Jennings, trahissant les trop nombreuses déceptions. Elle avait d'ailleurs commencé à donner des signes de réticence au point que Hebe Jones avait pris sur elle de répondre systématiquement au vacarme chaque fois qu'elle le pouvait.

— Excellent cake, dit Hebe Jones.

— Merci.

— Tu as une idée de la manière dont tu vas dépenser la récompense du propriétaire du coffre-fort ?

Valerie Jennings regarda le chèque que Niels Reinking lui avait remis lorsqu'il était venu chercher son coffre et qu'elle avait posé contre la statuette des Oscars.

— Je n'y ai pas vraiment songé, répondit-elle.

Après la collation, Hebe Jones proposa une partie de bataille navale afin de faire passer la matinée, et elle tendit à Valerie Jennings une feuille de papier sur laquelle deux grilles étaient déjà dessinées afin de ne pas lui laisser le temps de refuser. A l'heure du déjeuner, elle avait coulé toute la flotte de sa collègue. Elle alla chercher la boîte de moustaches et barbes de théâtre, mais même l'arrivée soudaine de sa préférée, la barbe d'Abraham Lincoln, ne parvint pas à dérider sa collègue qui refusa de l'essayer. Hebe Jones regarda sa montre. Il était temps de se rendre à son rendez-vous avec Tom Cotton. Debout, alors qu'elle boutonnait son manteau, elle entendit le téléphone.

Elle se tourna en espérant que Valerie Jennings allait répondre pour ne pas la mettre en retard, mais elle la vit disparaître dans une allée avec un étui à violon. Hebe soupira et décrocha.

— Est-ce bien madame Jones ? dit une voix.

— C'est moi.

— Ici Sandra Bell. Vous m'avez appelée au sujet d'une urne en grenadier.

Hebe Jones s'assit.

— Avez-vous retrouvé le numéro de votre client ? demanda-t-elle en jouant avec le fil du téléphone.

— Oui, hélas, je n'ai pas pu le joindre. Il est peut-être parti. Voulez-vous que je vous donne son numéro afin que vous puissiez essayer à votre tour ? J'ai aussi son adresse si vous voulez.

Après avoir raccroché, Hebe Jones mit l'urne dans son sac à main et laissa un message pour Valerie Jennings en expliquant où elle allait. Avec l'air légèrement penché qu'elle avait acquis depuis que l'absence de son fils pesait sur ses épaules, un poids qui s'était fait encore plus lourd depuis que son mari n'était plus à ses côtés, elle se dirigea vers la station de métro. Elle trouva une place assise dans le wagon et, pendant tout le trajet, elle serra son sac contre elle en espérant réunir enfin l'urne et son propriétaire.

Le pavillon avait été construit dans les années 1950 pour combler le vide que le Blitz avait laissé dans une rangée de maisons mitoyennes de l'époque victorienne. Elle poussa le portail métallique et, en observant les jonquilles qui flanquaient l'allée du jardin, elle se demanda si celles du toit de la tour de Sel avaient fleuri. Elle leva sa main gantée pour appuyer sur la sonnette et patienta tandis que le froid s'insinuait sous ses collants.

La réponse tarda et elle posa ses mains en coupe contre la fenêtre pour observer l'intérieur. Là, dans un fauteuil, un vieil homme dormait devant la télévision.

Elle frappa doucement sur le carreau, et le type sursauta. Il la regarda en esquissant un sourire empreint de douceur, puis, en se soulevant, il vint lui ouvrir la porte.

— Oui ? demanda Reginald Perkins de ses lèvres minces qui dépassaient à peine de la chaîne en acier de la porte.

Hebe Jones regarda le vieil homme en espérant qu'il serait le propriétaire de l'urne.

— Je m'appelle madame Jones et je travaille au Bureau des objets trouvés du métro de Londres. Nous avons trouvé une urne en bois dotée d'une plaque indiquant le nom de Clementine Perkins. Je me demandais si elle pouvait vous appartenir.

Il resta silencieux si longtemps que Hebe Jones se demanda si l'homme l'avait bien entendue. Une larme solitaire brillait derrière ses lunettes brouillées.

— Vous l'avez trouvée ? parvint-il finalement à dire.

Pendant que Hebe Jones défaisait la glissière de son sac à main, Reginald Perkins tâtonna pour dégager la chaîne de la porte. Les mains tendues, tremblantes comme un couple d'étourneaux, il s'empara de l'urne et la leva jusqu'à ses lèvres qui n'avaient plus personne à embrasser.

Pendant qu'il préparait du thé dans la cuisine, Hebe Jones patienta sur le canapé, heureuse de la chaleur du brûleur à gaz de la cheminée.

La décoration du séjour avait traversé les temps et les modes sans varier d'un pouce, et elle arborait encore un discret papier peint.

Sur le manteau de la cheminée trônait une vieille photographie en noir et blanc d'un jeune homme et d'une jeune femme sur le perron d'une église, avec dans leurs sourires l'invincibilité de l'amour naissant à la sortie de l'autel.

Hebe Jones repéra des traces du passage de Clementine Perkins partout dans la pièce, dans la tapisserie qui encadrait un vase de fleurs ornant le mur, dans le bouton rose abandonné dans un cendrier en porcelaine parce qu'elle n'avait jamais réussi à le recoudre, jusqu'à un napperon qui portait ses initiales et montrait l'usure du temps.

Après avoir tendu une tasse à Hebe Jones, Reginald Perkins posa sa silhouette fragile dans son fauteuil et appuya ses coudes sur les bras avant de commencer à raconter l'histoire de l'extraordinaire voyage de Clementine Perkins.

Ils s'étaient rencontrés alors qu'ils n'étaient que deux enfants qui faisaient la queue pour obtenir leur ration de sucre juste après la guerre. Leurs mères, qui s'étaient rapprochées parce qu'elles se retrouvaient soudain devant des difficultés inattendues suite au retour de leur mari à la maison, étaient devenues amies.

Les enfants jouaient ensemble pendant qu'elles se retrouvaient pour parler de l'étranger qui habitait désormais chez elles et que leurs fils et leurs filles avaient si peu connu qu'ils oubliaient qu'ils devaient l'appeler « papa ».

Par la suite, les mères se perdirent de vue – la famille Perkins avait déménagé –, mais la distance ne suffit pas à rompre l'amitié qui s'était installée entre les enfants. Peu désireux de supporter les délais du service postal, les adolescents s'envoyaient des messages par l'intermédiaire du laitier qui, jeune marié lui-même, comprenait plus qu'un autre les tourments de l'amour.

Tout alla bien jusqu'au moment où le messager se mit à mélanger les lettres des amoureux avec celles que lui confiaient ses autres clients. Très vite, sur des kilomètres à la ronde, les mères maudissaient le laitier distrait qui laissait sur leurs marches des missives dégoulinantes d'amour, mais pas la quantité de bouteilles de lait demandée, alors que les amoureux s'acharnaient à décrypter les codes romantiques qui auraient pu se dissimuler dans des commandes de bouteilles en moins ou en plus.

Le mariage se déroula dans l'intimité, et, au bout d'un an, Clementine Perkins était enceinte. Après deux autres enfants, toute la famille s'installa dans une période de bonheur tranquille dans son petit pavillon. Lorsque les enfants furent grands, M. et Mme Perkins décidèrent de prendre leur retraite anticipée afin de passer davantage de temps ensemble, et leur plus grand plaisir était de se lancer dans des excursions pour découvrir les trésors historiques de l'Angleterre. Toutefois, avec l'âge, Reginald Perkins se mit à redouter secrètement d'être séparé de sa femme, et il la contemplait dans son jardin depuis la fenêtre de la salle à manger en se demandant sans cesse si le pire serait ou non de mourir avant elle.

Il n'avait toujours pas tranché lorsqu'il la trouva effondrée dans la salle de bains. Ils étaient alors en vacances en Espagne, un voyage qu'ils s'étaient offert pour échapper à la mélancolie de l'hiver anglais. Il effectua le vol de retour en silence, les restes de son épouse dans son fourre-tout bleu posé sur le siège à côté de lui. Pendant des mois, il refusa de sortir de leur maison, et ses enfants eurent beau le supplier, rien ne pouvait le séparer de ses cendres.

Un après-midi, alors qu'il était assis dans son fauteuil, le poison de la solitude lui parut insupportable, et il se rendit à la cuisine pour préparer des sandwiches à la pâte de poisson qu'il mit dans son fourre-tout avec l'urne. Il se dirigea ensuite vers le palais de Hampton Court, la prochaine demeure royale qu'ils avaient prévu de visiter ensemble.

Ce fut le premier des nombreux sites qu'il visita en compagnie de feu Clementine Perkins. Soudain, sa vie reprenait un sens. Un beau jour, en revenant d'une excursion au palais de Kew, bercé par la chaleur et le roulement régulier des roues du wagon du métro, il s'endormit. A son réveil, il découvrit qu'on lui avait dérobé le fourre-tout bleu et, privé des cendres de sa femme, il sombra dans la dépression.

— Ma plus grande crainte était de devoir l'affronter au ciel, sachant ce que j'avais fait, déclara-t-il tandis qu'une larme roulait sur sa joue creuse. Où l'avez-vous trouvée ?

Hebe Jones posa sa tasse dont le thé avait refroidi pendant qu'elle écoutait Reginald Perkins et répondit :

— Sur la Central Line. Il n'est pas rare que les voleurs abandonnent leur butin lorsqu'ils s'aperçoivent qu'il n'a pas de valeur. Puis-je vous poser une question ?... Pourquoi n'avez-vous pas déclaré la mort de votre femme ?

Reginald Perkins tira un mouchoir blanc pour s'essuyer les joues.

— Je l'ai déclarée en Espagne, dit-il avant de remettre le mouchoir dans sa poche de pantalon. Il n'est pas obligatoire de le faire ici aussi. Et à quoi me servirait un bout de papier disant qu'elle est morte ?

Le silence dura un moment.

— C'est un très beau bois, finit par dire Hebe Jones.

Les yeux du veuf revinrent vers l'urne.

— Ils m'avaient donné une misérable boîte pour ramener Clementine à la maison. Je ne pouvais pas supporter l'idée de la savoir dedans. Je voulais quelque chose de spécial pour elle. C'est du bois de grenadier. La grenade est le symbole de la vie éternelle, vous savez.

Ils demeurèrent dans le silence simplement rythmé par les sifflements du brûleur à gaz.

Reginald Perkins leva soudain les yeux vers sa visiteuse.

— Je pense qu'il serait préférable que je trouve un lieu où Clementine pourrait reposer avant que je la perde à nouveau. Accepteriez-vous de m'aider ? demanda-t-il.

Hebe Jones le suivit dans le jardin où, une truelle à la main, il examina les parterres. Il s'appuya péniblement sur ses genoux raidis par le temps et creusa un trou dans la terre.

Puis il s'empara de l'urne, qui avait passé tant de semaines sur la table de travail de Hebe Jones, et lui donna un dernier baiser avant de la placer dans le trou et de la recouvrir de terre humide et sombre. Après que Hebe Jones l'eut aidé à se remettre debout, il contempla son œuvre.

— Elle aura du soleil ici, dit-il en souriant.

Comme sa visiteuse ne répondait pas, il se retourna vers elle.

— Rentrez vite, ma belle, ajouta-t-il en voyant les larmes couler.

De retour sur le canapé, les mains réchauffées par une nouvelle tasse de thé, Hebe Jones parla à Reginald Perkins du jour terrible entre tous. Lorsqu'elle eut achevé son histoire, elle ajouta :

— Nous n'avons toujours pas dispersé ses cendres. Nous n'arrivons pas à choisir l'endroit où le faire. Aucun de nous deux ne supporte d'en parler.

— Où sont-elles ?

— Toujours au fond de la penderie.

Ce fut au tour de Reginald Perkins de laisser refroidir son thé pendant qu'il écoutait. Il posa la tasse sur la table et s'adossa à son fauteuil. Au bout d'un moment, il déclara :

— Au moins, vous avez toujours votre mari. Cela doit vous procurer un grand réconfort.

Hebe Jones fixa la boulette de mouchoir trempé dans sa main.

— Je ne l'ai plus, répondit-elle.

Et elle lui raconta qu'elle était partie avec sa valise et n'avait pas parlé une seule fois à son mari depuis.

— Ce que je ne peux lui pardonner, c'est qu'il n'a jamais versé une seule larme.

Le vieil homme leva les yeux vers elle.

— Nous pouvons nous aimer de la même manière, dit-il, mais cela ne signifie pas que nous souffrons de la même manière.

Hebe Jones le regarda à travers un voile de larmes.
— Je me demande s'il a jamais aimé Milon.
Reginald Perkins leva son doigt tordu.
— Vous êtes-vous déjà posé la question lorsque le garçon était en vie ? demanda-t-il.
— Jamais.
— Vous avez la réponse, ma fille ! dit-il en baissant la main.

Assis dans sa chaise en fer forgé blanc, le révérend Septimus Drew observait la forteresse depuis son jardin en terrasse. A travers le rideau des quatre variétés de sauge ravies par l'hiver, il regarda un groupe de touristes en train de contempler le site de l'échafaud et un autre qui sortait de la caserne de Waterloo, hypnotisé par la vision scintillante des joyaux de la Couronne.

Tournant les yeux vers la chapelle, il repensa à ce que Ruby Dore lui avait dit dans la tour du Puits. Etait-il digne de se prétendre serviteur de Dieu ? C'était une question qui le tenaillait depuis que sa carrière littéraire obtenait un certain succès, mais la transformation des dames qui soignaient le potager avec plus de tendresse qu'elles n'en avaient jamais manifesté à leur propre égard avait toujours contribué à chasser des doutes.

Plein de regrets de constater que sa relation avec la patronne du pub avait connu son terme avant même de commencer, il se vit, dans quelques années, assis sur le canapé aux ressorts capricieux, dans son salon mélancolique de vieux garçon. Incapable d'en supporter davantage, il se leva et descendit péniblement l'escalier. Il ouvrit la porte de son cabinet de travail et s'installa devant sa table pour rédiger un sermon, mais l'inspiration le fuyait. Il se leva et se mit à aller et venir dans la pièce.

Comme rien ne lui venait à l'esprit, il se laissa tomber dans son fauteuil en cuir élimé et ferma les yeux, attendant que les idées lui tombent du ciel. Mais la seule chose qui tomba fut une araignée poussiéreuse aux pattes serrées sous elle dans la mort. Le chapelain se leva et se tint sur le tapis de chiffons roussi, devant l'âtre, et leva les yeux vers le portrait de la Vierge Marie.

Séduit par la technique, son père avait acheté le tableau pour l'offrir à sa jeune épouse pendant leur lune de miel, mais les souvenirs du mariage heureux de ses parents ramenèrent aussitôt ses pensées à Ruby Dore, et cela ne fit qu'augmenter sa tristesse. Son regard se posa alors sur l'invitation en caractères en relief, blanc sur blanc, du prix de la Fiction érotique appuyé sur le manteau de la cheminée. Il s'en empara et l'examina. Dans les braises du soleil de l'après-midi, les bordures dorées étincelaient comme des lucioles. Poussé par une impulsion de pure folie, qu'il devait attribuer par la suite à une crise aiguë de stress, il retira sa soutane et son col, enfila son manteau et sortit de la Tour pour aller s'acheter une perruque.

Il lui fut plus facile qu'il ne l'avait imaginé de se transformer en Vivian Ventress. Il savait exactement où aller, car il était passé devant la boutique chaque fois qu'il allait chez son boucher préféré. Le vendeur espagnol, vêtu d'une robe qui n'aidait guère sa silhouette sculptée à coups de *tortilla de patata* et de *frittata*, accourut à son secours. Après avoir choisi une perruque mi-longue de brune, il fouilla les rayons en quête d'une tenue assez élégante pour un dîner, mais suffisamment discrète pour ne pas trop attirer l'attention. Le révérend Septimus Drew étudia chaque proposition avec une horreur croissante et refusa d'en essayer une seule. Pour finir, le vendeur s'en retourna à ses rayons et, avec les gestes vifs et furieux d'un duettiste piqué au vif, il sélectionna une seconde série de vêtements parmi lesquels l'homme d'Eglise repéra une robe noire à manches longues très simple qu'il emporta dans la cabine. Il eut beaucoup de difficultés à endosser ladite robe, notamment à cause de ses trop longues jambes, mais cela n'eut aucun effet sur sa frénésie.

Lorsqu'il tira le rideau, la perruque en place, le vendeur battit des mains et guida le chapelain jusqu'au miroir au centre de la boutique. Les deux hommes inclinèrent la tête de côté et surent immédiatement que rien ne pourrait rivaliser avec la longue robe noire ornée d'adorables rangs de petits boutons en forme de perle.

Après avoir abordé le délicat sujet des dessous, le vendeur disparut dans l'arrière-boutique pour revenir avec une grande boîte en carton. Il l'ouvrit avec panache pour faire apparaître une paire d'escarpins noirs d'une taille si considérable qu'ils auraient pu emporter sur les mers toute une colonie de rats. Puis, armé des instruments de torture qu'il puisa dans un vanity, le vendeur se lança à l'assaut du visage de son client. Et lorsque le révérend se regarda dans le miroir, il découvrit qu'il était plus beau que Lord Nithsdale dans ses atours le jour de son évasion.

Sous son épais manteau, maudissant les bas trop fins pour repousser les courants d'air, le révérend Septimus Drew resta un moment sur le trottoir d'en face à contempler l'hôtel de Park Lane où devait se tenir la cérémonie. Lorsqu'il eut rassemblé tout son courage, il traversa la chaussée de la démarche vacillante de l'homme peu accoutumé aux talons hauts féminins et, sans lever ses yeux dissimulés sous des cils épais comme des ailes de corbeaux, il se contenta de brandir son carton d'invitation à la femme qui montait la garde près de la porte avant de se faufiler dans la salle de réception où les convives étaient déjà installés à table pour le dîner.

Debout, au fond, il évitait la lueur des chandelles et refusa toute invitation à s'asseoir (il avait attiré l'attention de plusieurs gentlemen). Lorsque la cérémonie débuta, il résista à l'envie de dire une petite prière pour sa victoire et se contenta d'évoquer le dieu païen de la chance en croisant les doigts. Le dos appuyé contre le mur afin de soulager les douleurs que lui causaient ses chaussures, il observa les gagnants que l'on appelait un par un sur l'estrade, trouvant au moins une consolation dans la certitude que c'était lui qui avait la plus belle robe.

Lorsque le maître de cérémonie quitta la scène et que les serveuses apportèrent les entrées, le chapelain se glissa hors de la salle à manger par la porte la plus proche de lui. Il se retrouva dans le bar de l'hôtel et se laissa tomber dans un fauteuil. Ce n'est que lorsque le serveur s'approcha afin de prendre sa commande qu'il se souvint qu'il était censé serrer les jambes sous sa robe.

Il demeura ainsi prostré pendant plus d'une heure, dans un état tel qu'il ne se souciait plus des ampoules que lui causaient ses escarpins. En venant lui demander s'il désirait autre chose, le serveur finit par le tirer de sa léthargie, et le révérend se leva pour rentrer chez lui. Au moment où il passait devant la porte de la salle à manger, il jeta un coup d'œil à l'intérieur et vit que le maître de cérémonie était de retour sur la scène.

— Et maintenant, disait l'homme en se penchant sur le micro, voici le moment que vous attendez tous. J'ai l'immense plaisir de vous annoncer que le gagnant toutes catégories…

Le révérend Septimus Drew décida d'assister à l'apogée de son humiliation en personne et pénétra dans la salle. L'homme en costume et nœud papillon ouvrit l'enveloppe qu'il tenait dans la main, leva les yeux vers le public et prononça deux mots qui plongèrent le chapelain dans un état de choc.

Il n'entendit pas les commentaires élogieux qui saluaient la prose de Vivienne Ventress, les brèches intelligentes laissées à l'imagination du lecteur ; le ton fermement moralisateur qui donnait à son œuvre une voix totalement inédite dans le genre ; et sa foi absolue en l'existence de l'amour authentique, un thème qu'aucun de ses contemporains n'avait exploré jusqu'alors, autant de caractéristiques qui apportaient à son œuvre une originalité extraordinaire que ses rivaux avaient tenté, en vain, d'imiter.

C'est le spectacle de son éditeur en train de se lever pour aller accepter la récompense de mademoiselle Ventress qui catapulta le chapelain vers l'estrade. Il fila en haut des marches, tête baissée, et reçut le prix avec des battements copieux de cils noir aile de corbeau.

En dépit du chœur tonitruant de « Un discours ! », il quitta la scène sans prononcer un seul mot et conserva un silence sage jusqu'à la porte qu'il franchit en trombe, les mains serrées autour de ses chaussures, avant que son éditeur ne cherche à serrer sa main poilue.

Le révérend Septimus Drew était déjà en train de ronfler, le prix posé sur la table de chevet à côté de son lit, lorsque Balthazar Jones monta sur les remparts pour proposer un peu d'exercice au sanglier à moustaches. A mi-chemin, sous le clair de lune, il s'arrêta et s'agenouilla.

A l'abri des regards de la sentinelle, il s'appuya contre la muraille vénérable et glacée, heureux de la chaleur du corps de l'animal qui pressait la tête contre sa cuisse et projetait dans le ciel piqueté d'étoiles des bouffées de souffle aromatisé aux choux de Bruxelles.

Assurant sa prise sur la laisse du sanglier, il repensa à l'histoire du chapelain à propos de la tour de Briques. Enfin, lorsque sa décision fut prise, il secoua doucement l'animal pour le réveiller et, en veillant à ne pas se faire repérer, le ramena à la tour de Develin afin de le laisser poursuivre ses rêves.

En chemin, il entendit le cri macabre de l'albatros hurlant qui résonnait dans toute la forteresse. Il s'approcha de la tour de Briques afin d'aller réconforter l'oiseau, mais il fut rejoint par un groupe de hallebardiers qui rentrait après une soirée au Rack & Ruin. La patronne les avait jetés dehors parce qu'ils conspiraient dans le but de s'emparer de la pièce de trois pence.

Ils s'arrêtèrent devant la tour Blanche, où les hommes le complimentèrent pour le succès de la ménagerie, et chacun prit le temps de lui donner le nom de son animal favori qu'ils avouèrent aller voir avec une petite friandise dès que les touristes avaient vidé les lieux.

Soudain, le vent se leva, et le loricule, tête en bas, sans doute enivré par une série de révolutions frénétiques autour de la girouette, desserra les pattes.

Tandis qu'il plongeait la tête la première jusqu'au sol, il laissa échapper un gémissement vigoureux qui réduisit les hallebardiers au silence, suivi par les mots :

— Ô maître des corbeaux, prends-moi !

Chapitre dix-huit

Assis torse nu sur son côté du lit, Balthazar Jones glissa ses pieds blafards dans ses collants rouge cramoisi. Il se leva et les remonta jusqu'à ses hanches et sur son ventre, exécutant un plié rabattu afin de remonter le gousset.

Il franchit la pièce en quelques pas, le nylon crissant entre ses cuisses, et ouvrit grand la penderie en quête de ses braies assorties. Mais la brusquerie du mouvement fit s'écrouler le meuble qui n'avait jamais récupéré du démontage exigé par le déménagement dans l'escalier en colimaçon huit ans plus tôt.

Jurant en grec, une habitude venue de sa femme, le hallebardier fouilla parmi les décombres afin de retrouver le reste de son uniforme de cérémonie, car Oswin Fielding lui avait conseillé de le porter lorsqu'il avait téléphoné quelques instants plus tôt pour lui demander de se rendre immédiatement au Palais.

Balthazar Jones étala la tunique et les braies sur le lit, se précipita vers la presse à vêtements pour en extraire sa fraise de lin blanc qui lui brûla les doigts.

Après avoir fixé les rosettes rouges, blanches et bleues à ses genoux et ses chaussures, il attrapa le bonnet Tudor dans les décombres de la penderie et dégringola l'escalier.

Il se rendit au palais de Buckingham en taxi, la peur au ventre, penché en avant afin de ne pas écraser sa fraise. Les Portugais avaient-ils appris la mort de la musaraigne étrusque ou quelqu'un avait-il découvert le sanglier à moustaches ? La reine avait peut-être soudain réalisé que personne ne lui avait offert les quatre girafes et décidé de confier sa tâche à un autre ? Au moment où il arriva au Palais, il était dans un tel état qu'il pouvait à peine parler.

Il fut introduit par une porte latérale par un policier qui le confia à un valet de pied muet dont les chaussures vernies à boucle étaient tout aussi muettes alors qu'ils longeaient le corridor recouvert d'une épaisse moquette bleue. Le valet escorta le hallebardier jusqu'à la porte d'Oswin Fielding, frappa et, lorsqu'on lui dit d'entrer, ouvrit la porte et s'effaça pour laisser passer Balthazar Jones. L'écuyer bondit sur ses pieds.

— *Yeoman Warder* Jones ! Asseyez-vous donc ! dit-il en indiquant la chaise devant sa table de travail.

Sans prononcer un mot, Balthazar Jones retira son bonnet Tudor et s'assit en le tenant par le bord.

— Il nous faut une tasse de thé, annonça l'écuyer en décrochant le téléphone.

Après avoir demandé qu'on lui en apporte, il ajouta en hâte :

— Sans sablés.

Il recula ensuite dans son siège, croisa ses doigts sur son estomac et demanda :

— Bien, comment allez-vous ?

Le hallebardier passa les paumes de ses mains sur les accoudoirs pour les sécher.

— Très bien, répondit-il.

— Et le garçon ? Comment va-t-il ?

— Quel garçon ?

— Vous avez dit avoir un fils. Comment s'appelle-t-il ?

Il y eut une pause.

— Milon, répondit Balthazar Jones.

— C'est un beau nom. C'est italien ?

— Grec.

— Votre femme est-elle… ?

— Non.

A ce moment-là, la porte s'ouvrit pour laisser passer le valet de pied muet avec un plateau. Il servit le thé en silence avant de se retirer en fermant la porte derrière lui. Oswin Fielding se servit de sucre et en vint enfin au fait.

— J'ai quelques nouvelles à vous annoncer, *Yeoman Warder* Jones.

— Je me disais aussi, répondit le hallebardier d'un ton neutre.

— Comme vous le savez, les choses se sont relativement bien déroulées avec la ménagerie. Très bien même. La Tour a enregistré son plus grand nombre de visiteurs depuis des années. Sa Majesté est très satisfaite.

Balthazar Jones continua à le fixer dans le plus profond silence.

— Toutefois, comme vous le savez aussi, plusieurs loutres géantes sont arrivées du Guyana il y a peu de temps, puis un couple d'oryx du Qatar, et un troupeau de gnous que nous envoie le président de Tanzanie. Enfin, ce matin, nous avons appris que les Américains expédiaient un couple de grizzlys. Certes, tous ces présents font montre d'une grande générosité, mais c'est juste un coup de pub.

L'envoyé du Palais ajusta ses lunettes sans monture.

— Or, la grande crainte de la reine est que, plus la ménagerie restera ouverte longtemps, plus les dirigeants étrangers seront enclins à nous envoyer de plus en plus d'animaux, continua-t-il. Avant que nous ayons le temps de dire ouf, la Tour ressemblera à une véritable arche de Noé.

L'écuyer se pencha alors en avant.

— De vous à moi, lorsqu'elle a entendu parler des grizzlys, elle a sauté au plafond. Si vous avez trouvé ses sablés assez bizarres la dernière fois, vous devriez voir ce qui est sorti du four juste avant votre visite. Méconnaissables !

Balthazar Jones déglutit.

— Sa Majesté a donc pris la décision de ramener les animaux au zoo de Londres avant que les choses ne nous échappent, conclut l'écuyer.

— Que voulez-vous dire ? demanda alors le hallebardier.

— Je crains de devoir vous annoncer que nous fermons la ménagerie.

Balthazar Jones fut incapable de répondre.

— La décision de la reine ne concerne en rien le travail que vous avez accompli, *Yeoman Warder* Jones, bien au contraire, poursuivit l'écuyer. Elle apprécie considérablement les soins et les attentions dont vous avez entouré la collection d'animaux royaux. Elle voulait vous le dire en personne, mais elle a été inopinément contrainte de partir. Elle a donc décidé que vous conserveriez le titre de gardien de la Ménagerie royale, même s'il ne s'agit là que d'une mention honorifique. Cela ajoutera un peu de mystère pour les touristes. Nous sommes certains que le nouvel engouement perdurera, notamment avec les échos qu'il a eus dans la presse internationale. En reconnaissance des services rendus, Sa Majesté a décidé de vous octroyer une petite mais significative augmentation de votre traitement.

— Mais que va-t-on faire des animaux ? demanda le hallebardier en serrant les accoudoirs. Ils se sont tous acclimatés maintenant. La duchesse d'York a l'air en bien meilleure forme qu'à son arrivée. Vous devriez voir comment sa fourrure brille. Les rats domestiques ont appris toutes sortes de tours, et le dragon de Komodo a même pondu des œufs. C'était une conception immaculée, vous savez. Ils en sont capables.

L'écuyer ne dit rien.

— Et je viens de mettre le glouton au régime.

L'envoyé du Palais ferma le dossier qui était ouvert devant lui et recula sur son siège.

— J'ai bien peur que la décision soit irrévocable, dit-il.

Il examina le porte-crayon posé sur sa table tandis que le hallebardier examinait le sol.

— Et quand doivent-ils retourner au zoo ? demanda Balthazar Jones.

— Dès demain.

— Demain ? s'exclama le hallebardier en levant les yeux. C'est plutôt rapide !

— Plus vite nous agirons, plus tôt nous mettrons fin à cette idiotie.

Balthazar Jones brossa la couronne noire de son bonnet Tudor du bout des doigts avant de se lever.

— Assurez-vous de ne pas prendre les mêmes déménageurs que ceux qui ont perdu les manchots, termina-t-il en se dirigeant vers la porte.

Le lendemain matin, dès que le hallebardier repoussa les draps cireux qui n'avaient pas vu la machine à laver depuis le départ de Hebe Jones, il se sentit traversé par la douleur de la séparation.

Il s'habilla aussi rapidement que possible en escaladant les ruines de la penderie pour dénicher une paire de chaussettes propres.

Il agrippa la rampe de corde et bondit en bas des marches pour aller nourrir les animaux une dernière fois et leur faire ses adieux sans être dérangé.

Lorsqu'il ressortit de la tour de Briques, un certain nombre de camionnettes et de camions envahissait déjà l'intérieur de la forteresse, et il repéra Oswin Fielding qui indiquait l'une des tours avec ce qui ressemblait à un parapluie à poignée d'argent neuf.

Tandis que l'on rassemblait les animaux dans les véhicules, le hallebardier resta à proximité en hurlant un flux continu d'instructions, qu'il s'agît de leur confort ou de la nécessité de leur fournir suffisamment d'eau pour le trajet. L'écuyer finit par lui demander de partir en affirmant qu'il gênait tout le monde.

Incapable de rester assis, il arpenta les douves et arriva à l'endroit qu'il avait montré à Milon en lui expliquant que, dans les années 1930, on y avait exhumé deux crânes de lion qui dataient du Moyen Âge.

Il s'assit sur le sol humide et, tout en jouant avec un brin d'herbe, se remémora le jour où il avait raconté à son fils l'histoire de la première Ménagerie royale.

Ils étaient tous deux assis sur des chaises longues sur le toit de la tour de Sel, et Balthazar Jones avait expliqué à l'enfant qu'en 1822, la collection se réduisait à un éléphant, un ou deux oiseaux et un ours.

Cette année-là, un zoologue du nom d'Alfred Cops avait été nommé gardien et il se mit à acheter des animaux pour la ménagerie au lieu de se fier aux cadeaux envoyés au roi ou aux souvenirs rapportés par les explorateurs. Collectionneur lui-même, il exposait également ses propres animaux avec les bêtes royales.

Six ans plus tard, la ménagerie possédait plus de soixante espèces, pour près de trois cents animaux. Outre les kangourous, les mangoustes et les babouins cynocéphales (« à tête de chien »), elle pouvait se targuer de disposer d'un paresseux à cinq doigts, d'une paire de cygnes noirs de Tasmanie, d'un rat-kangourou de Botany Bay, dans le sud de l'Australie, d'un boa constricteur de Ceylan, d'un crocodile du Nil et d'un ours malais de Bengkulu, à Sumatra, don de Sir Thomas Stamford Raffles. Sans supplément, les visiteurs pouvaient venir admirer les animaux à l'heure de leur repas (à 15 heures) ; les lionceaux avaient le droit de se promener au milieu de la foule et il y avait toujours la queue pour observer le léopard femelle qui adorait dévorer des parapluies, des moufles et des chapeaux.

— Alors, pourquoi ont-ils fermé si tout le monde y allait ? avait demandé Milon.

— Hélas, le succès de la ménagerie ne suffisait pas, avait expliqué le hallebardier en reposant ses pieds sur l'une des jardinières de sa femme. Après la mort de George IV en 1830, le duc de Wellington, exécuteur testamentaire et constable de la Tour, lança un programme pour transférer les cent cinquante animaux royaux dans les jardins de la Société zoologique de Londres, à Regent's Park, qui devint plus tard le zoo de Londres. Guillaume IV, le nouveau roi, n'avait guère de goût pour la ménagerie, et il donna son approbation. Le transfert se fit en 1831.

— Mais comment y sont-ils allés ? avait insisté Milon en offrant un fuchsia à Mme Cook.

— Les animaux ont effectué la longue traversée de Londres à pied, raconta Balthazar Jones, guidés par les hallebardiers qui transportaient les petits oiseaux et les faisans dans des panières. Afin d'éviter les blessures, les éléphants allaient en tête, mais le paresseux à cinq doigts, soudain tiré de son éternelle léthargie, fila comme une flèche, provoquant le premier accident. En dépit des sacs de farine dont on avait garni leurs flancs pour les ralentir, les kangourous arrivèrent bien avant les autres, suivis de près par les autruches, dont l'une donna un coup de patte à un zèbre. Il s'ensuivit une bagarre que les hallebardiers tentèrent de contenir. A l'arrivée des serpents, on vit que leurs écailles avaient largement souffert du voyage, et ils pelèrent pendant trois mois. Les derniers – qui arrivèrent deux jours après les cigognes – étaient les cygnes noirs de Tasmanie, qui puaient la bière. On les avait équipés de protège-pattes en cuir pour la longue randonnée dans Londres, et ils avaient été invités dans tous les pubs du chemin par des buveurs charmés par leurs chaussures. Ils n'avaient pas refusé une seule invitation, et un grand nombre de pubs du pays prirent le nom de Black Swan[1] en l'honneur des créatures.

— Et qu'est-il arrivé au gardien ?

— Alfred Cops vendit certains de ses animaux à la Société zoologique de Londres, avait poursuivi Balthazar Jones, mais il continua à exposer les autres à la Tour. Afin de ne pas décourager les visiteurs, le prix de l'entrée fut baissé de un shilling à six pence. Toutefois, après l'évasion d'un loup et l'incident au cours duquel un singe avait mordu le mollet d'un soldat de la garnison de Wellington, en 1835, le roi exigea que l'on ferme définitivement la ménagerie. Les vestiges de la collection de Cops furent confiés à un gentleman américain et exportés en Amérique. Six cents ans après leur arrivée, les animaux quittèrent donc la Tour de Londres.

Milon avait soulevé la tortue.

— Etait-ce un bon gardien, papa ?

— Oui, fiston, un très bon gardien. Il aimait beaucoup les animaux. Il en mourut peu. Malheureusement, l'oiseau secrétaire, mit son cou particulièrement long dans la tanière de la hyène et on n'entendit plus parler de lui.

Après un silence, Milon s'était tourné vers son père.

— Un peu comme la queue de madame Cook ?

— Parfaitement. Il n'a rien senti du tout.

Debout, seul, sur l'appontement, dans la lumière de l'aube qui allumait des éclats sur la Tamise, Balthazar Jones contempla le premier véhicule qui quittait lentement la Tour avec les girafes qui n'avaient jamais été offertes par le roi de Belgique. Venait ensuite le dragon de Komodo avec ses œufs résultant d'une conception immaculée. Puis ce fut le tour des opossums à queue en anneau penché qui rêvaient, la boucle parfaite de leur queue sous eux, avec le phalan-

1. Cygne noir. (NDT)

ger volant auquel il avait donné une dernière caresse de sa plume de toucan. Sur le plateau du camion, dans sa cage, l'inséparable femelle arborait l'attelle dont elle avait hérité de l'agression de son compagnon.

Conscients de l'urgence, les basilics à plumes se dressèrent sur leurs pattes arrière et se mirent à courir çà et là dans leur camionnette fermée, les pattes avant écartées sur les côtés pour garder l'équilibre. Puis apparut le glouton qui, malgré son régime, avait réussi à dissimuler plusieurs œufs crus dans sa fourrure. Les loutres géantes, que le hallebardier n'avait pas eu le temps de mieux connaître, étaient dans le camion suivant et, à en juger par l'odeur, précédaient la zorille. Les singes suivaient dans un véhicule aux fenêtres noircies pour que le ouistiti de Geoffroy ne se sente pas menacé pendant le trajet.

Les oiseaux fermaient le cortège, voletant d'une extrémité à l'autre du camion fermé à la suite de l'albatros hurlant qui exhibait ses taches roses. Seul le loricule commotionné ne volait pas, et il fit tout le voyage tête en bas, le perchoir serré dans ses griffes.

En regardant le dernier véhicule disparaître, Balthazar Jones fut secoué d'un frisson. Il rebroussa chemin jusqu'à la camionnette qu'il avait louée pour la journée et quitta la Tour pour se rendre au zoo, la cage de la musaraigne commune à côté de lui sur le siège passager. L'animal avait fini par réussir à glisser ses hanches colossales par la porte de la maisonnette en plastique. Le hallebardier se gara devant le portail en fer forgé qui avait failli décapiter les girafes et transporta délicatement la cage à l'intérieur en pensant au régime de Figolu que le corpulent geôlier en chef avait imposé à la tout aussi corpulente créature. Il vérifia que tous les animaux étaient bien arrivés et flâna en les regardant redécouvrir leurs enclos. Après avoir assisté à l'extraordinaire réunion entre l'albatros hurlant et sa compagne, il donna une plume de toucan au gardien du phalanger volant, mais l'homme eut un regard perplexe. Il revint à la camionnette et resta debout sur le trottoir en surveillant la rue de haut en bas.

Quand il fut certain que personne ne le regardait, il fit glisser la portière et envoya rouler un pamplemousse jusqu'au grand portail. Le sanglier à moustaches hésita un moment avant de bondir, sa queue en brosse volant à plein régime sur son généreux train arrière.

Lorsque le révérend Septimus Drew ouvrit la lourde porte de chêne du Rack & Ruin, l'un des hallebardiers se tenait debout sur la tête pour reproduire devant les spectateurs le cri historique que le loricule avait poussé au moment où il était tombé de la girouette de la tour Blanche.

En reconnaissant les chevilles osseuses du chapelain, le hallebardier se remit comme une flèche à l'endroit et présenta ses excuses pour son interprétation du juron aviaire. Ce n'était pas la première fois que l'homme d'Eglise l'entendait : à chaque apparition du maître des corbeaux (et pour sa plus grande humiliation), le cri tonitruant du loricule résonnait dans toute la Tour avec un enthousiasme débridé.

Le chapelain s'approcha de la cage du canari et fixa son occupant jaune qui se mit à déverser sa mélodie. En se penchant pour mieux observer la créature régurgitant les maudites notes qui menaçaient de l'étouffer, il jeta un regard en coin à Ruby Dore. Dès que la patronne du pub fut libre, il s'approcha et lui demanda à lui parler seul à seule. Elle leva les yeux et hésita.

— Ils ont refermé la tour du Puits depuis le départ des rats domestiques, répondit-elle. Je vous retrouve dans la tour de Wakefield dans deux minutes.

Après avoir considéré le petit oratoire où le détenu Henri VI aurait été assassiné alors qu'il était agenouillé en prière, il se joignit aux touristes qui se dirigeaient vers la chambre inférieure et l'exposition des instruments de torture. Il écouta les murmures de déception au moment où les visiteurs prenaient connaissance du panneau d'information précisant que la torture était extrêmement rare en Angleterre à l'époque.

Toutefois, leur moral remonta dès qu'ils virent le chevalet dont les cylindres macabres pivotaient dans des directions opposées, les menottes qui servaient à suspendre les prisonniers par les poignets et la Fille du Bourreau équipée des sinistres barres métalliques qui comprimaient le corps dans une position mortelle.

Lorsque Ruby Dore apparut – en s'excusant pour avoir tardé –, l'homme d'Eglise la guida vers les ombres du fond de la pièce. Il jeta un coup d'œil derrière lui pour s'assurer que personne ne les entendrait avant de lui confier la décision à laquelle il était parvenu.

— Je vais quitter l'Eglise, dit-il en scrutant son expression à travers les ombres.

Le chapelain expliqua qu'il pensait mieux assumer l'œuvre du Seigneur dans le Refuge qu'à la Tour – dont la congrégation ne semblait venir écouter ses sermons que pour se réchauffer contre les radiateurs. Ses éditeurs lui avaient offert un contrat pour six nouveaux livres, assorti d'une avance encore plus élevée que la première fois, ce qui signifiait qu'il serait en mesure de sauver bien plus de dames qu'à l'heure actuelle. En outre, la saveur des légumes qu'elles cultivaient était telle qu'elles venaient de signer un contrat avec un restaurant du quartier.

Il y eut un silence.

— Où vivrez-vous ? demanda enfin Ruby Dore en tripotant les franges de son écharpe.

— Je vais louer une petite maison près du Refuge. Je n'ai pas de gros besoins.

Ruby Dore détourna les yeux.

— Je n'ai pas été très honnête avec vous, moi non plus,

admit-elle. Je ne vais pas pouvoir le cacher plus longtemps, alors autant vous le dire. Je vais avoir un bébé.

Ce fut au tour du révérend Septimus Drew de rester coi. Tous deux baissèrent les yeux vers le sol, mais la jeune femme brisa finalement le silence.

— Je ferais mieux de retourner travailler.

Au moment où elle partait, l'homme d'Eglise ne put se retenir de demander :

— Avez-vous envie d'aller visiter le musée Florence Nightingale un de ces jours ? On peut y voir sa chouette favorite qui s'appelle Athéna.

Ruby Dore s'arrêta et le regarda dans les yeux.

— Elle l'a sauvée à Athènes, et elle l'a accompagnée partout dans sa poche. Elle l'aimait tant qu'elle l'a fait naturaliser à sa mort, ajouta-t-il.

Allongée sur le dos dans le sarcophage vide, dans les poussières d'un Egyptien de l'Antiquité, Valerie Jennings respirait. Elle ferma les yeux dans l'air qui embaumait le cèdre et pensa à ce qu'elle venait d'apprendre. Sa romancière obscure préférée du XIXe siècle était restée célibataire jusqu'à la fin de son existence.

Pas même l'apparition soudaine de Dustin Hoffman au comptoir victorien d'origine ce matin-là n'avait réussi à lui remonter le moral. Elle lui avait demandé une pièce d'identité et, sans un mot à Hebe Jones au sujet de la présence de la star, avait rapporté l'Oscar qui avait décoré sa table de travail ces deux dernières années. Elle l'avait tendu à l'acteur comme s'il s'agissait d'un trousseau de clefs qu'elle rendait à un citoyen lambda.

En ouvrant les yeux, elle se retrouva face au dessous du couvercle dont le décor demeurait visible dans la lumière provenant de l'interstice maintenu par un ouvrage à dos broché qu'elle avait glissé sous le couvercle pour éviter de suffoquer. Une fois encore, elle se dit qu'elle avait dû paraître bien sotte aux yeux d'Arthur Catnip. D'ailleurs, elle n'avait pas eu de ses nouvelles depuis la soirée au Splendid. Et elle regrettait plus que tout d'avoir porté la robe de quelqu'un d'autre pour ce dîner.

Soudain, elle perçut un nouveau petit coup poli sur le couvercle du sarcophage. Il avait fallu un moment pour que Hebe Jones retrouve sa collègue. Elle avait remonté les allées des rayonnages d'articles oubliés sur des dizaines de mètres, jusqu'à ce qu'elle tombe sur une paire de chaussures noires à talons plats et semelles en crêpe.

Elle avait alors observé les lieux en décrivant un cercle de trois cent soixante degrés, mais Valerie Jennings semblait avoir disparu corps et biens. Pour finir, ses yeux étaient tombés sur le sarcophage entrouvert par un livre glissé sous le couvercle. En entendant le coup, Valerie Jennings se redressa comme Dracula sortant de sa tombe. Elle enjamba le bord du cercueil en libérant un parfum de bois de cèdre et regagna sa table de travail sans dire un mot avant d'ouvrir un paquet de biscuits de la marque Bakewell.

Hebe Jones la suivit et s'assit aussi.

— Je viens de demander à l'un des contrôleurs pourquoi nous n'avions pas revu Arthur Catnip, et il m'a dit qu'il ne s'était pas présenté à son poste depuis longtemps, dit-elle. En outre, il n'a pas appelé pour expliquer son absence. Quelqu'un est allé chez lui, mais a trouvé porte close. Et ses voisins ne l'ont pas vu non plus. Tout le monde est très inquiet.

Valerie Jennings ne dit rien.

— Pourquoi n'essaies-tu pas de le retrouver ? suggéra Hebe Jones.

— Je ne saurais pas où commencer, répondit Valerie Jennings.

— Si tu es capable de dénicher le propriétaire d'un coffre au bout de cinq ans, tu devrais pouvoir retrouver un poinçonneur de tickets tatoué.

Valerie Jennings la regarda.

— Tu crois vraiment que quelque chose lui est arrivé ?

— Les gens ne disparaissent pas comme ça. Lui, encore moins que d'autres. Il n'aime pas les vacances. Pourquoi n'appelles-tu pas les hôpitaux ? insista Hebe Jones.

— Peut-être en a-t-il eu assez de son travail.

— Ils ont dit que ses affaires étaient toujours dans son casier.

Peu convaincue, Valerie Jennings tendit néanmoins la main vers l'annuaire du téléphone. Quelques minutes plus tard, elle raccrocha.

— Alors ? demanda Hebe Jones.

— Ils n'ont pas de patient de ce nom.

— Essaie le suivant. Le monde ne s'est pas fait en un jour, dit-elle.

Moins d'une demi-heure plus tard, Valerie Jennings déplaçait un exemplaire oublié du quotidien *Evening Standard* et se laissa tomber sur un siège du wagon de métro qui la ramenait chez elle. Elle ne remarqua pas le titre de la première page au sujet du retour miraculeux du sanglier à moustaches au zoo de Londres après son long voyage tout autour du pays et elle continua son trajet, les yeux perdus dans le vague.

Lorsqu'elle arriva à l'hôpital, Arthur Catnip était allongé dans une chambre à quatre lits dans l'état où elle l'avait imaginé. En dépit de ses pouvoirs d'intuition, il n'avait pas eu la moindre prémonition de sa crise cardiaque, plus grave que la première, peu après avoir embrassé Valerie Jennings sur le perron de l'hôtel Splendid, un oubli qu'il mit par la suite sur le compte de l'aveuglement de l'amour.

L'apparition de la dame de ses pensées, en manteau bleu marine, lunettes brouillées et chaussures à talons plats, fit hurler ses moniteurs.

Lorsque les infirmières réussirent à le calmer enfin, elles rappelèrent Valerie Jennings qui patientait dans le couloir et l'autorisèrent à s'approcher du patient. Elle s'assit près du lit, prit ses mains froides dans les siennes et lui expliqua que, lorsqu'il sortirait de l'hôpital, il pourrait passer toute sa convalescence dans son fauteuil inclinable avec repose-pieds réglable.

Elle lui affirma qu'elle lui prêterait tous ses livres de Mlle E. Clutterbuck. Elle lui assura qu'il retrouverait toutes ses forces, car elle l'accompagnerait en promenade dans le parc du quartier, malgré la présence des oies, et qu'il pourrait bien tomber dans l'étang aux canards, elle se chargerait de le sauver, même s'il n'avait plus beaucoup de cheveux. Et elle ajouta que, lorsqu'il serait totalement guéri, elle leur offrirait à tous deux une croisière avec la récompense qu'elle avait reçue du propriétaire du coffre-fort qu'il avait trouvé sur la Circle Line, cinq ans plus tôt, et qu'il lui montrerait l'île où il avait échoué après être passé par-dessus bord, imbibé de cidre, quand il était dans la marine.

Lorsqu'elle cessa de parler, les mains d'Arthur Catnip avaient retrouvé leur chaleur. Valerie Jennings se leva pour quitter la chambre, et il tourna la tête en ouvrant enfin les yeux.

— J'aime beaucoup vos chaussures, dit-il.

Hebe Jones ouvrit le tiroir aux cent cinquante-sept paires de fausses dents et y en ajouta une autre avec son étiquette. Elle revint à sa table de travail et, les yeux sur le bouquet de fleurs envoyé par Reginald Perkins, elle pensa à Clementine, bien au chaud sous les jonquilles.

Comme elle glissait les petits chaussons chinois dans la pile de courrier, elle entendit tinter la cloche suisse. Elle découvrit Samuel Crapper debout devant le comptoir, les épis de ses cheveux ocre triomphalement dressés.

— Quelqu'un nous a remis votre mallette, hier. Désolée, je voulais vous téléphoner, dit-elle.

— Vraiment ? s'étonna-t-il. Je ne savais pas que je

l'avais perdue. En fait, je suis venu parce que, pour changer, j'ai trouvé quelque chose.

Il souleva un énorme sac de courses de chez Hamleys pour le poser sur le comptoir.

— C'est resté sur le siège voisin du mien sur la Bakerloo Line après que tout le monde est descendu du wagon. J'ai oublié de vous l'apporter et je crains que cela fasse plusieurs jours qu'il est chez moi. Mais, pour tout l'or du monde, je suis incapable de dire de quoi il s'agit.

Hebe Jones sortit l'article du sac et le considéra un moment sans parler avant d'être capable de prononcer ces quelques mots :

— C'est un coffret d'échantillons de pluie.

Chapitre dix-neuf

Balthazar Jones se tenait sur le pont qui enjambait l'ultime lieu de repos des corbeaux où une minuscule tombe fraîchement creusée contenait les restes d'une musaraigne étrusque. En regardant les ouvriers qui démontaient les enclos des douves, il fut à nouveau frappé par l'impression de vide que dégageait l'endroit sans les animaux. Incapable d'en supporter davantage, il se dirigea vers l'allée de l'Eau, dépassa la tour Sanglante et son rosier grimpant du plus beau rouge, qui aurait donné des fleurs blanches comme neige la veille de la mort des deux petits princes. Sans se soucier de surveiller ses arrières, il déverrouilla la porte de la tour de Develin et commença à balayer la paille qui avait réchauffé le ventre du sanglier à moustaches. Lorsqu'il arriva dans le coin qui jouxtait la grande cheminée en pierre, il découvrit au bout de son balai le pamplemousse pourrissant de Hebe Jones.

Sous un ciel de cendres qui n'en finissait pas, il traversa la forteresse pour terminer son périple dans l'escalier en colimaçon de la tour de Briques. Les ouvriers avaient déjà emporté le grillage de la volière, de même que les arbres en pots et les perchoirs artificiels. Tout ce qui restait des occupants précédents, c'étaient les téguments de graines qui jonchaient le sol, des fientes séchées et des plumes blanches que l'albatros hurlant avait perdues. En commençant à balayer le plancher, il se souvint de la conversation qu'il avait eue avec le révérend Septimus Drew au milieu des oiseaux. Toutefois, en dépit des échantillons qu'il avait laissés dans le métro dans l'espoir de la faire revenir, Hebe Jones n'avait pas cherché à entrer en contact avec lui. La lame fit un nouveau tour dans son cœur.

Il ramassa le sac-poubelle noir et se prépara à partir lorsque quelque chose attira son regard vers l'appui de fenêtre. Il s'approcha et reconnut l'une des plumes ornementales du paradisier du Prince Albert qui se déployaient sur deux fois la longueur de son corps, une vision si extraordinaire que les premiers ornithologues avaient écarté le premier spécimen naturalisé comme une supercherie de taxidermiste. Il ramassa la plume bleue et l'examina à la lumière. Après en avoir lentement lissé la longueur entre ses doigts, il la roula et la glissa dans sa poche.

En regagnant la tour de Sel, il fut arrêté par un touriste américain qui lui demanda s'il était le gardien de la Ménagerie royale.

— C'est bien moi, répondit le hallebardier.

— C'est vraiment dommage qu'ils aient ramené les animaux de la reine au zoo de Londres, déclara le visiteur en ajustant sa casquette de base-ball. Par-dessus tout, les ouistitis de Geoffroy, c'était pas rien !

Balthazar Jones posa son sac-poubelle.

— C'est peut-être mieux comme ça, dit-il en expliquant à l'homme que l'albatros hurlant qui s'accouplait pour la vie avait perdu trop de plumes parce qu'il pleurait sa compagne demeurée au zoo.

— Je suppose que c'est le cœur qui fait la maison, conclut l'Américain dans un sourire.

Incapable de répondre, le hallebardier reprit son sac et traversa la pelouse devant la tour Blanche en regardant les marques laissées par l'enclos des opossums à queue en anneau penché et du phalanger volant. Un cri le fit se retourner vers le maître des corbeaux qui, devant l'enclos des odieux oiseaux, appelait ses ouailles d'une petite voix afin de leur dire adieu. Ce n'était pas le hallebardier en chef qui lui avait demandé de quitter la Tour. Il avait rejeté le témoignage du loricule comme preuve de sa culpabilité et menacé de licencier tous ceux qui répéteraient le cri historique à portée d'oreille de touriste. En fait, tout venait de la femme du maître des corbeaux. En reconnaissant la preuve de l'infidélité de son mari dans le cri du volatile vert émeraude, elle avait pris la décision de mettre un terme à leur séjour dans la Tour. Cela faisait des années qu'elle soupçonnait son mari de la tromper, mais elle avait patienté en pensant que, plus il partageait ses étranges communions avec d'autres, moins elle aurait à les endurer.

Toutefois, l'exposition au grand jour de la philanthropie corporelle de son mari, et par un piaf, dépassait les limites. Lorsque leur fille Charlotte sortit enfin de la cuisine, elle se retourna (elle se tenait devant la cuisinière) et informa son mari qu'il devait choisir entre la Tour et elle. Le maître des corbeaux choisit sans hésiter sa femme sans laquelle il n'était rien. Abandonnant son mari aux tâches du déménagement, elle en profita pour aller faire quelques courses. C'est dans une librairie ancienne qu'elle dénicha l'arme qu'elle cherchait depuis des lustres.

Tandis qu'elle observait le vendeur qui emballait une première édition datant de 1882 de *Vice versa ou Leçon aux pères* de F. Anstey, elle espérait que son mari trouverait le volume aussi hilarant qu'Anthony Trollope.

En éclatant de rire alors qu'il lisait l'ouvrage en famille, le romancier victorien avait été saisi d'une crise cardiaque et était mort le mois suivant.

Lorsque Balthazar Jones avait été appelé dans le bureau du hallebardier en chef, dans la tour du Mot de passe, plus tôt ce matin-là, il s'était préparé à subir un nouveau sermon à propos de ses pâles performances en matière de pickpockets. Mais non, le hallebardier en chef lui avait proposé le poste de maître des corbeaux. Que le hallebardier avait immédiatement décliné sans pour autant lui confier son avis quant au caractère des odieux volatiles.

Sans lâcher le bord de son chapeau, il avait saisi l'occasion pour demander à emménager dans les quartiers supérieurs du maître des corbeaux afin de fuir la méchante humidité de la tour de Sel, le son macabre du ciseau et l'odeur pestilentielle des sandales fumantes des prêtres catholiques.

Pendant un moment, le hallebardier en chef ne dit rien, se contentant de tambouriner sur la table du bout de ses doigts d'embaumeur, pour finir par soupirer.

— Si c'est nécessaire...

Balthazar Jones jeta le sac-poubelle dans le bac jouxtant le Café de la Tour et, en se retournant, aperçut le révérend Septimus Drew qui se dirigeait à grands pas vers le Rack & Ruin, la soutane gonflée par le vent. Le hallebardier le rattrapa en courant et lui demanda s'il était vrai qu'il quittait la Tour.

Le chapelain l'invita à entrer avec lui dans le pub, où ils s'installèrent au bar pour se faire servir, tandis que la patronne confisquait la pièce de trois pence à la praticienne de la Tour. Il écouta avec regret l'homme d'Eglise lui dire qu'en effet, il serait parti à la fin du mois.

— Mais nos parties de boules ? demanda Balthazar Jones.

Le révérend Septimus Drew vida son verre et le reposa sur le sous-bock devant lui.

— Tout le monde doit avancer un jour ou l'autre, dit-il.

Il regarda ensuite sa montre et s'excusa de ne pouvoir rester plus longtemps, car il devait emmener Ruby Dore voir une petite chouette appelée Athéna. Il posa alors la main sur le bras de son vieil ami et lui demanda s'il avait fait quoi que ce soit depuis leur conversation dans la volière pour inciter Hebe Jones à revenir. Balthazar Jones hocha la tête.

— Des résultats ? demanda le chapelain.

Balthazar Jones baissa les yeux vers le comptoir.

— Au moins, tu as essayé, ajouta le chapelain pour remplir le silence.

Après avoir terminé sa pinte en solitaire, le hallebardier essuya sa moustache du revers de la main et se dirigea vers la tour de Sel. Au moment où il attaquait l'escalier en colimaçon, il entendit la sonnerie du téléphone et bondit dans le séjour pour répondre, mais ce n'était que l'envoyé du Palais, et Balthazar Jones s'affala sur le canapé.

— J'ai pensé que vous auriez aimé savoir que nous avons récupéré les manchots sauteurs, annonça l'écuyer.

Le hallebardier s'appuya au dossier.

— Où étaient-ils ? demanda-t-il.

— Ils sont allés jusqu'à Milton Keynes. Quatre-vingts kilomètres ! Hier matin, aux petites heures du jour, ils ont été aperçus par un policier.

Lorsqu'il eut raccroché le téléphone, le hallebardier se rendit à l'étage. Incapable de soutenir plus longtemps le parfum de l'absence de Hebe Jones, il arracha les draps du lit en laissant seulement la chemise de nuit de sa femme sur son oreiller. Dans le placard à linge où il allait prélever une paire de draps propres, il vit le maillot de corps blanc et le jeta dans la poubelle.

Il se mit alors à remonter les pièces de la penderie avant de remettre les vêtements sur la tringle et sur les étagères. Il découvrit dans les décombres plusieurs pulls qui appartenaient à sa femme et, en les repliant, il tomba sur l'urne de Milon. Il s'en empara et s'assit sur le lit pour l'examiner. Il pensa à tout ce qu'il avait eu et tout ce qu'il avait perdu, et finit par conclure qu'il n'avait pas mérité tout cela au départ. Il essuya délicatement l'urne et la posa sur l'appui de fenêtre.

Allongé sur les draps propres, il espérait prendre un peu de repos avant de retourner à son poste, mais la solitude ne lui laissait pas de répit. Il se redressa, descendit jusqu'au séjour. La vue de la partie antérieure du déguisement de cheval le poussa à se réfugier dans la cuisine.

Il tira une chaise pour s'asseoir à la table, mais il se leva immédiatement après avoir remarqué au-dessus de l'évier le dessin de trois visages souriants, deux grands, un petit et une tache de couleur. Il quitta la pièce pour retraverser le séjour et descendre les escaliers où le froid le saisit comme s'il venait de pénétrer dans un tombeau.

Il poussa la porte de la chambre de Milon et tira les rideaux qu'il avait confectionnés si longtemps auparavant. Le soleil brutal de mars envahit la pièce. Assis sur le lit, il passa la main sur l'oreiller moelleux où la tête de son fils reposait autrefois. Il regarda autour de lui, considérant les affaires qu'il lui faudrait bientôt emballer pour le déménagement. Sur l'étagère, il prit la boîte d'allumettes et en fit glisser le couvercle pour examiner la pièce de cinquante pence. Il s'empara de l'ammonite dont il lissa les contours avec le pouce. Il tendit la main vers le livre de mythologie grecque qui reposait encore sur la table de chevet et le feuilleta en s'arrêtant pour contempler une illustration représentant Hermès et sa tortue. Il ne savait pas depuis combien de temps il était là quand il entendit un bruit. Lorsqu'il leva ses yeux aussi clairs que l'opale, Hebe Jones se tenait sur le seuil, sa valise à la main.

Ils ne prononcèrent pas un mot. Enfin, elle posa sa valise et vint s'asseoir à côté de son mari sur le lit. C'est Balthazar Jones qui parla le premier.

— C'est moi qui ai tué Milon, dit-il, les yeux rivés sur le sol.

Hebe Jones porta la main à sa bouche.

— De quoi parles-tu ? demanda-t-elle, les yeux fixés sur lui.

En respirant avec difficulté, le hallebardier lui raconta la dispute qui l'avait opposé à Milon le soir de sa mort. Parce qu'il n'avait pas terminé ses devoirs, il l'avait menacé de ne pas l'emmener au Musée de la science le week-end suivant.

— Je ne vois pas le rapport ! déclara Hebe Jones.

Il lui rappela alors les explications du médecin légiste lors de l'enquête, qui avait affirmé que certains enfants souffraient d'arrêt cardiaque après un stress émotionnel.

Hebe Jones posa la main sur sa cuisse.

— C'est ce que tu penses depuis toutes ces années ? s'enquit-elle en cherchant ses yeux.

Elle lui rappela alors que le légiste avait également précisé que certains mouraient dans leur sommeil, à leur réveil ou en pleine activité, et que, ce terrible soir, Milon n'avait pas cessé de monter et descendre les fichus escaliers.

Elle se tut et regarda devant elle dans le vague. Enfin, elle se tourna vers lui.

— S'il y a quelque chose qui a affaibli son cœur, à ce pauvre garçon, c'est l'amour qu'il avait pour son père.

Le hallebardier éclata en sanglots. Il pleura si longtemps que, même lorsqu'ils crurent tous deux que ses larmes s'étaient taries, elles continuèrent à couler.

Lorsqu'ils eurent fini de parler, Hebe Jones vida sa valise, vérifia les jonquilles qui fleurissaient dans ses jardinières sur le toit et découvrit sa chemise de nuit sur l'oreiller de son mari. Avant la tombée de la nuit, ils descendirent l'escalier en colimaçon et se rendirent à l'appontement de la Tour. Debout, côte à côte, ils contemplèrent l'endroit où, de l'autre côté de la Tamise, l'ours polaire d'Henri III pêchait le saumon au bout d'une corde.

Lorsqu'elle fut prête, Balthazar Jones ouvrit le couvercle et tourna l'urne sur le côté. Ils regardèrent les cendres voleter dans la brise et se poser sur la surface argentée de l'eau. Tandis qu'elles entamaient leur voyage vers la mer, Hebe Jones prit la main qu'elle ne lâcherait plus, et, lorsque les cendres eurent disparu pour toujours, Balthazar Jones lui annonça qu'il avait songé à acheter une maison en Grèce. Ils pourraient ainsi jouir de leur retraite à l'abri de la pluie anglaise. Une maison au bord de la mer afin qu'ils soient avec Milon pour toujours.

Plus tard, cette nuit-là, tandis qu'ils étaient allongés dans le sanctuaire de leurs bras, la magnifique plume bleue du paradisier du Prince Albert brillait de tous ses feux au-dessus de leur tête.

Ils étaient plongés dans un tel état de félicité qu'ils ne perçurent pas les craquements qui résonnèrent dans la tour. Mme Cook revenait de ses explorations lointaines, une plume noire collée au coin de sa très vieille bouche.

Note de l'auteur

Parmi les animaux vivants offerts à Sa Majesté la reine d'Angleterre et confiés au zoo de Londres, on compte un canari d'Allemagne, reçu en 1965, à la suite d'une visite officielle ; des jaguars et des paresseux du Brésil, offerts en 1968 ; deux castors du Canada, envoyés en 1970 ; deux tortues géantes des Seychelles, en 1972 ; un éléphant du nom de Jumbo du président du Cameroun, expédié la même année pour marquer les noces d'argent de la reine ; et deux autres paresseux, un tatou et un fourmilier, offerts par le Brésil en 1976.

Parmi les espèces reçues récemment par la reine et confiées à la Société zoologique, on compte six kangourous, que l'on peut admirer au zoo de Londres, et deux grues qui ont été installées dans le zoo de Whipsnade, au nord de Londres, le plus grand zoo du Royaume-Uni. Ces grues ont été offertes à la reine par le zoo de Melbourne en 1977, pour commémorer le jubilé d'argent de Sa Majesté, et l'une des grues est encore en vie.

Remerciements

Je suis redevable aux auteurs des nombreux guides en vente à la Tour de Londres. *The Funeral Effigies of Westminster Abbey*, édité par Anthony Harvey et Richard Mortimer, m'a fourni de nombreuses informations sur les insolites expositions de l'abbaye de Westminster, bien que l'anecdote concernant le perroquet naturalisé (historique, lui) de la duchesse de Richmond et Lennox soit une liberté de mon imagination. Le merveilleux *The Tower Menagerie : The Amazing True Story of the Royal Collection of Wild Beasts* de Daniel Hahn a été une source fascinante d'informations. Je remercie également le Dr Elijah R. Behr, mon super agent Gráinne Fox et toute l'équipe de Doubleday.

Aucun animal n'a été maltraité pendant l'écriture de ce livre.

Chez le même éditeur

Kate Jacobs

Le Club des tricoteuses du vendredi soir

Le Club des tricoteuses : nouvelles chroniques

Elles sont sept. Sept femmes de 18 à 78 ans qui vivent à New York. Le vendredi soir, elles se retrouvent ensemble pour tricoter… et pour discuter. Il y a, par exemple, Catherine qui cherche l'amour après un divorce. Lucy, elle, doit réussir à élever seule sa fille tout en s'occupant de sa mère âgée et malade. Darwin garde l'espoir de fonder une famille. Et puis il y a Anita qui, à 78 ans, reçoit une demande en mariage de Marty, que ses enfants adultes n'acceptent pas… Au fil de ces soirées du vendredi, des liens se tissent, des amitiés se nouent. Les membres de ce club pas comme les autres forment une sorte de famille dans laquelle on se bat ensemble quand la vie vous met au défi. Au fur et à mesure que ces femmes tricotent, elles dévoilent leurs joies, leurs bonheurs et leurs difficultés d'être tout à la fois femmes, mères, amantes, filles et amies.

Des livres émouvants comme la vie,
qui ont déjà séduit plusieurs millions de lecteurs.

ISBN : 978-2-35288-469-9 / 978-2-35288-784-3